Isay Rottenbergs Zigarrenfabrik

Hella Rottenberg · Sandra Rottenberg

Isay Rottenbergs Zigarrenfabrik

Wie ein niederländisch-jüdischer Unternehmer in Sachsen den Nazis die Stirn bot

Übersetzt aus dem Niederländischen
von Christina Siever

Nederlands letterenfonds dutch foundation for literature

Die Übersetzung dieses Buches wurde gefördert
von der Niederländischen Stiftung für Literatur
Nederlands Letterenfonds/Dutch Foundation for Literature

Die Übersetzerin wurde mit einem Arbeitsstipendium des Deutschen Übersetzerfonds gefördert.

Bibliografische Information der Deutschen Nationalbibliothek

Die Deutsche Nationalbibliothek verzeichnet
diese Publikation in der Deutschen Nationalbibliografie;
detaillierte bibliografische Daten sind im Internet
unter *http://dnb.dnb.de* abrufbar.

ISBN 978-3-8012-0689-5
Auch als E-Book erhältlich: ISBN 978-3-8012-7059-9

Die niederländische Originalausgabe erschien 2017 unter dem Titel
De sigarenfabriek van Isay Rottenberg bei Uitgeverij Atlas Contact, Amsterdam

Umschlag: Hermann Brandner, Köln

Umschlagbilder:
Krenters Zigarrenfabrik in Döbeln, um 1931, Stadtarchiv Döbeln
und Isay Rottenberg, Anfang der 1930er-Jahre, Familienbesitz

Satz:
Kempken DTP-Service | Satztechnik • Druckvorstufe • Mediengestaltung, Marburg

Druck und Verarbeitung: Hunter Books GmbH

Inhalt

1
Isay Rottenberg 7

2
Eisenbahnknotenpunkt Döbeln 32

3
Kaufmann aus Amsterdam 40

4
Aufstieg und Fall von Krenter 61

5
Nazis an der Macht 82

6
Das Maschinenverbot 112

7
Eine Anzeige bei der Gestapo 121

8
Deutsch und tugendhaft 141

9
Arbeit und Brot 160

10
Ins Joch spannen 176

11
Schwert und Blitz 190

12
Münchner Platz 206

13
Unerschrocken 227

14
Und dann kam der Krieg 241

Anhang

Familienstammbaum Familie Rottenberg · Familie Ptasznik 275
Personenverzeichnis 276
Quellen und Literatur 283
Literatur 286
Bildnachweis 288
Danksagung 289
Die Autorinnen 290

1

Isay Rottenberg

»Besitztümer während der Zeit des Holocausts im ehemaligen Ostdeutschland. Deadline: 31. Dezember 2014« stand fettgedruckt in einer Anzeige in der Wochenzeitschrift *Nieuw Israëlietisch Weekblad*. Darunter folgte eine Erläuterung zur sogenannten »Claims Conference«, die einen Entschädigungsfonds für Erben verfolgter und enteigneter Juden eingerichtet hatte. Es standen 50 Millionen Euro für »späte Antragssteller« zur Verfügung, das heißt für Personen, die alle vorherigen Aufrufe verpasst hatten und nun noch eine letzte Chance erhielten. Sie hatten noch exakt einen Monat Zeit, sich zu melden und eine Forderung geltend zu machen.

Zufällig sahen unser Cousin Sacha und Hellas Bruder Menno den Aufruf. Sie erinnerten sich daran, irgendeinmal etwas über eine Fabrik unseres Großvaters in Deutschland gehört zu haben, die von den Nazis enteignet worden war.

Auch wir hatten gelegentlich von einem Elternteil von dieser Fabrik gehört, aber ansonsten wussten wir überhaupt nichts, nada, niente. Weder, was das Unternehmen herstellte, noch, wo es ansässig war, geschweige denn wann, wie lange und warum unser Großvater in Deutschland gearbeitet hatte.

Die Anzeige verwies auf eine Website der Organisation, deren vollständiger Name »The Conference on Jewish Material Claims Against Germany« lautete. Dort befand sich eine Liste mit den Namen und Adressen der einstigen Besitzer und Unternehmen. Sacha öffnete die Liste mit einem Klick. Unter den Tausenden von Namen war auch der Name unseres Großvaters Isay Rottenberg und in derselben Zeile der Name und die Adresse einer Fabrik: Deutsche Zigarren-Werke, Industriestraße 2, Döbeln. Nur ein paar Worte, doch sie lieferten uns den ersten Beweis, dass diese Fabrik in Deutschland wirklich existiert hatte.

Die Entdeckung sorgte für Aufregung in der Familie. Innerhalb eines Monats, so haben wir das verstanden, mussten wir nachweisen, dass Isay Rottenberg der Eigentümer war, dass er enteignet worden war und dass wir, die sieben Enkelkinder, seine Erben waren.

Mit diesen wenigen Informationen machten wir uns an die Arbeit. Natürlich, um die Forderung geltend machen zu können, aber vor allem aus brennender Neugier. Die Internetsuche nach »Isay Rottenberg« in Verbindung mit»Döbeln« und »Deutsche Zigarren-Werke« lieferte sofort ein Ergebnis. Es handelte sich um einen Bericht aus *Der Stürmer*, in dem das Blatt seinen Lesern»mit Freude« mitteilte, dass der Jude Isay Rottenberg nicht mehr der Geschäftsführer der Zigarren-Werke in Döbeln sei und dass in diesem Unternehmen kein einziger Jude mehr arbeitete. Damit hatten wir das Ende der deutschen Geschichte unseres Großvaters gefunden, aber wir hatten keine Ahnung, wo wir den Anfang suchen sollten. Unsere Eltern konnten wir nicht mehr fragen, sie waren gestorben. Und in den Unterlagen ihres Nachlasses sind wir auf nichts gestoßen, was irgendeinen Anhaltspunkt geboten hätte.

Zunächst war die Suche wenig ergiebig, aber als wir Monate später in Döbeln waren, fanden wir eine Fülle an Material vor. Dass es so viele Unterlagen gab, war auf einen Konflikt zurückzuführen, der offenbar minutiös aufgezeichnet worden war. Ab 1933 setzten Konkurrenten aus ganz Deutschland alles daran, die Deutschen Zigarren-Werke auszuschalten, während unser Großvater dickköpfig Widerstand leistete. Bürgermeister, Beamte und Minister des Dritten Reiches in Sachsen und Berlin mischten sich ein, die Handelskammer, Industrieverbände, die NSDAP und die Deutsche Arbeitsfront ergriffen Partei. In Döbeln, aber auch in den Archiven von Berlin, Dresden, Leipzig und Chemnitz fanden sich Briefe, Notizen, Berichte, Fotos, Zeitungs- und Zeitschriftenartikel, die sich alle mit den Deutschen Zigarren-Werken und dem Streit um das Weiterbestehen der Fabrik befassten. Nahezu Woche für Woche konnten wir verfolgen, wie sich der Konflikt entwickelte, wer die Oberhand gewann und wer mit schmutzigen Tricks arbeitete. Wir fanden sogar Stenogramme von Sitzungen, bei denen unser Großvater die Klingen mit NSDAP-Führern, Stadtbeamten und Unternehmern kreuzte.

Als wir die Stenogramme fanden, überlegten wir, dass es schön wäre herauszufinden, wer die Männer waren, mit denen unser Großvater am Tisch saß, und wie sie sich ihm gegenüber, einem jüdischen Fabrikanten, und beim Tauziehen um sein Unternehmen verhielten. Dies ist uns gelungen. Auch wer den Raub der Fabrik im Jahr 1935 vorbereitete und wie dieser durchgeführt wurde, schien man ordentlich aufgezeichnet zu haben.

Der Konflikt um die Zigarrenfabrik ermöglichte es uns, eine durchschnittliche deutsche Stadt in den ersten Jahren des Nationalsozialismus unter die Lupe zu nehmen. Wir beobachteten den Umschwung von der roten zur braunen Verwaltung, wir lernten die Profiteure, die Mitläufer und die Opfer der neuen Ordnung kennen, wir merkten, wie schnell durch den Schein der Rechtmäßigkeit alles normal wirkte. Und wo Interessen und Ideologie kollidierten, siegten meist die Interessen. Das Döbeln der 1930er-Jahre wurde zum Leben erweckt, wir saßen im ersten Rang, als ob wir selbst dabei gewesen wären.

Wir lernten unseren Großvater von einer unbekannten Seite kennen. Wir erfuhren von einem Zeitabschnitt, über den die Rottenbergs geschwiegen hatten, der aber das Leben der Familie auf den Kopf gestellt haben muss. Wir sahen, was für ein eigensinniger, unerschrockener und unerschütterlicher Mann unser Großvater war. Wir waren erstaunt, dass er in Hitlerdeutschland blieb, streitlustig, aber auch übermütig, fast tollkühn, blind für die Gefahr.

Warum wir so wenig über den Aufenthalt unseres Großvaters in Deutschland gehört hatten, fragten wir uns in unserer Jugend nicht, denn es wurde über so vieles geschwiegen. Das Leben in der Vorkriegszeit blieb in Dunkel gehüllt. Wenn überhaupt etwas erzählt wurde, dann waren es nur ein paar einzelne Anekdoten, die nicht zu einer zusammenhängenden Geschichte verknüpft werden konnten. Hellas Mutter, die die Geschichte aus zweiter Hand kannte, hatte hin und wieder erwähnt, dass die Nazis Großvaters Fabrik weggenommen hatten und dass er selbst in Deutschland inhaftiert gewesen war. Weitere Details kannte sie nicht oder gab sie nicht preis. Hellas Vater Alfred sprach nie darüber, Sandras Vater Edwin ebenso wenig.

Dank des Aufrufs in der jüdischen Wochenzeitschrift fiel Sandra ein, dass ein einziges Mal etwas mehr von dieser Fabrik preisgegeben worden war. Das war 1997 bei der Beerdigung ihres Vaters Edwin, als seine Schwester, unsere Tante Tini, sich an ihre Jugendzeit in den 1930er-Jahren erinnerte. Von den Ansprachen ist eine Aufnahme erhalten geblieben, und als wir uns diese anhörten, hörten wir die emotionale Stimme unserer Tante: »Um das Jahr 1935 herum gab es in den Niederlanden nur wenige Menschen, die sich mit den Ereignissen in Deutschland befassten. Unsere Familie wurde jedoch schon damals mit einer großen Tragödie konfrontiert. Plötzlich war Vater verschwunden und wir wussten nicht wohin, wie und weshalb. Wir rechneten nicht mehr damit, dass er noch am Leben war.«

Eine Trinkhalmfabrik in Amsterdam

Wir kannten unseren Opa gut. Er war der Direktor des Amsterdamer Familienunternehmens J. Rottenberg & Söhne, einer Fabrik für Plastiktrinkhalme und -rohre, das er nach dem Krieg an der Nieuwe Keizersgracht begründet hatte und in der auch unsere Väter arbeiteten. Er war der Chef, der Vollblutunternehmer, das konnten wir sogar schon als Kinder sehen. Opa war piekfein angezogen, er trug einen Maßanzug mit einer sorgfältig ausgesuchten Seidenkrawatte, ein Einstecktuch in der Brusttasche, goldene Manschettenknöpfe und elegante italienische Schuhe, er war souverän und tatkräftig. Seine Söhne waren aus anderem Holz geschnitzt: zerzaustes Haar, schlecht sitzende Anzüge und zerstreut, zudem widmeten sie sich gerne dem Erzählen langer Geschichten. Sie waren widerwillig zu Geschäftsleuten geworden.

Isay Rottenbergs starke Persönlichkeit hat sich immer bemerkbar gemacht. Wenn er einen Raum betrat, blieb er schweigend stehen, bis er die Aufmerksamkeit auf sich gezogen hatte. Erst dann begrüßte er die Anwesenden. Es funktionierte immer. Er war der Magnet, obwohl er kein Wort sprach. Er war klein und breit gebaut, hatte einen runden Kopf mit einem glänzenden Schädel, eine kräftige Nase und große Ohren, seine Augenlider bildeten Dreiecke, hinter denen seine dunklen Augen neugierig und belustigt in die Welt blickten.

Er prägte unsere Väter, unsere Mütter und uns, die Enkelkinder. Wir waren von ihm beeindruckt und fanden ihn faszinierend. Die familiären Beziehungen waren noch gut, als wir klein waren. Opa war die zentrale Persönlichkeit, ein Patriarch, und um ihn herum kreisten seine Kinder und Enkelkinder. Später kam es zu einem fürchterlichen, nicht zu kittenden Bruch im Zusammenhang mit der Fabrik, woraufhin Edwin seinen Vater und seinen Bruder Alfred nicht mehr sah, unsere Tante Tini Edwin unterstützte und Alfred Opa treu blieb. Abgesehen vom Altersunterschied bestimmte dieser Zwist die Rolle, die Opa in unserem Leben spielte und wie wir uns an ihn erinnern. Der Bruch beeinflusst noch heute, Jahrzehnte später, unseren Blick auf ihn.

Für mich, Hella, war Opa der Fels in der Brandung. Wir wohnten in der Milletstraat in Amsterdam in einer Wohnung im Erdgeschoss neben ihm. Das Gartentor zwischen den beiden Wohnungen war entfernt worden; wir gingen hintenherum und betraten gegenseitig die Wohnungen durch die Küche. Schon seit ich klein war, wurde mein Tag durch seinen Rhythmus bestimmt. Frühmorgens tippelte ich zu ihm hinüber. Er schnitt dann eine Grapefruit auf, aß eine Hälfte selbst und gab mir die andere, abwechselnd jeweils ein Bissen. Wenn er ins Auto stieg, um zur Fabrik zu fahren, ging ich zurück nach Hause. Gegen 13 Uhr, zur Essenszeit, sorgte ich dafür, dass ich hinter der Haustür stand, und wenn ich ihn die Eingangstreppe hochkommen hörte, machte ich die Tür auf. »Hallo, mein Schatzi«, sagte er, ging ins Badezimmer und wusch sich und mir die Hände mit lauwarmem Wasser, meine Hände zwischen seinen. Um 18 Uhr – er war ein Mann, der nach der Uhr lebte –, wenn er von der Arbeit nach Hause kam, wiederholte sich das Ritual. Für gewöhnlich aß ich mit ihm und Tante Agnes, der bei ihm lebenden Haushälterin, die Vorspeise. Ich blieb, bis meine Mutter kam, um mich für das Abendessen abzuholen. Während wir noch beim Essen waren, kam Opa herein und aß mit uns den Nachtisch.

Sobald ich lesen konnte, holte er mich am Samstagmorgen ab und ging mit mir in die Buchhandlung. Er ließ mich dort zurück und ging selbst einkaufen. Wenn er wieder erschien, hatte ich mich noch nicht entschieden, ich habe furchtbar lange gebraucht, denn mein einziges Kriterium war, dass ich kein »Ich-Buch« haben wollte. Seine Geduld war grenzenlos.

Später machten wir gemeinsam Kreuzworträtsel und Wortspiele. Ich hörte ihm zu, was er erzählte, und er hörte sich interessiert meine Geschichten an. Meine Eltern machten sich hin und wieder Sorgen, dass ich lieber mit ihm zusammen war, als mit meinen Freunden und Freundinnen zu spielen, aber ich war nicht von ihm zu trennen. Im Nachhinein verstehe ich gut, weshalb.

Bei uns zu Hause war die Stimmung oft explosiv. In der Nacht geisterten meine Eltern durch das Haus – meine Mutter quälten Kriegserinnerungen oder Albträume, und mein Vater, weil er als Decoder auf einem britischen Torpedobootzerstörer während des Kriegs an Vier-Stunden-Schichten gewöhnt war und diesen Rhythmus nie mehr ablegen konnte.

Obwohl meine Mutter sich so heiter gab, lebte sie in einem ständigen Zustand unterdrückter Angst. Die krustige Schale der Fröhlichkeit konnte jeden Moment zerspringen, und dann brach Panik hervor. Dies geschah zum Beispiel, wenn sie in der Küche beschäftigt war und nicht bemerkte, dass Opa die Tür geöffnet hatte und eingetreten war. Ich kann noch hören, wie ihr der Atem mit einem kurzen Kreischen in der Kehle stockte. Sie war bereit zu flüchten, jederzeit. Jedes Mal erschrak sie halb zu Tode, jedes Mal wurde sie zornig auf Opa, jedes Mal flehte sie ihn an, mit dem Eintreten zu warten, bis sie ihn gesehen hatte, und alle paar Monate vergaß er es. Es dauerte dann einige Minuten, bis sie wieder zu sich kam.

Um nicht von ihrem Strudel aus Angst und Nervosität mitgerissen zu werden, suchte ich Zufluchtsorte. Ich quengelte so lange, bis ich im Alter von drei Jahren in den Kindergarten gehen durfte. Und ich hatte Opa.

Bei ihm fühlte ich mich geborgen. Ich wusste, dass er viel durchgemacht hatte, dass er aus Polen stammte und in Deutschland gelebt hatte, dass er einige Male in seinem Leben geflüchtet war und dass der größte Teil seiner Familie verschwunden war, aber das hatte seinem Charakter und seiner Stabilität keinen Abbruch getan. Zu ihm konnte ich gehen. Was auch immer im Leben geschehen würde, er wüsste, was wir zu tun hatten.

Für meine Eltern war seine dominante Anwesenheit nicht immer einfach. Meine Mutter hing an ihm und betrachtete ihn als ihren eigenen Vater, aber wenn er während des Essens anrückte und meinen Vater mehr oder weniger zu seinen Leistungen im Geschäft ausfragte, seufzte sie.

Manchmal wagte sie zu sagen: »Vater, kannst du Alfred nicht kurz essen lassen?«, und dann gewährte er fünf Minuten Aufschub.

Am Freitagabend aß er bei uns. Dann wurde festlich mit einem weißen Leinentischtuch und schönem Geschirr gedeckt. Der Schabbat begann immer mit dem Anzünden der Kerzen, dem Teilen von Brot und Wein und dem Aussprechen der dazugehörigen Segenssprüche. Großvater stand daneben und sah zu. Wenn das letzte Wort verklungen war und noch bevor wir uns »Schabbat Schalom« gewünscht hatten, griff er nach seiner Kippa und warf sie auf den Tisch oder hinter sich. Die einzigen Male, an denen er sich verpflichtet fühlte, in die Synagoge zu gehen, waren, als seine Enkelsöhne Bar Mizwa feierten.

Nur wenn er aß, hatte er keine Zigarette in der Hand. Die Zigaretten befanden sich in gelben, flachen Schachteln mit einer exotischen Zeichnung darauf. Davon lagen ganze Stangen auf Vorrat in einer Schublade in seinem Esszimmer. Die erste Zigarette, die ich rauchte, stibitze ich aus dieser Schublade. Es war eine ägyptische Marke, Christo Cassimis, und der Tabak war so stark, dass mir stundenlang übel war. Mit einer Zigarre habe ich ihn nie ertappt.

In der Grundschule ging ich manchmal in den Ferien oder an freien Nachmittagen mit in die Fabrik. Dann zählte ich fünfzig Trinkhalme ab und verpackte sie in Zellophan, am Tisch zwischen den Fabrikmädchen, die sich bedeutungsvolle Blicke zuwarfen und auf ihre Worte in Gegenwart der Enkelin des Chefs achteten. Während mein Vater im Büro arbeitete, war Opa immer in der Fabrikhalle anzutreffen. Über seinem Anzug trug er einen makellosen weißen Kittel, als wäre er Arzt oder Apotheker. Von der Balustrade aus überblickte er die Maschinenhalle und lief hinunter, wenn die Produktion ins Stocken geriet oder unter den Mitarbeitenden ein Streit ausbrach. Über den Lärm der Maschinen hinweg erteilte er den Mechanikern Anweisungen. Während er die Aufsicht führte, mischte er in tiefen Fässern das Kunststoff-Rohstoff-Granulat, um die richtige Farbe zu erhalten. Er tat dies mit einer Hingabe, als ob das Fortbestehen der Fabrik davon abhinge.

Ich sog alles auf, was er mir an Wissen anbot. Er studierte gründlich die Wochenzeitung *Vrij Nederland* und markierte mit großen Strichen, was lesenswert war, bevor er sie an meine Eltern weitergab. Ungefähr seit meinem 11. Geburtstag las ich die von ihm empfohlenen Ausschnitte. Ich verstand nicht einmal die Hälfte davon, aber es gab mir das Gefühl, mich seinem Niveau anzunähern. Er kreuzte immer die Schriftstellerin Renate Rubinstein an und so wurde ich ein Fan ihrer Kolumnen und übersprang sie nie mehr. Ich verehrte Opa, und obwohl ich schon sah, dass er schwierige Charakterzüge hatte, ließ ich nichts auf ihn kommen.

Als ich fast 16 Jahre alt war, starb er. Ich hatte niemanden so sehr geliebt wie ihn, mit niemandem war ich so sehr verbunden. Es war, als wäre die Hälfte von mir weggerissen worden. Er hatte versprochen, mich nach meinem Abitur in seine geliebte Stadt Prag mitzunehmen. Daraus wurde also nichts. Anderthalb Jahre später studierte ich Russisch und noch viel später lebte ich als Korrespondentin in Prag. Das waren meine Verbindungen zu ihm. Auf diese Weise konnte er bei mir bleiben, mich begleiten und mir Selbstvertrauen geben.

Bei Opa fühlte ich mich, Sandra, nur halbwegs wohl. Ich war das jüngste Enkelkind in einer Reihe von sieben Enkeln. Ich sah Opa einmal pro Woche, wenn ich donnerstags mit meinem Bruder Felix über Mittag bei ihm aß. Die Grundschule war ganz in der Nähe, wir brauchten nur den Stadionweg zu überqueren und waren schon da. Obwohl er fast 80 war, ging er immer noch jeden Tag in die Fabrik. Meistens mussten wir warten, bis Opa in seinem DAF angefahren kam. Wir vertrieben uns die Zeit, indem wir mit der unglaublich netten Tante Agnes plauderten und in Opas Fotoalben blätterten, in denen Herren mit Zylinder und vornehme Damen in Strandkörben aus Schilfrohr zu sehen waren, neben denen Männer in Badeanzügen saßen.

»Sandra hat wieder nichts gesagt!«, beschwerte sich Felix am Ende des Tages bei meiner Mutter. Er führte tapfer das Wort, während meine Zunge, vor allem wenn unerwarteter Besuch von mir unbekannten Familienangehörigen kam, wie angewachsen war.

Wer waren diese Menschen? Wie nannten sie Opa bloß? Schaja?

Was war das denn für ein sonderbarer Name? Niemand erklärte jemals etwas.

»Mein Opa ist Russe«, erzählten Felix und ich unseren Freundinnen und Freunden. Das klang echt stark.

Bei Opa aßen wir Weißbrot mit Roastbeef und tranken Schokoladenmilch, ein Luxusmittagessen. Um 13 Uhr mussten wir uns mucksmäuschenstill die Nachrichten und die darauf folgende Magazinsendung anhören. Danach blieb nur wenig Zeit für Geschichten und Plaudereien, da wir wieder pünktlich in der Schule sein mussten. Manchmal machte Opa eine Zaubervorführung: Er verschluckte seine Uhr und fischte sie wieder aus seinem Ärmel.

Opa war lieb und charmant und zugleich sehr distanziert, man konnte nicht wirklich zu ihm durchdringen. Er blies mir den Zigarettenrauch zärtlich um das Gesicht. Opa musste leicht auf beide Wangen, die Nase, die Stirn und das Kinn geküsst werden, sonst würde ihm der Kopf abfallen. Wenn wir losgingen, gab er jedem von uns eine Packung mit 10 Milky Ways mit auf den Weg. Eine Art Mars mit dem unvergesslichen Slogan »Echte Schokolade, aber sie verdirbt den Appetit nicht.« Wir aßen sie nach der Schule alle nacheinander auf, ohne sie mit Klassenkameraden zu teilen, denn wer bekam schon so etwas?

Wenn ich Geburtstag hatte, war es am besten, mir ein »teures« Geschenk zu wünschen: neue Schlittschuhe, ein Abonnement der populärwissenschaftlichen Zeitschrift *Kijk*. Großvater wollte sich diese Zeitschrift zuerst ansehen.»Interessant, sehr gut.« Oder eine neue Schreibtischlampe, die meine Mutter in dem schicken Möbelgeschäft auf der anderen Straßenseite gesehen hatte. »Lass uns das einmal anschauen«, sagte Opa. »Ja, ausgezeichnet, wirklich eine schöne Lampe«, und er zückte sein Portemonnaie. Opa hatte einen guten Geschmack, sagte meine Mutter. Er ging gerne zu Auktionen.

Als ich sieben Jahre alt wurde, kam Opa mit einem riesigen Paket daher. In meiner Erinnerung war die Schachtel fast so groß wie ich selbst. Unter der transparenten Glimmer-Vorderseite lag eine große Puppe in einem Hochzeitskleid mit Spitzen, und sie hatte Brüste, eine Wespentaille und Stöckelschuhe. Und das war noch nicht alles, denn es gab auch eine komplette Garderobe nach der neuesten Mode dazu. Da ich meistens gemeinsam mit meinem Bruder mit Spielzeugautos spielte, hatte ich gar nicht gewagt, von so einem wunderbaren Geschenk zu träumen. Ich bemerkte das Unbehagen meiner Eltern. Dieses Geschenk entsprach ganz und gar nicht ihren modernen Vorstellungen von vertretbarem Spielzeug in den 1960er-Jahren. Ich reagierte deshalb vorsichtshalber nicht allzu enthusiastisch, aber es war das Beste, was Opa je für mich getan hatte.

Ein Jahr später, im Jahr 1968, kam es zu dem schon erwähnten Bruch in der Familie. Die Vorstellungen über das Management der Fabrik, in der beide Söhne unter der Aufsicht ihres Vaters die Geschäftsleitung innehatten, waren so weit auseinandergegangen, dass mein Vater Edwin mit knallenden Türen wegging. Er konnte die autoritäre Art und Weise, mit der sein Vater alles bestimmte, nicht mehr ertragen und verließ das Unternehmen. Das bedeutete, dass Opa nicht mehr zu uns nach Hause kam und wir nicht mehr in die Trinkhalmfabrik gingen, denn mein Vater war so gekränkt, dass er nie wieder etwas mit seinem Vater und seinem Bruder zu tun haben wollte. Unser Leben veränderte sich drastisch. Mein Vater hatte plötzlich weder Arbeit noch einen Verdienst, und meine Mutter machte ihm immer wieder Mut. Die Trinkhalmfabrik und die Milletstraat wurden bei uns zu Synonymen für Konflikt und Familienfehde.

Großvater vereinbarte mit meiner Mutter, dass er die Enkelkinder weiterhin sehen dürfe. Dafür wurde das Mittagessen am Donnerstag eingeführt. Ohne uns dessen bewusst zu sein, agierten mein Bruder und ich als junge Diplomaten, die sich vorbildlich verhielten und so taten, als ob nichts wäre.

An seinem 80. Geburtstag, der ausnahmsweise mit allen Enkelkindern und ihren Eltern gefeiert wurde, erhielten die Enkelkinder in vier Plastikrohren der Firma jeweils 80 Zehn-Cent-, 25-Cent-, Ein-Gulden- und 2,5-Gulden-Münzen, die er freudestrahlend verteilte. Außerdem kaufte er für alle – auch für sich selbst – ein staatliches Lotterielos. Opa gewann zehn Gulden, als einziger. Um dies zu feiern, organisierte er noch eine separate Party nur mit seinen Enkelkindern. An diesem Nachmittag war er ausgelassen, wirklich einmal entspannt, er lachte und alberte mit den ältesten Enkeln herum.

Eineinhalb Jahre später, 1971, starb er. Ich war elf Jahre alt. Geh besser nicht zur Beerdigung, sagte meine Mutter, weil sie es für keine gute Idee hielt, mich mit den Spannungen in der Familie zu konfrontieren, die sich nicht gelöst hatten.

Iwaniska und Łódź

Von seiner Lebensgeschichte wussten wir nicht viel. Er sprach Deutsch und Russisch und, in unseren Ohren, akzentfrei Niederländisch. Als wir seiner Vergangenheit auf den Grund gehen wollten, fanden wir eine Kassettenaufnahme seiner Stimme, die einzige erhaltene, die an seinem 70. Geburtstag gemacht wurde. Alle gackern aufgeregt durcheinander, während sie sich alte Familienfotos anschauen. Von Zeit zu Zeit ist zwischendurch seine Stimme zu hören, ein tiefes, dunkles Timbre. Schon beim ersten Wort hört man den unverkennbaren deutschen Akzent, die offenen breiten Vokale, das L vorne im Mund.

Mehr als ein paar bloße Fakten waren uns nicht bekannt. Den Rest der Geschichte erfuhren wir aus dem Album, das Edwin zum 70. Geburtstag seines Vaters gemacht hatte. Sandra kannte dieses Album, weil es nach Opas Tod bei ihnen zu Hause aufbewahrt wurde, aber Hella hatte es noch nie gesehen, bis Sandra es für sie kopierte.

Isay stammte aus einer großen jüdischen Familie mit zwölf Kindern und wuchs in Polen auf, das damals zu Russland gehörte. Gemäß seinem Reisepass wurde er am 13. Mai 1889 in Iwaniska geboren. Dieses Kaff konnte man nicht einmal auf der Karte finden. Wir stellten uns ein ärmliches Dorf mit Holzhäusern und einem Sandweg vor, auf dem Hühner und Gänse herumliefen; ein Dorf, wo gelegentlich ein Pferdefuhrwerk vorbeikam. Wie hatte er sich nur zu diesem Mann von Welt entwickelt, und wie konnte er den Anschein erwecken, nie eine einzige Nacht in einem Dorf verbracht zu haben? Aus ihm selbst wurden wir nicht schlauer. Die wenigen Male, als Hella mit der unschuldigen Frage »Opa, woher kommst du, erzähl mal ein wenig« versuchte, etwas zu erfahren, wechselte er das Thema und tat, als hätte er die Frage nicht gehört.

Abb. 1 Isay (stehend mit Hut) mit seinen Schwestern und einem Bruder. Jahr der Aufnahme unbekannt

Abb. 2 Ulica Narutowicza 47

Während des Studiums begegneten wir uns nach langer Zeit wieder und freundeten uns sofort an. Im Jahr 2010 fuhren wir gemeinsam nach Polen, um zu sehen, ob wir mehr über die Familiengeschichte herausfinden konnten. Als einzigen Anhaltspunkt hatten wir den Ortsnamen Iwaniska und eine Adresse in Łódź, die Edwin im Album als Familienadresse angegeben hatte. In Warschau haben wir das Jewish Genealogy and Family Heritage Center um Rat gefragt. Es war im Besitz von Telefonbüchern aus der Vorkriegszeit. In einem davon aus Łódź aus dem Jahr 1937 fanden wir den Namen einer von Opas Schwestern, Genia Rottenberg, und dahinter die Adresse, die wir aus Edwins Album kannten: Ulica Narutowicza 47.

Nach anderthalb Stunden Bahnfahrt und einer halben Stunde Suchen standen wir vor dem Haus. Es handelte sich um ein stattliches Wohngebäude mit fünf Stockwerken und einem Souterrain, Balkonen und hohen Fenstern, die mit lauchgrünen Fin-de-Siècle-Motiven verziert waren, einer Doppeltür als Haupteingang und einem Tor, durch das eine Kutsche oder ein Auto fahren konnte. Welch mondänen und wohlhabenden Eindruck dieses Haus machte! Ein Haus für wohlhabende Bürger. Wir waren verblüfft.

Nach einem Besuch im Archiv von Łódź dämmerte es uns plötzlich. Ja, Opa wurde in Iwaniska geboren, aber von klein auf lebte er in Łódź und verbrachte dort seine Schulzeit. Im Personenstandsregister der Stadt, das den Krieg erstaunlicherweise überlebt hatte, fanden wir dafür einen indirekten Hinweis. Man zeigte uns die auf Russisch verfasste Sterbeurkunde eines von Opas Brüdern, der im Alter von zwölf Jahren aus dem Leben geschieden war. Er wird als Sohn des »Ehepaars Rottenberg mit ständigem Wohnsitz im Weiler Iwaniska, Gouvernement Radom« bezeichnet. Weitere Spuren der Familie gab es im Standesamt nicht. Der Sterbeurkunde zufolge lebte die Familie wahrscheinlich schon seit vielen Jahren in Łódź, war aber immer noch in Iwaniska gemeldet. Dies könnte mit den damaligen Vorschriften zusammenhängen. Im Russischen Reich brauchte man eine Genehmigung, um sich in einer Stadt niederzulassen, und die war nicht einfach zu bekommen. Wenn man die Genehmigung nicht bekam, zog man manchmal trotzdem um und regelte die Angelegenheiten anders, das heißt mithilfe von Beziehungen und/oder Bestechungsgeldern.

Ende des 19. und Anfang des 20. Jahrhunderts war Łódź eine *Boomtown*, deren Bevölkerung sich innerhalb von 30 Jahren verdreifachte, da sie als europäisches Zentrum der Textilindustrie Arbeitskräfte, Kapital und Handel anzog. Opa lebte überhaupt nicht in einem Dorf, sondern von klein auf in einer dynamischen Industriestadt. Das Bild eines Jungen, der sich nach einer ärmlichen Kindheit in einem abgelegenen Schtetl zu einem Mann von Welt entwickelte, mussten wir stark korrigieren. Und als wir Edwins Album für die Recherche bezüglich seiner deutschen Fabrik noch einmal sorgfältig durchgingen, sahen wir, dass er schon früh mit Zigarren zu tun hatte. Sein Vater verdiente den Lebensunterhalt mit dem Handel von Zigarren, steht dort.

Edwin konnte aus seiner Kindheit eine Geschichte ausgraben, die offenbar von ihm selbst oder von Familienmitgliedern stolz erzählt wurde. Im Russland der Zeit, in der unser Großvater aufwuchs, gab es für Juden einen Numerus clausus an weiterführenden Schulen und Universitäten: Maximal zehn Prozent der verfügbaren Studienplätze waren für Juden vorgesehen. Bei einem jüdischen Bevölkerungsanteil in Łódź von 30 Prozent hatten viele Kinder das Nachsehen. Jüdische Eltern, die genügend Geld hatten, zahlten das Schulgeld für zehn nichtjüdische Schüler, um sich einen Platz für ihr Kind zu verschaffen. Dieses Schulgeld war hoch, und deshalb kam es oft vor, dass nichtjüdische Schüler, die im ersten Schuljahr finanziell unterstützt wurden, im darauf folgenden Jahr die Schule verlassen mussten.

Der 13-jährige Szaja (der Name wurde polnisch geschrieben und Schaja ausgesprochen) – wie Isay von Familie und Freunden genannt wurde – empfand dies als ungerecht. Er sammelte das fehlende Geld für seine Klassenkameraden, indem er Bücher verkaufte und Lotteriespiele, Basare und Theateraufführungen organisierte. Er wirkte gerne bei diesen Aufführungen mit, denn er wollte Theaterregisseur werden. Als Belohnung für seine Initiative musste Isay kein Schulgeld bezahlen, solange er die Handelsschule besuchte.

1907 endete die Russifizierungspolitik des Zarenreichs. Von einem Tag auf den anderen wechselte die Bildungssprache in Polen von Russisch zu Polnisch. Es gab weder Unterrichtsmaterial noch qualifizierte Lehrer. Der inzwischen 18-jährige Isay beschloss, die Schule unter diesen Umständen nicht abzuschließen. In weiser Voraussicht wartete er nicht auf eine Einberufung zum Militärdienst, da in Russland jederzeit blutige Pogrome ausbrechen konnten und das Leben eines jüdischen Soldaten selbst in Friedenszeiten nicht sicher war. Um sich der Wehrpflicht zu entziehen, war es besser, ins Ausland zu gehen.

Berlin

Isay zog nach Berlin, und dafür brauchte man lediglich eine Bahnfahrkarte zu kaufen, erläutert Edwin im Album, denn ein Reisepass oder eine Arbeitserlaubnis waren nicht erforderlich.

Über das Büro der Alliance Israélite Universelle kam Isay in Kontakt mit der Firma Treuherz & Fuss, einer Import- und Exportfirma für Kurzwaren, die einen russischen Vertreter gebrauchen konnte. Schon bald führte Isay in der Firma eigenständig die Geschäfte mit Russland, England und Frankreich zuständig. Nach einem Konflikt mit einem Kollegen beschloss er 1912, sich als Vertreter selbstständig zu machen. Er übernahm einige lukrative Vertretungen, unter anderem die einer Knopffabrik im westfälischen Lüdenscheid und eines Zigarettenpapier-Händlers in Paris. Daneben verdiente er ziemlich gut als Dolmetscher für russische Einkäufer, der für seine Dienste eine Provision verlangte.

Er muss sich im pulsierenden Berlin wie ein Fisch im Wasser gefühlt haben, seine Geschäfte liefen gut und es gab viel zu erleben. Isay genoss die Kabarett- und Theateraufführungen, darunter auch diejenigen des berühmten Regisseurs Max Reinhardt, der in derselben Straße wohnte, in der Isay ein Zimmer gemietet hatte: am Kupfergraben, gegenüber der Museumsinsel, im Herzen der Stadt.

Nach Amsterdam

Am 28. April 1910 besuchte Isay Rottenberg zum ersten Mal Amsterdam. Hier lebte sein Onkel Abraham Ptasznik, ein Bruder seiner Mutter, der dort zu Beginn des Jahrhunderts mit seiner Familie aus Polen auf dem Weg nach Amerika hängen geblieben war. Mit einem seiner Brüder hatte Abraham die Firma Ptasznik Frères gegründet, die auf die Herstellung von Zigarettenschachteln spezialisiert war. In Amsterdam lernte Isay seinen

Cousin Jos kennen, der ihm die Stadt zeigte, und er begegnete seiner zwei Jahre älteren Cousine Lena, mit der er fortan korrespondierte. Ein Jahr später verlobten sie sich, aber Isay lebte weiterhin in Berlin.

Abb. 3 Die Firma Ptasznik Frères auf einer Messe in Brüssel, Abraham Ptasznik im Hintergrund sitzend, 1906

Er begann mit Jos zusammenzuarbeiten und übernahm 1913 die Vertretung der Realgold Bobbins Company in Deutschland, Jos' Firma für »Mundstückpappe« – Papprollen mit einem Mundstück aus Blattgold, in die man seine Zigarette steckte, um sie elegant zu rauchen.

Als im Juli 1914 der Erste Weltkrieg ausbrach, warnte Isays Vermieterin ihn, dass die Polizei gekommen sei, um ihn als Untertanen einer feindlichen Nation – Russland – zu verhaften. Es gelang ihm, bei der Polizeidienststelle ein Führungszeugnis zu erhalten, und mithilfe dieses Papiers konnte er in den Wirren der ersten Kriegstage nach Schwedenfliehen. Über Dänemark und Schottland reiste er nach London, wo Scotland Yard ihn im Auge behielt, denn als Russe war er nun einmal verdächtig. Schließlich erreichte er Amsterdam, seine Verlobte Lena und ihre Verwandtschaft. Für ihn wurde ein Zimmer in Zandvoort am Meer gemietet, da er als Ausländer keine Aufenthaltsgenehmigung in der Festung Holland, der Verteidigungslinie des westlichen Teils der Niederlande, in der Amsterdam lag, erhalten konnte. Doch faktisch wohnte er inzwischen bei Verwandten in Amsterdam.

1915 erhielt Isay die Erlaubnis, nach Deutschland zurückzukehren, wo er die Geschäfte wieder aufnahm und begann, neben Mundstückpappe auch Zigarren zu verkaufen. Die Tatsache, dass sich das Land im Kriegszustand befand, hinderte ihn seltsamerweise nicht daran, seine Geschäfte weiterzuführen. Nach einer sechsjährigen Verlobungszeit heirateten Isay Rottenberg und Lena Ptasznik am 17. April 1917 in Amsterdam. Isay blieb jedoch noch bis Mitte 1918 in Berlin. Bei der Geburt seines ältesten Sohns Alfred, auf den Tag genau ein Jahr nach seiner Hochzeit, war Isay nicht im Land. »Nicht im Land« – so viel hatte man Hella in ihrer Jugend zwar erzählt, aber dass er in Deutschland war, wurde nie erwähnt. Als Geburtsanzeigekarte ließ Isay ein Foto des Neugeborenen auf eine Zigarrenbanderole drucken. Leider ist kein Exemplar mehr erhalten geblieben.

Papierhandel

Wäre Opa, so fragen wir uns heute, eigentlich lieber in Berlin geblieben, und war es Lena, die so eng mit ihren Schwestern und Eltern verbunden war, die dies nicht wollte? Wie auch immer die Diskussionen im Vorfeld ausgesehen haben mögen, das Ende vom Lied war, dass sich Isay in Amsterdam niederließ.

Er wurde Teil einer polnisch-jüdischen Einwandererfamilie, die sich schnell an das niederländische Umfeld anpasste. Der Nachname Ptasznik klang zwar nach wie vor seltsam und war schwierig auszusprechen, aber die jüdischen und jiddischen Vornamen wurden europäisiert. Temerl, Isays Schwiegermutter, wurde in Amsterdam ganz modisch Teofile genannt. Hinde, Isays Ehefrau, nannte sich fortan Helena mit dem Rufnamen Lena. Ihre Brüder Kalman Jozef und Jacob änderten ihre Namen in Jos beziehungsweise Jim, ihre Schwester Chane in Anna und Sala in Salomea. Aus Dankbarkeit für den sicheren Hafen, den die Niederlande boten, wurde die in Amsterdam geborene jüngste Tochter von Abraham und Temerl Ptasznik nach der Königin Wilhelmina benannt. Nur Isay, der von allen Szaja genannt wurde, blieb seinem Namen treu.

Die Familie von Isay und Lena vergrößerte sich. Nach Alfred wurde 1920 Edwin geboren, und drei Jahre später kam Tini. Die Eheleute begannen, miteinander Niederländisch zu sprechen. Das war auch logisch: Sie hatten keine andere gemeinsame Sprache, denn aufgrund der bizarren Sprachenpolitik der Zaren hatte Isay Russisch und Lena Polnisch gelernt.

Isay ging in den Papierhandel. Er gründete seine Firma Papyrolin an der Looiersgracht im Stadtzentrum, wo auch die Verwandtschaft seiner Frau, die Frères Ptasznik, ihr Geschäft hatte.

Unser Großvater hatte in Berlin ordentlich verdient, aber sein Geschäft florierte auch in den Niederlanden, und so wurde er schnell reich. Er kaufte ein großes fünfstöckiges Haus im wohlhabenden Viertel Amsterdam-Zuid, am Valeriusplein. Er war immer noch ein Ausländer, aber das war kein Problem. Ein Ausländer konnte in den Niederlanden ausgezeichnet leben und arbeiten, solange er für seinen Lebensunterhalt sorgte und niemandem zur Last fiel. Die Einbürgerung war keine Notwendigkeit und wurde nicht oft beantragt, aber als sein Schwiegervater Abraham und seine Schwager Jos und Jim 1927 die niederländische Staatsbürgerschaft erhielten, folgte Isay ihrem Beispiel. Zwei Jahre später, so zeigen Informationen des Staatsarchivs der Niederlande, erhielt »Szaja Rotenberg, Kaufmann, geboren in Iwaniska« die niederländische Staatsangehörigkeit und den damit verbundenen wertvollen Pass, dank dessen er sich einige Jahre später in Worten seiner Tochter Tini »übermächtig« fühlte.

Isay war ein großzügiger Mann, der seine Frau und seine Kinder mit Kleidern, Geschenken und Ausflügen in seinem großen Auto verwöhnt haben muss. Das kann man auf Fotos aus der Jugendzeit unserer Väter sehen. Die Jungs in gebügelten Matrosenanzügen, Tini in einem niedlichen Kleid und Lena in einem schicken Kostüm oder teuren Kleid und mit schönem Schmuck. Isay war immer voller Pläne. An einen davon erinnerte man sich noch Jahrzehnte später lachend. Er baute mit seinen Kindern auf dem Dachboden des Hauses am Valeriusplein ein Boot, mit dem die Familie dann auf dem Wasser fahren sollte. Als das Boot fertig war, war das Unternehmen schon gescheitert. Die Probefahrt musste ausfallen. Das Boot war zu groß, um es durch die Tür und die Treppe hinunterzutragen.

Abb. 4 Zu wohlhabenden Zeiten, um 1927; v. l. n. r. Lena, Edwin, unbekannte Frau, unbekannter Mann, Alfred, Tini

Wir wussten, dass unser Großvater beim Börsenkrach von 1929 viel Geld verloren hatte und dass dies das Ende seines Reichtums bedeutete. Wie die 1930er-Jahre für Isay Rottenberg und seine Familie verliefen, davon hatten wir nur eine vage Vorstellung mit ein paar Anhaltspunkten: Isay war irgendwann in Nazideutschland inhaftiert, wurde aber nach unbekannter Zeit wieder freigelassen, Lena kämpfte mit Depressionen, Alfred musste in seinem letzten Schuljahr die Schule verlassen, um zu arbeiten, und die Familie zog vom Valeriusplein in eine bescheidene Mietwohnung in der Noorder Amstellaan, der heutigen Churchilllaan.

Abb. 5 V. l. n. r. Lena, Alfred, Tini und Edwin auf dem Dach des Hauses an der Noorder Amstellaan, 1937

Vevey

Als der Zweite Weltkrieg ausbrach und die Nazis die Niederlande besetzten, wohnten Isay, Lena und ihre drei Kinder dort, in der Noorder Amstellaan. Lenas betagte Eltern, Abraham und Teofile Ptasznik, lebten ganz in der Nähe, ebenso wie Lenas drei Schwestern und deren Familien. Die beiden Brüder waren nach Amerika und Indien gegangen. Die Ptaszniks waren ein Clan, der fest zusammenhielt. Jeden Freitagabend traf man sich im Haus von Opa und Oma Ptasznik. Die Enkelkinder waren von klein auf zusammen und beste Freunde.

Als die Razzien begannen und jüdische Burschen auf der Straße verhaftet wurden, begann die Familie über Flucht nachzudenken. Zwei Cousins von Alfred und Edwin gingen als erste, danach wurde das Entkommen von Isays Söhnen vorbereitet. Isay organisierte Schlepper für Edwin und Alfred, um sie über die Grenze zu schmuggeln. Im Frühling 1942 verließen sie das Haus im Abstand weniger Wochen mit dem Ziel England, um sich dort den Alliierten anzuschließen. Nach ihnen sind noch zwei weitere Cousins aufgebrochen. Vier von sechs Enkeln Abrahams und Teofiles Ptasznik kämpften schließlich als sogenannte Englandfahrer gegen die Nazis und einer als Partisan gegen die italienischen Faschisten.

Im Sommer 1942 floh Isay Rottenberg zusammen mit Lena und der Tochter Tini. Nach einer Tour in Lastwagen, auf Fahrrädern, in Zügen und zu Fuß, die sie in letzter Sekunde angetreten hatten und die sie knapp überlebten, erreichten sie die Schweiz. Auf der Rückseite eines Fotos, das die Drei vor einer Bergkulisse zeigt und von Hella aus einem Fotoalbum ihrer Eltern herausgezupft wurde, stand in Lenas Handschrift: »9. Oktober 1942, für Alfred.« Es muss als Lebenszeichen gemeint gewesen sein, vielleicht für Alfred, der in einem Lager für Englandfahrer in den Pyrenäen darauf wartete, die Grenze nach Spanien überqueren zu können.

Isay, Lena und Tini blieben für den Rest des Krieges in der neutralen Schweiz. Sie fanden Unterschlupf in Vevey am Genfer See. Doch sobald der Krieg vorüber war, packten sie ihre Koffer und fuhren mit dem Zug zurück nach Amsterdam.

Wieder in Amsterdam

Hier nahmen sie ihr Leben wieder auf, so gut es eben ging. Nicht alle kehrten zurück. Abraham und Teofile Ptasznik wurden deportiert und in Sobibor umgebracht. Auch zwei von Lenas drei Schwestern wurden ermordet, zusammen mit ihren Ehemännern und einer Tochter. Von Isays Großfamilie in Polen war kaum noch jemand da.

Alfred, Edwin und Tini heirateten und bekamen Kinder, insgesamt sieben, die ihre Großmutter Lena nicht mehr bewusst erlebten, da sie 1956 starb, die aber ihren Großvater Isay sehr oft sahen, bis der Tod 1971 seinem unternehmungslustigen Dasein ein Ende bereitete.

Bevor wir zum ersten Mal nach Döbeln aufbrachen, fragten wir unsere Brüder und Cousins, wie sie Opa charakterisieren würden. Menno sagte: »Opa ist mein Leuchtturm.« Felix nannte ihn »einen jüdisch-russischen Napoleon«. Michael charakterisierte ihn als »den Pascha, das Oberhaupt«. Fedia antwortete mit einer Gegenfrage. »Habt ihr schon einmal darüber nachgedacht, wie er im Kern sein wollte?«, und er gab selbst die Antwort: »Ich schon. Autonom.« Sacha erzählte eine Anekdote: »Opa war mit uns im Wintersporturlaub. Wir blieben noch, er ging nach einer Woche zurück. Als der Bus kam, mit dem er abreiste, war das ganze Hotel gekommen, um ihm zu winken, sowohl die Gäste als auch das Personal. Als er einstieg, sagte jemand: »Sie sind wie ein König«, worauf Opa erwiderte: »Mehr als ein König.« Er ließ einen Moment der Stille entstehen, in dem sich alle fragten, was er meinte, und dann sagte er triumphierend: »Ich bin ein freier Mensch.« Das ist eine schöne Anekdote, mit der wir diese Geschichte beginnen.

Abb. 6 Teofile und Abraham Ptasznik, zu Hause in der Hacquartstraat in Amsterdam, nach Kriegsbeginn. Auf dem Buffet ein Foto aller Enkelkinder

2

Eisenbahnknotenpunkt Döbeln

Der Zug von Dresden nach Döbeln ist ein Bummelzug, der wirklich überall hält. Wir brauchen anderthalb Stunden für die knapp fünfzig Kilometer. Auf halbem Weg müssen wir umsteigen, da es keine direkte Verbindung gibt. Die Bahnstrecke schlängelt sich durch eine leicht hügelige Landschaft. Wiesen mit Kühen und Wiesen mit Solarpaneelen. Kleine Bäche, Kirchtürme, rote Dächer, weiß verputzte Bauernhöfe, Baumgruppen, Felder, heruntergekommene Fabrikgebäude und alte Fachwerkhäuser ziehen vorbei.

Der Bahnhof Döbeln liegt am Stadtrand. Das Bahnhofsgebäude ist eine stolze Festung mit zwei Türmen, 1870 erbaut, die vor Ehrgeiz strotzt. Heutzutage gibt es nur noch wenig zu erleben. Eine Fahrkarte kann man nur am Automaten kaufen, die Schalter sind geschlossen, der Wartesaal und das Bahnhofsbüfett sind zu vermieten. Dieser Bahnhof, mit dem einst die Blütezeit Döbelns begann, ist nur noch ein Schatten dessen, was er einmal gewesen sein muss.

Vor dem Anschluss an das Eisenbahnnetz war Döbeln eine kleine Handwerks- und Industriestadt mit einem Holz-, Getreide- und Wollmarkt. Die

Abb. 7 Der Bahnhof von Döbeln

Bevölkerung schrumpfte, wenn die Gegend von Krieg und Plünderungen heimgesucht wurde, die Pest grassierte oder Brände die halbe Stadt in Schutt und Asche legten. Und sie wuchs an, wenn sich über einen längeren Zeitraum keine Katastrophen ereigneten. Über Jahrhunderte hinweg hatte Döbeln nicht mehr als 1.000 bis 3.000 Einwohner. Sie betrieben Handel, brauten Bier, gerbten Leder, färbten Wolle, webten Leinen und stellten Hüte, Stiefel und Möbel her. Döbeln war weder so abgelegen, dass die Geschichte es übersehen hätte, noch wurde der Ort in die moderne Zeit mitgerissen, denn aufgrund des Flusstals der Freiberger Mulde und der Hügel führten alle großen Hauptstraßen in einem weiten Bogen um Döbeln herum.

Mit dem Bau der Eisenbahn donnerte die Moderne in die Stadt. 1852 wurde die Bahnstrecke, die Chemnitz mit Berlin verband, in Betrieb genommen, und 16 Jahre später verkehrte der Zug zwischen Dresden und Leipzig. Plötzlich war Döbeln eine Spinne im Netz, eine Haltestelle am Kreuzungspunkt der Nord-Süd-Verbindung Berlin-Chemnitz und der Ost-West-Verbindung Dresden-Leipzig.

Unternehmer erkannten das Potenzial und kamen aus den umliegenden Städten und Ortschaften herbeigeeilt, um in Döbeln eine Fabrik zu errichten. Was sie suchten, war vorhanden: schnelle Transportverbindungen, Platz, Fachkräfte und kostengünstige Arbeitskräfte. Der Kapitalismus entwickelte sich rasch, es wurde fabriziert, gebaut und gehandelt. Schon bald mussten Arbeiterinnen und Arbeiter von außerhalb rekrutiert werden, wodurch die Bevölkerung wuchs. Im Jahr 1900 hatte Döbeln bereits fast 18.000 Einwohner, zweieinhalb Mal so viele wie bei der Inbetriebnahme der Eisenbahnstrecke.

Verlockende Perspektive

Vorbei am Markt und durch enge mittelalterliche Gassen gelangen wir zu einem weitläufigen Platz, der vom weiß verputzten Rathaus mit einem hohen Turm dominiert wird. Auch dieses Bauwerkzeug von der verlockenden Perspektive, die die Döbelner um 1900 vor Augen hatten. Das alte Rathaus war zu klein geworden und musste entweder erweitert werden oder einem Neubau weichen. 1910 wurde es abgerissen und schon zwei Jahre später das neue eingeweiht.

Das Gebäude hat zwei Portale: Das alte aus dem Jahr 1571 wurde an der Westseite eingefügt und symbolisiert das jahrhundertealte religiöse Weltbild mit einem gemeißelten Gott, der die Erde festhält und lenkt; das neue Portal ist der Haupteingang und hat auf jeder Seite eine männliche Figur, von denen die eine die Klugheit und die andere die Tatkraft darstellt. Alles an diesem Rathaus strahlt Selbstvertrauen und Zuversicht aus: die Größe des Gebäudes, die Höhe des Turms, die Verzierungen des Portals und der Fassade. Sie sind die Erinnerung an eine jahrhundertealte Vergangenheit, man spürt förmlich den Stolz, das Prunkstück der Stadt zu sein.

Deren Zentrum liegt auf einer Insel in der Freiberger Mulde. Anhand zweier Wahrzeichen kann man es schon von Weitem erkennen: am Rat-

Abb. 8 Rathaus Döbeln

hausturm und am Turm der Nicolaikirche, der nur wenige Meter höher ist als derjenige der weltlichen Macht. Der unbändige Fluss, der in Tschechien entspringt, beschert Döbeln immer mal wieder nasse Füße oder Schlimmeres. An einem Haus in Ufernähe ist markiert, wie hoch der Wasserstand war. Die Höchstmarke des letzten Hochwassers von 2013 liegt bei drei Metern. Dank der Überschwemmungen sieht Döbeln viel besser aus als die umliegenden Orte, denn es wurde immer wieder Geld für Renovierungen und einen ordentlichen Anstrich der Häuser bereitgestellt. Ab und zu, wenn ein Windstoß weht, kribbelt es in unserer Nase – der Brandgeruch verrät, dass wir in Ostdeutschland sind: Es ist der Geruch von Braunkohle.

Im Gegensatz zu Dresden, das bei den Bombenangriffen der Alliierten in der Nacht vom 13. auf den 14. Februar 1945 zerstört wurde, hat Döbeln den Krieg fast unbeschadet überstanden. Nur ein oder zwei Bomben, die irrtümlich abgeworfen wurden, trafen ein Haus. Bei der Kapitulation im Jahr 1945 wurde die Stadt von sowjetischen Truppen besetzt, ohne dass ein Schuss fiel. Von da an wurde Döbeln die »Goldene Stadt« genannt, weil sie einer der seltenen deutschen Orte war, wo kein Gebäude dem Erdboden gleichgemacht wurde, und es keine Ruinen gab. Die stattlichen Schulgebäude aus dem 19. Jahrhundert und das große Gerichtsgebäude, das neoklassizistische Theater, die Restaurants und Kneipen, die alten Wassermühlen, das schöne Hallenbad – sie haben nichts von ihrem Charme eingebüßt.

Ein Berg Zeitungen

Wir gehen ins Rathaus. In der obersten Etage unter dem Dach befindet sich das Büro der Stadtarchivarin Ute Wiesner. Sie heißt uns herzlich willkommen. Ute ist ungefähr 40 Jahre alt, hat einen offenen und etwas verschmitzten Blick, spricht mit leicht sächsischem Akzent und will uns bei allem helfen. Wir haben bereits per E-Mail Kontakt mit ihr gehabt. Sie hat nach Unterlagen über die Deutschen Zigarren-Werke gesucht, aber außer einigen Erwähnungen in der Lokalzeitung hat sie nichts gefunden. »Ich habe eine winzige Leseecke«, entschuldigt sie sich und führt uns in einen kleinen Raum auf der anderen Seite des Flurs, wo sie einen hohen Stapel gebundener Zeitungen aus den 1930er-Jahren bereitgelegt hat. »Morgen habe ich Zeit, um zu hören, was ihr über euren Großvater wisst, und vielleicht liefert das neue Anhaltspunkte.«

Als wir das erste schwere Konvolut öffnen, dringt die Hoffnungslosigkeit unserer Suche zu uns durch. Dicht bedruckte Zeitungsseiten in gotischer Schrift. Wir blicken direkt in den gähnenden Schlund Döbelns in der Nazizeit. Hakenkreuze, uniformierte Nazis und begeisterte Parolen zur nationalen Erhebung Deutschlands, Seite um Seite. Wie können wir in diesem Berg brauner Zeitungen etwas über Opa und seine Fabrik finden?

Wir nehmen ein Konvolut des *Döbelner Anzeiger* aus einem früheren Jahr und beginnen tapfer, darin zu blättern. Und tatsächlich, an dem Datum, das Ute in ihrer Liste notiert hat, finden wir eine Meldung über die Gründung der Deutschen Zigarren-Werke und die offizielle Registrierung. Doch zwei Stunden und Hunderte von Hakenkreuzen später sind wir nicht viel schlauer und geben auf.

Wir sind zu Gast in einer Villa, am Hang gelegen, im Norden der Muldeninsel. Es ist ein vierstöckiges Haus mit einem Wintergarten und einer Terrasse, die auf einen Garten von der Größe eines Parks hinausführen. Der geräumige Flur ist ein dunkler Raum mit grün glasierten Fliesen an den Wänden und einer halbrunden Holzbank am Fuß der monumentalen Treppe, alles im Jugendstil. Das Haus wurde 1911 von einem Döbelner Metallfabrikanten bezogen und befindet sich noch immer im Familienbesitz. Ob Opa wohl unter den Döbelner Unternehmern gelebt hat? Hat er ein solches Haus gemietet oder ein Zimmer in einer solch teuren Villa?

Als wir den Enkel der ersten Bewohner dieser Villa anrufen, fängt er an, begeistert von der Stellung zu erzählen, die die großen Unternehmer damals hatten. »Meine Großeltern waren die Könige von Döbeln«, sagt er. »So viel Staat wie sie machten, kann man sich kaum noch vorstellen.« Sein Großvater ließ die Villa erbauen und lebte dort mit seiner Frau, ihren vier Kindern und Angestellten. Während der DDR-Zeit blieb das Haus im Besitz einer Tochter, die jedoch die Instandhaltungskosten nicht aufbringen konnte, weshalb es als Kindertagesstätte genutzt wurde. Nach der Wende ließ der Enkel die Villa in ihrem früheren Glanz erstrahlen und zu einer Pension umbauen. Beim Erkunden der Umgebung streifen wir durch Alleen mit ähnlich großzügigen Stadtvillen, die von wunderbaren Gärten umgeben sind.

Elf Mappen

Am nächsten Morgen berichten wir Ute, was wir wissen. Das ist mehr, als wir ihr damals geschrieben haben, denn wenige Tage vor unserer Abreise nach Döbeln entdeckten wir im Nationalarchiv in Den Haag endlich eine Akte über Opas Gefangenschaft. »Wurden die Protokolle des Stadtrats aufbewahrt?«, fragen wir Ute. »Es muss in Döbeln im Stadtrat oder in der Stadtverwaltung Sitzungen zur Zigarrenfabrik gegeben haben. Wahrscheinlich hat die Stadt der Fabrik geholfen und sich auch mit deren Vorgängerin, deren Namen wir jetzt kennen, befasst: mit den Krenter Zigarren-Werken. Diese Fabrik wurde 1930 oder 1931 in Döbeln eröffnet und muss sehr modern gewesen sein. Für Döbeln war die Errichtung der neuen Fabrik Anfang der 1930er-Jahre von äußerster Wichtigkeit. Es ist undenkbar, dass im Stadtrat darüber nicht beratschlagt wurde.«

Ute macht sich Notizen und verspricht, ihre Bestände erneut zu durchsuchen, diesmal mit neuen Stichworten. Eine Stunde später stürmt sie in die winzige Leseecke, wo wir in Ermangelung anderen Materials immer noch niedergeschlagen Seiten des *Döbelner Anzeiger* durchblättern. »Ich habe vielleicht etwas gefunden. Es befindet sich auf dem Dachboden in einem anderen Gebäude. Ich werde euch rufen, sobald ich es hierhergebracht habe.« Hochgespannte Erwartungen haben wir nicht, eher die Befürchtung, dass es sich nur um heiße Luft handelt.

Als wir Utes Zimmer betreten, sehen wir auf ihrem langen Konferenztisch eine Reihe von dicken Mappen mit vergilbten Pappumschlägen, die wie ein Kartenspiel ausgelegt sind. Ute steht daneben und strahlt. Vollkommen berechtigt, wie sich zeigt, als wir die Mappen nach dem Zufallsprinzip öffnen.

»Hier«, rufen wir durcheinander, »das ist Opas Unterschrift!« »Schau mal, ein Brief vom Bürgermeister an Opa!« »Eine Sitzung des Stadtrats!« »Aus Berlin, ein Brief vom Finanzministerium!« »Ein Zeitungsartikel über die Fabrik!«

Es handelt sich um elf Mappen, beginnend im Jahr 1930 und endend im Jahr 1938, die in fetten schwarzen Buchstaben auf dem Umschlag den Titel »Die Bemühungen der Stadtverwaltung neue Industrien in Döbeln anzusiedeln betr. Krenter Werke« und ab 1932 »betr. Deutsche Zigarren-Werke A.G.« tragen. Tausende und Abertausende Seiten. Briefe, Berichte, Dokumente, Fotos, schriftliche Notizen, Zeitungsausschnitte. Stück für Stück über die Deutschen Zigarren-Werke und das Vorgängerunternehmen Krenter Werke. Es ist also wirklich wahr. Unser Großvater ist hier in Döbeln herumgelaufen. Er ist zweifellos in diesem Rathaus gewesen, in dem wir jetzt mit Ute sind. Er hatte hier eine Fabrik. Jahrelang. Und er hat darüber niemals auch nur ein einziges Wort verloren.

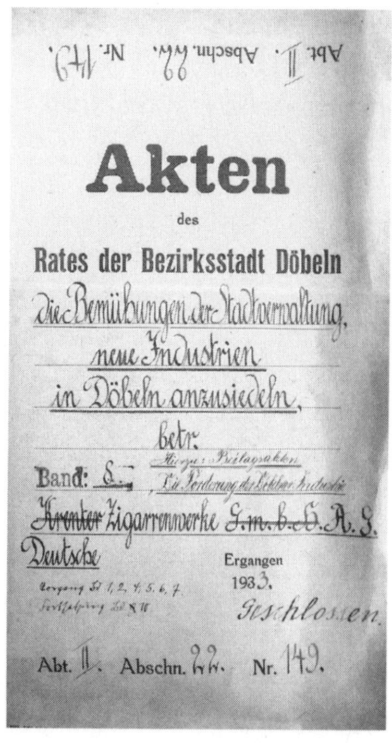

Abt. II. Abschn. 22. Nr. 149.

Akten

des

Rates der Bezirksstadt Döbeln

Die Bemühungen der Stadtverwaltung, neue Industrien in Döbeln anzusiedeln, betr.

Band: 8.

Krenter Zigarrenwerke G.m.b.H. A.G.

Deutsche

Ergangen 1933.

Geschlossen.

Abt. II. Abschn. 22. Nr. 149.

Abb. 9 Eine der elf Mappen aus dem Stadtarchiv über die Deutschen Zigarren-Werke

Dass wir 80 Jahre später in einem Archiv aufkreuzen und dort auf sein Unternehmen im nationalsozialistischen Deutschland stoßen würden, konnte er nicht ahnen. Er liebte es, alles unter Kontrolle zu haben. Er war der Regisseur des Familientheaters. Tja, nun hat er nicht mehr das Sagen. Wir sind wahnsinnig gespannt, aber gleichzeitig beschleicht uns ein gewisses unausgesprochenes Gefühl des Unbehagens.

3

Kaufmann aus Amsterdam

Am 16. August 1932 meldete sich ein gewisser Isay Rottenberg, ein Kaufmann aus Amsterdam, bei der Stadtverwaltung von Döbeln. Er schrieb, dass er die insolvente Zigarrenfabrik von Salomon Krenter übernehmen und weiterführen wolle. Am selben Tag teilte Bürgermeister Theodor Kunzemann in einer Sitzung seinen Stadträten mit, dass es mehrere Kandidaten gebe, die Interesse an Krenters Fabrik zeigten: ein Konsortium aus Berlin, ein ausländischer Zigarrenfabrikant, der anonym bleiben möchte, und seit heute Herr Rottenberg aus Amsterdam.

Unser Großvater befand sich zu diesem Zeitpunkt in Döbeln; über seinem vierseitigen Brief steht »Amsterdam, z. Zt. Döbeln«. Schon seit einigen Monaten, schrieb er, versuche Herr Krenter, ihn zum Kauf der Fabrik zu überreden. Er habe darüber nachgedacht und sei zum Entschluss gekommen, es zu tun. Er habe sich bereits mit der amerikanischen Fabrik beratschlagt, die Krenter die modernen Maschinen geliefert und verpachtet habe. Gemeinsam mit Salomon Krenter führte er auch Gespräche im Finanzministerium in Berlin und Dresden, bei denen sich die Behörde bereit erklärte, eine flexible Regelung bezüglich der Steuerrückstände zu vereinbaren. Das Reichsministerium legte großen Wert auf die Fortführung des Unternehmens; es ging davon aus, »dass unter allen Umständen das Werk erhalten und alles daran gesetzt werden müsste, den Betrieb wieder neu anzukurbeln.« Dank der Regelung, die er, Rottenberg, ausgehandelt hatte, wurde die Stadt Döbeln nicht für die Steuerschulden Krenters haftbar gemacht. Nachdem er weitere Zahlen vorgelegt hatte, die belegen, dass er in der Lage ist, eine Kapitalbasis für die Fabrik zu schaffen, drängte er schließlich darauf, die Erlaubnis zu erhalten, die Fabrik vorläufig in Betrieb nehmen zu dürfen. Dann könne er hundert Menschen mit der Produktion von Zigarillos beschäftigen, die derzeit ausverkauft seien und für die es eine große Nachfrage gebe.

Abb. 10 Isay Rottenberg, Kaufmann aus Amsterdam

Noch am selben Tag suchte der Inhaber, Salomon Krenter, zusammen mit Isay Rottenberg den Konkursverwalter des bankrotten Unternehmens, den Stadtbankdirektor Curt Reuther, auf. Sie baten ihn darum, den Fabrikraum zur Verfügung zu stellen. Krenter bestand darauf, dass dem Gesuch sofort, also noch am selben Tag, stattgegeben wird, und erhob alle möglichen Vorwürfe gegen den Konkursverwalter. Bürgermeister Kunzemann eilte herbei, schlug gegenüber Krenter einen scharfen Ton und drohte an, das Gespräch zu beenden. Es fielen beschwichtigende Worte, auch Rottenberg fand, dass Krenter zu weit gegangen sei. Sie trennten sich mit der Vereinbarung, dass Rottenberg zunächst einen begründeten Antrag an den Stadtrat stellen solle.

Eine Woche später erhielt Isay Rottenberg die gewünschte Genehmigung.

Während die Fabrik wieder in Betrieb genommen wurde, holte die Stadtverwaltung Auskünfte zu dem Amsterdamer Kaufmann ein. Mit Krenter hatte sich Döbeln auf ein Abenteuer eingelassen, das ein klägliches Ende nahm und die Stadt eine Menge kostete. Die Stadt hatte Krenter nicht nur erhebliche Steuervergünstigungen gewährt, sondern auch für den Kauf der Fabrikgebäude und des Geländes gebürgt. Es wäre wunderbar, wenn die Zigarrenfabrik wieder durchstarten würde, aber dafür musste der neue Eigentümer kreditwürdig sein und einen guten Ruf haben. Aus Dresden kam ein vertrauliches Schreiben von einer nicht näher bezeichneten Institution mit einer beruhigenden, aber vagen Charakterisierung: »Respektabler Mann. Seine Finanzlage entzieht sich unserer Beurteilung.«

Vollendete Tatsachen

Rottenberg hatte es eilig. Einige Maschinen waren im Einsatz, aber sonst war noch nichts geregelt. Er fragte an, ob er die Fabrikgebäude von der Stadt, die nach dem Konkurs von Krenter Eigentümerin war, für drei Jahre mit einer Option auf weitere drei Jahre mieten dürfe und ob er die gleichen Steuervorteile wie Krenter erhalten könne. Der Stadtrat reagierte zurückhaltend. Zunächst sollte untersucht werden, wer der geeignetste Kandidat für die Übernahme der Krenter Werke wäre.

Aus den Nachforschungen wurde nichts, und schon bald wurde die Stadt vor vollendete Tatsachen gestellt. Ein Direktor der American International Cigar Machinery Company schrieb an Bürgermeister Kunzemann, dass er mit Rottenberg eine Vereinbarung über die Verpachtung der Zigarrenmaschinen in Döbeln getroffen habe. Der Vertrag solle zwei Tage später in Berlin unterzeichnet werden. Wenn die Stadt einen anderen ernsthaften Kandidaten vorschlagen wolle, solle sie sich beeilen. Er sei im Hotel Adlon in Berlin zu erreichen.

Die Gespräche mit den Zoll- und Steuerbehörden sowie der Bank verliefen wunschgemäß, 400 Arbeiter hatten bereits ihre Arbeit aufgenommen, aber der Vertrag mit der Stadt war noch nicht abgeschlossen. Rottenberg mahnte Bürgermeister Kunzemann und den stellvertretenden Bürgermeister Otto Röher zur Eile. »Es ist Ihnen bekannt, zumal wir dies vom ersten Tage der Verhandlungen ab betont haben, daß nicht nur der vorgesehene weitere Ausbau des Betriebes sondern auch die Fortführung desselben auf der jetzigen Basis davon abhängt, dass der mit dem Bankhaus Gebr. Arnhold vorgesehene Finanzierungsplan sofort in Kraft gesetzt wird. Das Bankhaus Gebr. Arnhold hat seinerseits wiederholt Ihre Herren Bürgermeister darauf hingewiesen, daß die Gewährung der vorgesehenen Kredite nicht in Frage kommt, sofern der Vertrag mit der Stadt Döbeln nicht endgültig unterzeichnet ist.« In diesem Brief kommt seine Verärgerung zum Ausdruck. Rottenberg schloss mit dem Hinweis, dass er sich im Falle einer weiteren Verzögerung des Vertragsabschlusses gezwungen sehe, den Betrieb stillzulegen oder zu schließen, da »die Geduld aller in Frage kommenden Beteiligten mehr als erschöpft ist«. Wenige Tage später, am 25. Oktober 1932, wurde schließlich ein Mietvertrag abgeschlossen.

Die Zigarrenfabrik konnte nun auf vollen Touren mit der Produktion beginnen. Hier sahen wir unseren Großvater zum ersten Mal als Unternehmer in Aktion, wie er Konkurrenten ausschaltete und die Stadt zu einer Entscheidung zwang! So hatte er es also gemacht: Er überblickte wie ein Schachspieler das Spielfeld, legte seine Züge fest und handelte dann schnell, um sich den Sieg zu sichern.

Die Chance, die er in Döbeln sah, ließ er sich nicht entgehen.

Doch was um Gottes willen führte ihn 1932 nach Döbeln? Wir haben keinen blassen Schimmer. Es gibt nicht einen einzigen Brief oder eine Notiz von ihm, die Aufschluss über seine Motive geben könnten. In der Akte des Auswärtigen Amtes über seine Gefangenschaft fanden wir einige Briefe unserer Großmutter, jedoch wird darin die Vorgeschichte nicht offenbart. Unser Großvater korrespondierte häufig mit Verwandten und Freunden. Daher wird er auch von Deutschland aus seine Kontakte gepflegt haben. Von diesen Briefwechseln und anderen privaten Korrespondenzen aus der Vorkriegszeit ist jedoch nicht ein einziger Schnipsel erhalten geblieben. Vermutlich wurde alles zerstört oder ging verloren, als Isay Rottenberg 1942 mit seiner Frau und Tochter aus den besetzten Niederlanden floh.

Alles, was wir wussten, war, dass Isay Rottenberg der Besitzer der Deutschen Zigarren-Werke in der Stadt Döbeln war. Plötzlich tauchte bei Google Books ein faszinierender Satz aus einem Buch mit dem Titel *Unerledigte Geschäfte* auf. Das Buch war noch antiquarisch erhältlich und schnell bestellt, aber erst nach vier langen Wochen des Wartens wurde es geliefert. Es stellte sich heraus, dass es sich um eine Untersuchung aus dem Jahr 1998 des Schweizer Finanzjournalisten Urs Thaler handelte, der im Zusammenhang mit einem Skandal recherchiert hatte, inwiefern Schweizer Zigarrenfabriken von der Arisierung jüdischer Zigarrenfabriken in Deutschland profitiert hatten. In einem Anhang listet Thaler 109 Zigarrenfirmen auf, die während der NS-Zeit enteignet und von »Ariern« übernommen worden waren. Er widmet den Deutschen Zigarren-Werken elf Zeilen und bezeichnet unseren Großvater als einen ausländischen Juden, der in den Anfangsjahren des nationalsozialistischen Deutschlands Geschäftschancen erkannte. Als Hella dies las, war sie empört und wies Thaler in einem Brief darauf hin, dass Isay Rottenberg die Fabrik im Jahr 1932 übernommen hatte und damals nicht wissen konnte, dass ein halbes Jahr später die Nazis an die Macht kommen würden. Doch Thalers Bemerkung nagte weiter.

Am Vorabend des Nationalsozialismus

Im Sommer 1932, als Isay Rottenberg beschloss, die Chance für den Neuanfang einer bankrotten Zigarrenfabrik zu ergreifen, war Deutschland von Extremismus und Gewalt geprägt. Die Arbeitslosigkeit erreichte nie gekannte Höhen: Sechs Millionen Arbeiter und Angestellte mussten von

Arbeitslosengeld leben. Auch wer es nicht am eigenen Leib erfuhr und nur die deutschen Zeitungen las, konnte nicht übersehen, wie riskant die politische Situation geworden war. So schrieb die liberale *Vossische Zeitung* am 24. Juni 1932:

> *Auf den Straßen knallen Schüsse. Täglich werden Verletzte als Opfer der Unruhestifter in die Spitale gebracht, sind Tote zu beklagen. Es ist, als wenn ein Blutrausch die Menschen ergriffen hätte, nachdem es doch erst wenige Jahre her ist, dass das große Blutvergießen zu Ende ging.*

Alle sahen es: Es war vorbei mit der Weimarer Republik, das Land wurde unregierbar.

Für einen Moment schien die Gewalt eingedämmt, als im April 1932 die paramilitärische Naziarmee aus braun uniformierten Männern der Sturmabteilung (SA) und ihren finsteren, schwarz gekleideten Kameraden der Schutzstaffel (SS) verboten wurde. Einen Monat später brach jedoch die Regierung zusammen und der katholische Aristokrat Franz von Papen wurde zum Kanzler ernannt. Um regieren zu können, benötigte er die Unterstützung der Nazis. Im Gegenzug für Adolf Hitlers Unterstützung wurden die SA und SS wieder zugelassen und Wahlen für den Reichstag anberaumt.

Ab diesem Zeitpunkt, Mitte Juni, brach eine Gewaltorgie los. Die SA wuchs auf 400.000 Mann an und war damit viermal so groß wie die deutsche Armee, deren Stärke durch den Friedensvertrag von Versailles 1919 begrenzt worden war. Es wurde offen darüber spekuliert, ob Hitlers Sturmtruppen putschen oder ob die Gewalttaten in einen Bürgerkrieg münden würden.

Die NSDAP präsentierte sich als einzige Partei, die den Kommunisten Einhalt gebieten und die nationalen Interessen in den Vordergrund stellen konnte. Die Nationalsozialisten hatten bisher noch keine Regierungsverantwortung übernommen und konnten daher die wildesten Versprechungen in alle Richtungen machen, auch wenn sie widersprüchlich waren. Sie boten eine Perspektive auf radikale Veränderung, auf ein Ende des Chaos und des ohnmächtigen Herumhampelns der Staatsregierung. Die Kämpfe zwischen den Nazis und ihren politischen Gegnern forderten innerhalb eines Monats 99 Tote und 1.125 Verletzte. In diesem Klima fanden im Sommer 1932 die Reichstagswahlen statt.

War die Lage in Sachsen, wo die Fabrik stand, die unser Großvater übernehmen sollte, stabiler als im übrigen Deutschland, und ist es deshalb nachvollziehbar, dass er den Schritt wagte?

Der braunste Gliedstaat

Sachsen war zu dieser Zeit von der Wirtschaftskrise härter getroffen als andere Regionen. Es war der am dichtesten besiedelte, am stärksten industrialisierte und verstädterte deutsche Gliedstaat. Wohlgemerkt 60 Prozent der Erwerbstätigen verdienten ihr Einkommen »in der industriellen Werkstatt Deutschlands«. Da die Industrie stark exportorientiert war, hatte die Weltwirtschaftskrise extreme Auswirkungen. Bereits 1929 lag Sachsen bei der Arbeitslosenquote an der Spitze. In den folgenden Jahren gingen Unternehmen massenhaft pleite, nirgendwo so schnell wie in Sachsen. Im Jahr 1932 erreichte Sachsen eine Rekordzahl an Arbeitslosen: 725.000, das entsprach 40 Prozent der erwerbstätigen Bevölkerung. Auch andernorts war die Situation miserabel, aber der Durchschnittswert in Deutschland lag deutlich darunter.

Dass die Nazis in Sachsen besser organisiert waren als in anderen Teilen Deutschlands, war vor allem Martin Mutschmann zu verdanken, einem Textilfabrikanten aus Plauen, einer Stadt südlich von Leipzig, die für ihre Tüllspitze bekannt ist. Sein Name wird uns später noch öfter als Akteur im Tauziehen um die Zigarrenfabrik begegnen. Mutschmanns Abneigung gegen Juden ging bereits auf die Zeit vor dem Ersten Weltkrieg zurück, als er jüdische Einwanderer aus Osteuropa als Ursache für den Niedergang seines Unternehmens verantwortlich machte. Im Jahr 1922 trat er der

NSDAP bei und baute eine persönliche Beziehung zu Hitler auf, indem er ihn in der Haft besuchte und ihn finanziell unterstützte. Seine Loyalität wurde belohnt: Hitler ernannte Mutschmann 1925 zum NSDAP-Gauleiter von Sachsen. Im selben Jahr kam er dreimal nach Plauen, wo es Mutschmann gelang, Tausende von Zuhörern für den NS-Agitator zu gewinnen. Im darauf folgenden Jahr organisierte Mutschmann in Plauen eine Kundgebung zu Hitlers Geburtstag, bei der erstmals die Verherrlichung des Führers zum Ausdruck kam.

Mithilfe des Plauener Nazinestes wurden in ganz Sachsen lokale NSDAP-Ortsgruppen aufgebaut. Gauleiter Mutschmann entpuppte sich als fanatischer Antisemit, der mit dem jüdischen Gesindel am liebsten sofort kurzen Prozess gemacht hätte. Im Jahr 1931 sagte er: »Der Tag der Abrechnung wird kommen, und die Synagogen werden in Rauch aufgehen.« In Sachsen wurden die Nazis außerordentlich populär. Der Mitgliederzulauf war so groß, dass sich der Gliedstaat damit brüsten konnte, der »braunste« in ganz Deutschland zu sein. Mit 800 Ortsgruppen war die NSDAP 1932 in jeder Stadt und jedem Dorf in Sachsen vertreten. Die sächsische nationalsozialistische Zeitung *Der Freiheitskampf* war zu diesem Zeitpunkt mit einer Auflage von 107.000 Exemplaren die größte Tageszeitung in Dresden.

Das rote Königreich

Dass sich der Nationalsozialismus besonders in Sachsen so gut ausbreiten konnte, ist damit zu erklären, dass sich der moderne Antisemitismus dort schon früh etabliert hatte. Der erste »Internationale antijüdische Kongress« fand 1882 in Dresden statt, der zweite in Chemnitz. 1907 veröffentlichte der Verleger Theodor Fritsch in Leipzig sein *Handbuch der Judenfrage*, eine Fortsetzung seiner Schrift *Antisemitischer Katechismus* von 1887. Hitler hatte das Buch laut eigener Aussage in seiner Jugend gelesen und war voll des Lobes: »Ich bin überzeugt, dass gerade dieses in besonderer Weise mitgewirkt hat, den Boden vorzubereiten für die nationalsozialistische antisemitische Bewegung.« Später wurde das Handbuch zu einem praktischen Leitfaden für den Kampf gegen die Juden und erreichte 1944 die 49. Auflage.

Ein weiterer Grund ist, dass sich in Sachsen Rechte und Linke diametral gegenüberstehen, ohne dass eine politische Mitte die Polarisierung mildern könnte. Diese Situation entstand bereits Ende des 19. Jahrhunderts, als Sachsen das »rote Königreich« genannt wurde. Hier war die Wiege der Arbeiterbewegung mit starken Gewerkschaften und sozialistischen Parteien, deren Mitglieder in der Maschinenbau- und Textilindustrie tätig waren. Demgegenüber standen erzkonservative, antidemokratische Unternehmer. Eine katholische Zentrumspartei, die beispielsweise in Bayern einen mäßigenden Einfluss hatte, fehlte im lutherischen Sachsen.

Dies hatte fatale Auswirkungen auf die politische Stabilität. Sachsen geriet bereits 1923 in eine ernsthafte Krise, als sich Kommunisten zu militanten»proletarischen Hundertschaften« zusammenschlossen und die extremen Rechten ihre Schlägertrupps auf die Straße schickten. Als die Sozialdemokraten zur Beruhigung der Lage die Kommunisten in die Regierung aufnahmen, geriet die Situation außer Kontrolle. Die Reichsregierung in Berlin setzte der linken Regierung ein Ende, nachdem ein kommunistischer Minister angekündigt hatte, die »proletarischen Hundertschaften« bewaffnen zu wollen. Berlin schickte Truppen nach Dresden, setzte die sächsische Regierung ab und ernannte einen Reichskommissar.

Die Profiteure waren die Nazis. Geschickt bedienten sie die antisozialistischen, antikapitalistischen, nationalistischen und antisemitischen Gefühle der unzufriedenen Geschäftsinhaber, Handwerker und rechtskonservativen Bürger. Mit ihrer Parole »Nie wieder Sowjet-Sachsen« und dem Versprechen eines politischen und sozialen Umbruchs vereinten sie die rechten Wähler und gewannen gleichzeitig auch die verzweifelten Arbeiter für sich.

Bei den Reichstagswahlen vom 31. Juli 1932 lag das Ergebnis der Nationalsozialisten in Sachsen weit über dem nationalen Durchschnitt. Mehr als 41 Prozent der Wähler gaben der NSDAP ihre Stimme. Die rechtskonservativen Parteien wurden regelrecht ausgelöscht. Die linken Parteien hatten zwar zusammen mehr Stimmen als die Nazis erhalten, aber sie konnten ihnen nicht die Faust zeigen, weil eine Zusammenarbeit der Sozialdemokratischen Partei Deutschlands (SPD) mit der Kommunistischen Partei Deutschlands (KPD) seit Langem ausgeschlossen war.

Dass Sachsen also eine positive Ausnahme in einem zunehmend von den Nazis beherrschten Land war, nein, das kann Isay Rottenberg unmöglich geglaubt haben.

Schlägereien

In Döbeln hat sich die NSDAP immer dominanter verhalten. Die zentrale Lage Döbelns führte dazu, dass Menschen aus der weiteren Umgebung in die Stadt reisten. Je zweimal im Jahr fanden ein Jahrmarkt und ein Pferdemarkt statt, die immer Tausende von Menschen anzogen. Die geografische Lage sorgte dafür, schreibt Helfrid Piper, dass Organisationen und Parteien – von ganz links bis ganz rechts – Döbeln für ihre Massenveranstaltungen wählten. Piper, der Sohn mittelständischer Kaufleute mit einem Kolonialwarengeschäft im Stadtzentrum, war damals noch ein Junge. In seinem Buch *Ich überlebte Workuta*, in dem er von seiner russischen Gefangenschaft berichtete. Er beschreibt, wie er 1930 als 9-jähriger Junge eine große Versammlung der SA miterlebte. Sein Vater hatte ihm nicht erlaubt, hinaus auf die Straße zu gehen, aber er und ein Freund konnten der väterlichen Aufsicht entkommen. Am Hauptbahnhof sah er, wie Sonderzüge einfuhren und sich die Kolonnen von Sturmtruppen zu fröhlicher Marschmusik auf den Weg machten. Ein bestimmtes Ereignis hinterließ bei ihm einen bleibenden Eindruck. Mädchen in braunen Blusen verkauften Zeitungen. Ein vorbeifahrender Radfahrer störte sich an der Naziliteratur und schlug ihnen die Zeitungen aus der Hand. »Im nächsten Moment sprang ein SA-Mann aus der Kolonne und versetzte dem Mann einen Faustschlag ins Gesicht, dass er mit seinem Fahrrad hinstürzte.«

Auch die Kommunisten und Sozialisten versammelten sich in Döbeln, was oft zu Schlägereien mit den Nazis führte. Piper erinnert sich noch daran, wie er an einem Wahltag mit seinen Eltern nach Döbeln zurückfuhr, als ein Lastwagen voller SA-Männer sie überholte. Unterwegs wurde der Lastwagen angehalten und umgestoßen. Mit Spaten bewaffnete Männer schlugen auf die SA-Leute ein, wobei mehr als zehn Personen schwer verletzt wurden. »Überfälle auf SA-Männer kamen immer öfter vor, doch dies brachte erst recht Stimmen für die Nazis.«

Im Vorfeld der Reichstagswahlen vom 31. Juli 1932 kam es andauernd zu Krawallen und Schlägereien zwischen den Nazis und ihren politischen Gegnern. In diesen Wochen fanden in Döbeln Massenveranstaltungen statt, zu denen führende Nationalsozialisten aus Berlin und Dresden anreisten. Der Oberbürgermeister von Dresden, der kurz zuvor von der SPD zur NSDAP übergelaufen war, hielt vor einer tausendköpfigen Menschenmenge eine Rede über »den Volks- und Arbeiterverrat der SPD aus eigener Erfahrung«. Auch der sächsische Gauleiter Martin Mutschmann kam zum Wahlkampf nach Döbeln. SA-Männer aus der gesamten Umgebung strömten herbei, marschierten zu Tausend durch die Stadt und attackierten Passanten.

Bei diesen Reichstagswahlen erzielte die NSDAP, wie im übrigen Deutschland, erstmals auch in Döbeln das beste Ergebnis und wurde mit 5.364 Stimmen stärkste Partei. Mit 4.911 Stimmen für die SPD und 2.330 Stimmen für die KDP war jedoch die Linke in Döbeln insgesamt noch stärker. Von den rechtskonservativen Parteien waren nur noch klägliche Reste übriggeblieben.

Zwei Wochen nach den Wahlen, die die NSDAP zur stärksten Fraktion im Reichstag machten, kam unser Großvater in der sächsischen Stadt an.

Pragmatische Stadtverwaltung

Dennoch war Döbeln weder unregierbar noch am Rande des Abgrundes, als Isay Rottenberg die Krenter Werke kaufte.

Seit 1927 wurde die Stadtverwaltung von einem kompetenten Bürgermeister und stellvertretenden Bürgermeister der SPD, Theodor Kunzemann und Otto Röher, geleitet. Kunzemann war ein ehemaliger Gewerkschaftsvertreter, der 1925 zur Stadtverwaltung wechselte. Röher war sein Leben lang bei der Stadtverwaltung Döbeln angestellt. Er begann seine Laufbahn 1902 als auszubildender Protokollführer, erklomm die Karriereleiter im öffentlichen Dienst und stellte sich zur Wahl, als die Gelegenheit sich bot.

Abb. 11 Theodor Kunzemann und Otto Röher

Beide wurden 1927 gewählt, unter anderem dank der KPD. Die Zusammenarbeit verlief nicht reibungslos, denn die Kommunisten warfen den Sozialdemokraten zu jeder passenden und unpassenden Gelegenheit vor, die sozialistischen Grundprinzipien zu verleugnen und im Grunde »der linke Flügel des Faschismus« zu sein.

Aufgrund innerparteilicher Streitigkeiten spaltete sich ein Teil der KPD-Fraktion ab, und es war danach unklar, wer eigentlich die KPD vertrat. Die knappe Mehrheit der Linken im Döbelner Stadtrat war in der Praxis ein Trugbild.

Um überhaupt Entscheidungen treffen zu können und Pattsituationen zu vermeiden, mussten die Sozialdemokraten die Zusammenarbeit mit ihren ideologischen Gegnern, den rechtskonservativen Parteien, suchen. Keine leichte Aufgabe angesichts der krassen Gegensätze in Sachsen. Dennoch schlugen sich Kunzemann und Röher wacker, nicht zuletzt dank der Tatsache, dass die Abgeordneten der vier Rechtsparteien untereinander oft uneinig waren. Wichtiger noch, schreibt der Historiker Christian Kurzweg, der die Döbelner Industriepolitik in der Krisenzeit erforscht hat, war Folgendes: »Die Sachzwänge der Alltagsarbeit und die wirtschaftliche Notlage ab Ende der zwanziger Jahre formten auch aus eingefleischten Anti-Sozialisten und linken Sozialdemokraten pragmatisch denkende Realpolitiker.«

Kurzum: Trotz der politischen und wirtschaftlichen Krise funktionierte die Stadtverwaltung von Döbeln und konnte ihre Aufgaben erfüllen. Der Effekt ist offensichtlich: Die Nazis fassten weniger Fuß als anderswo. Bis Ende 1932 war die NSDAP nur mit einem einzigen Sitz im Stadtrat vertreten. Die SPD konnte sich rühmen, in der tiefsten Krise Arbeitsplätze geschaffen zu haben. Kunzemann und Röher gelang es nämlich im Jahr 1930, eine brandneue und hochmoderne Zigarrenfabrik mit einer vielversprechenden Zukunft nach Döbeln zu holen: die Krenter-Werke. Auf dem Höhepunkt des Aufstiegs der Krenter-Werke, als in der Fabrik im Dreischichtbetrieb gearbeitet wurde, beschäftigte Krenter rund 3.000 Personen. Dadurch war die wirtschaftliche Situation in Döbeln deutlich besser als in der übrigen Region.

Noch Ende 1931 kamen nach Kurzwegs Berechnungen in Döbeln auf 1.000 Einwohner 16 Sozialhilfeempfänger, im benachbarten Meißen dagegen 21 und in Dresden 29. Doch im Laufe des folgenden Jahres litt auch

Döbeln zunehmend unter der Krise. Die Arbeitslosigkeit wuchs, die Krenter-Werke wurden im Juli 1932 stillgelegt und die Zahl der registrierten Arbeitslosen stieg auf 2.500, was mehr als 20 Prozent der Erwerbstätigen entsprach.

Wachsam, und dennoch …

Der Aufstieg der Nazis konnte unserem Großvater nicht entgangen sein, als er im August 1932 an die Stadtverwaltung von Döbeln schrieb, aber das schreckte ihn nicht ab. So wie wir ihn Jahrzehnte nach seinem deutschen Abenteuer in Amsterdam kannten, war er besonders wachsam. Für ihn war es eine Lebensnotwendigkeit, die internationalen Nachrichten zu verfolgen. Bevor er zur Fabrik fuhr, hörte er sich die Nachrichten um acht Uhr an. Um die Mittagszeit und am Ende des Arbeitstages eilte er nach Hause, um die Radionachrichten nicht zu verpassen. Wenn man zu dieser Zeit bei ihm war, ermahnte er einen scharf zur Ruhe, sobald die Pieptöne des Bulletins erklangen. Er hatte ein altes Radio, dessen Lautstärke nach ein oder zwei Nachrichten abnahm. Dann stand er auf und schlug mit der flachen Hand auf das Gerät, woraufhin die Nachrichten für eine Weile wieder verständlich waren. Neben der Wochenzeitung *Vrij Nederland* las er auch die Amsterdamer Tageszeitung *Het Parool*, die beide während des Kriegs als antifaschistische Widerstandszeitungen gegründet worden waren. Später, als er einen Fernseher hatte, verpasste er nie die 20-Uhr-Nachrichten. Er war das genaue Gegenteil von naiv, dumm oder gleichgültig. Er las niederländische und deutsche Belletristik und Sachbücher, war scharfsinnig, schlagfertig und witzig.

War das alles ein Verhalten, das er sich nach seinen Erfahrungen mit NS-Deutschland angeeignet hatte, wo er durch Schaden klug geworden war? Nein, es war zu sehr in seinem Charakter verwurzelt. Er musste auch damals die politischen Entwicklungen aufmerksam verfolgt haben. Warum übernahm er dann im Sommer 1932 eine Fabrik in Deutschland, während er mit seiner Familie in Amsterdam lebte, seine Kinder – zu diesem Zeitpunkt vierzehn, zwölf und neun Jahre alt – in Amsterdam geboren waren und zur Schule gingen?

Ein Name, der bei der Übernahme der Fabrik in Döbeln auftaucht, ist Vincenz Silvan, ein Jude polnischer Herkunft, der schon seit Jahren in Deutschland lebte und Tabakhändler war. Wir glauben, dass Silvan nach Amsterdam reiste, das ein Zentrum des Tabakhandels war, um Rohtabak einzukaufen und ihn an Krenter zu verkaufen. Als Krenter in ernsthafte Schwierigkeiten geriet, gab er Isay Rottenberg möglicherweise einen Hinweis.

Rottenberg hatte bereits Verbindungen zur Tabakindustrie. Die Ptaszniks, Isays Schwiegereltern, importierten und verkauften Zigarettenmaschinen und Zigarettenpapier und stellten selbst Zigarettenmundstücke her. Und Isay selbst hatte früher einmal mit Zigarren gehandelt. Durch den Börsenkrach von 1929 hatte sich sein Kapital in Luft aufgelöst, und vielleicht war er mit seinem Papiergroßhandel in eine Notlage geraten. Obwohl er immer im Handel tätig gewesen war, schlug sein Herz eigentlich für das Unternehmertum und die Technik. Wahrscheinlich träumte er von einer eigenen Fabrik, von Maschinen, die ein schönes Produkt herstellen, und von technischen Erfindungen, die er machen oder mitentwickeln würde. Das Angebot, eine praktisch neue und hochmoderne Fabrik zu übernehmen, war genau die Herausforderung, auf die er gewartet hatte. In Deutschland bot sich ihm diese Gelegenheit.

Ob Isay seinen Plan seiner Frau Lena vorgelegt und sie um ihr Einverständnis gebeten hatte? Nein, vermutlich nicht. Er war der Ernährer, der Chef im Haus. Lena kümmerte sich um die Kinder und den Haushalt. Den wenigen Geschichten zufolge, die wir kennen, war sie eine ausgezeichnete Köchin, war klug, liebevoll und äußerst gastfreundlich. Isay liebte und respektierte sie, aber die Entscheidungen bezüglich Arbeit und Investitionen traf er allein. Unsere Großmutter hatte sicherlich eine Meinung zu dem Abenteuer, in das sich Isay stürzen wollte, und vielleicht war sie sich auch dagegen, aber das hielt ihn nicht davon ab, den Sprung nach Döbeln zu wagen.

Eine nagelneue Fabrik

Im Stadtarchiv Döbeln betrachten wir Fotos der Krenter-Werke, die um die Zeit der Eröffnung herum aufgenommen wurden. Insgesamt sind es 17 Fotos, die systematisch den gesamten Produktionsprozess der nagelneuen Fabrik dokumentieren. Die Fotos zeigen die Fabrik in Betrieb, eine Halle mit Dutzenden junger Frauen auf hohen Hockern hinter den Maschinen. Sie tragen Schürzen und weiße Hauben auf dem Kopf. Männer in Kitteln stehen herum und überwachen die laufenden Maschinen. An jeder Maschine sind vier Frauen bei der Arbeit zu sehen, die jeweils einen Teil des maschinellen Prozesses beaufsichtigen.

Dieses Wunder an Schnelligkeit und erfindungsreicher Präzision muss mit Erstaunen betrachtet worden sein. Fast alles, was anderswo von Hand erledigt wurde, wurde hier maschinell durchgeführt: Zugeschnittene Tabakblattstücke, die »Einlage«, wurden maschinell gepresst, maschinell auf die richtige Länge zugeschnitten und bereitgelegt. Für das Aufnehmen und Glattstreichen des Tabakblatts war ein Mensch erforderlich, aber danach übernahm die Maschine wieder. Diese schnitt das Blatt auf die richtige Größe zu, zog es hoch und legte es auf die Einlage. Ein Automat wickelte das Blatt darum und formte es zu einer Zigarre. Dies war jedoch erst das Halbfabrikat, der »Wickel«. Es folgte eine zweite Runde: Jemand legte das teure »Deckblatt« auf eine Metallplatte, woraufhin die Maschine das Blatt zurechtschnitt und es ordentlich um den Wickel rollte. Die Zigarre wurde dann durch einen Zylinder gepresst, um sie glatt und gleichmäßig zu machen, und auf eine Rolle weitergeschoben, auf der jede Zigarre einzeln in Folie eingewickelt wurde. Das letzte Bild zeigt eine Verpackungsmaschine, mit der das Endprodukt in Kisten gelegt wurde.

Abb. 12 Die Zigarrenfabrik …

Als wir später die Zigarrenfabrik De Olifant im niederländischen Kampen besuchen, um zu sehen, wie eine Zigarre tatsächlich hergestellt wird, wird uns klar, wie modern die Krenter-Werke waren. Der Produktionsprozess bei De Olifant im Jahr 2017 unterscheidet sich kaum von dem der Krenter Werke im Jahr 1930 und ihrem Nachfolger, den Deutschen Zigarren-Werken: Sogar die Maschinen sind fast identisch.

... in Betrieb

Als wir im Stadtarchiv die Unterlagen zur Zigarrenfabrik unseres Großvaters durchblättern, kann uns niemand sagen, ob das Gebäude noch steht. Einige Tage später erhalten wir einen Hinweis, dass das Gebäude tatsächlich noch steht. Wir besuchen Stephan Conrad (»der Conny« genannt), Sophie Spitzner und Judith Schilling im Treibhaus, dem Jugendzentrum von Döbeln, das sich in einem ehemaligen Hotel in der langen Bahnhofstraße befindet. Die drei, alle Ende der 1980er-Jahre geboren, sind die treibenden

Kräfte der Arbeitsgruppe für Ortsgeschichte, die unter dem Motto »Von gestern für morgen lernen« die NS-Geschichte der Stadt erforscht und sichtbar macht. Sie spüren dem Schicksal der jüdischen Einwohner nach, erforschen Zwangsarbeit und Todesmärsche, haben eine App entwickelt, mit der Besucher einen Rundgang zu Orten, die mit der NS-Geschichte verbunden sind, machen können, und organisieren Führungen.

Bevor wir kamen, hatten sie Kontakt zum jetzigen Eigentümer des Geländes der ehemaligen Deutschen Zigarren-Werke aufgenommen. Der Eigentümer ist immer noch ein Zigarrenhersteller. Es handelt sich um das große internationale Unternehmen Dannemann, das seinen Hauptsitz im westfälischen Lübbecke hat. Dannemann hat Fotos geschickt, wie das Gebäude kurz nach der Wende 1989 aussah, und Conny, Sophie und Judith zeigen sie uns: ein Dutzend Trabis in einem Innenhof vor einer breiten, hohen Fassade mit großen Fenstern.

Conny erzählt uns, dass seine Großmutter dort gearbeitet hat, Jahre nachdem unser Großvater die Fabrik verloren hatte. Sie arbeitete dort während des Krieges und auch, als das Unternehmen ein DDR-Staatsbetrieb geworden war. Sie lebt noch und wohnt nach wie vor in Döbeln, möchte uns aber leider nicht treffen. Conny weiß von seinem Vater, dass Oma herrlich nach Tabak roch, wenn sie von der Arbeit nach Hause kam.

Und dann machen wir uns alle gemeinsam auf den Weg. Die Fabrik soll sich auf einem verlassenen Industriegelände im Osten der Stadt befinden. Wir müssen nicht lange zu suchen: Nachdem wir die Bahngleise überquert haben und die Straße hinaufgegangen sind, taucht das Gebäude, das wir auf den Bildern gesehen haben, rechter Hand auf. Das Fabrikgelände ist mit einem hohen Zaun abgeriegelt, das Gebäude wirds nachts mit Lampen beleuchtet und alle Fensterscheiben sind noch intakt.

Durch das Gebüsch an der Seite gelangen wir leicht auf das Gelände. Es ist ein riesiges weiß verputztes Gebäude mit fünf, teilweise vier Stockwerken und zwei rechtwinklig zueinander stehenden Flügeln. Für eine Umrundung braucht man sicherlich zehn Minuten.

Abb. 13 Mitglieder der Arbeitsgruppe Geschichte, (v. l. n. r.) Judith Schilling, Sophie Spitzner und Stephan Conrad

Turmfalken verschwinden in Gruppen in Schornsteinen und Mauerlöchern und tauchen rufend wieder auf. An der Seitenfassade hängt eine Uhr, die um 8.10 Uhr stehen geblieben ist. Wir spähen durch die schmutzigen Fenster hinein. Im Halbdunkel stehen Maschinen, aneinandergeschoben, aber deutlich voneinander unterscheidbar. Wir trauen unseren Augen nicht: Die Maschinen sehen denen auf den Fotos im Stadtarchiv täuschend ähnlich. Wir erkennen eine Achse mit Speichen, die Metallplatte in Form eines schiefen Rechtecks und Zigarrenzylinder. Als wäre die Zeit stehen geblieben und wir im Märchen von Dornröschen gelandet.

Wir müssen nur einen Zauberspruch aufsagen und die Maschinen laufen wieder, unser Großvater kommt in seinem makellos weißen Laborkittel auf uns zu, lächelt breit, als er uns sieht, tippt gebieterisch auf seine rechte Wange, die wir abwechselnd küssen, nimmt uns bei der Hand und sagt: »Kommt, meine Schatzis, ich zeige euch, wie wir Zigarren herstellen.«

Abb. 14 Das Fabrikgelände und eine Seite der Fabrik, heute

4

Aufstieg und Fall von Krenter

In der stimmungsvollen Dachkammer der Archivarin Ute Wiesner treffen wir die Heimatfreunde von Döbeln, die sich mit der lokalen Geschichte beschäftigen. Hier treffen sie sich immer, sitzen am langen Tisch von Ute, die sich sehr viel Zeit nimmt und die Gruppe mit Kaffee und Kuchen versorgt. Der Älteste von ihnen ist Horst Schlegel. Er wurde 1928 in Döbeln geboren und hat in der Stadt sein ganzes Leben verbracht. Er ist ein kleiner Mann mit einer Brille und einem freundlichen Gesicht.

»Euer Claus«, sagt Horst Schlegel gleich zu Beginn unserer ersten Begegnung begeistert, »von dem Bussche, der hat hier gewohnt! An der Bahnhofstrasse!« Es gibt eine Verbindung zwischen Döbeln und unserem Königshaus, lautet die Botschaft. Die Heimatfreunde strahlen. Wir schauen zwar wohlwollend, aber verstehen nicht; es dauert eine Weile, bis die Fragezeichen in unseren Augen verschwunden sind. Dann wird uns alles klar, und wir können die Freude teilen.

Georg Freiherr von dem Bussche-Haddenhausen war Offizier des in Döbeln stationierten Infanterieregiments und wohnte in der Nähe der Kaserne an der Bahnhofstraße 22. An dieser Adresse wurde 1902 seine

Abb. 15 Mit den Heimatfreunden Döbelns im Stadtarchiv

Tochter Gösta geboren, die Mutter von Claus von Amsberg, des verstorbenen Prinzgemahls der Niederlande, und die Großmutter des Königs Willem-Alexander. Im Jahr 1908 wurde Georg Freiherr von dem Bussche-Haddenhausen nach 16 Jahren Dienst in Döbeln in das 40 Kilometer entfernte Freiberg versetzt.

Die Heimatfreunde haben sich gründlich auf unseren Besuch vorbereitet. Unterlagen werden aus den Taschen geholt, alle haben etwas herausgesucht. Horst Schlegel legt ein längliches Sammelalbum auf den Tisch. Auf der Vorderseite prangt ein stereotypisch abgebildeter Indianer, der eine große Zigarre raucht. Er hat die Form des Buchstabens K. »Werbung von Krenter«, erklärt Horst. »Leider wurde die erste Seite durch ein Hochwasser beschädigt.« Er blättert im Album und zeigt uns bunte Aufkleber von verschiedenen indigenen Völkern Nordamerikas, die mit detaillierten Beschreibungen ihrer Stämme, ihrer Kleidung, ihres Schmucks und ihrer Lebensweise versehen sind. Die Bilder und fundierten Texte stammen aus dem damaligen Museum für Völkerkunde in Berlin.

»Das ist mein eigenes Album«, sagt Horst, »ich habe die Aufkleber als Kind gesammelt, als ich etwa 4 oder 5 war.« Diese Krenter-Kollektion war sein erstes Sammelalbum. Später, in den 1930er-Jahren, sammelte er zudem Aufkleber von anderen Tabakfirmen, und auch diese Alben hat er aufbewahrt. Er besitzt außerdem ein Album von 1936 mit wunderschönen Sportfotos anlässlich der Olympischen Spiele in Deutschland. Und als Deutschland sich auf den Krieg vorbereitete, wurde mit Bildern aus dem Ersten Weltkrieg und von der Wehrmacht geworben. »Ja, so war das«, erklärt er bitter.

Abb. 16 Indianer-Sammelbildalbum mit dem Krenter-Logo

»Dürfen wir das Album fotografieren?«, fragen wir. »Nein, nein«, erwidert er und nimmt das Buch. »Bitte, dieses Album ist für euch. Ich schenke es euch. Was soll ich damit in meinem Alter noch?« Wir sind gerührt von dieser netten Geste und nehmen es an. Das Krenter-Indianeralbum ist jetzt in Amsterdam.

Horst kann sich nicht daran erinnern, die Krenter Werke jemals in Betrieb gesehen zu haben. Das Gebäude lag am Stadtrand und er hatte dort nichts zu suchen. Seine Eltern kannten Leute, die dort arbeiteten, aber das war nichts Besonderes. Schließlich war Döbeln eine Zigarrenstadt.

»Wenn man durch Döbeln geht, findet man vermutlich in jeder Straße einen Namen, der mit der Zigarrenindustrie verbunden ist.« Nachnamen kommen in ihm hoch: Sturms, Loose, Stockmann. »Das griechische Restaurant an der Mulde«, ergänzt Karl Enzmann, »war einmal eine Zigarrenfabrik. Das weiß niemand mehr.«

Die erste Zigarrenfirma hier wurde 1846 gegründet, noch bevor die ersten Eisenbahnlinien gebaut wurden, erzählt der jüngste Heimatfreund Jürgen Dettmer. Er hat Zahlen gefunden, die beeindruckend sind: Im Jahr 1871 produzierten elf Fabriken und eine unbekannte Anzahl von Heimarbeitern – notabene – 50 Millionen Zigarren pro Jahr. Im Jahr 1894 gab es in Döbeln 32 Zigarrenfabriken. Der Rückgang setzte zu Beginn des Ersten Weltkriegs ein. 1924 waren noch 18 Fabriken übrig, 1929 nur noch 10, zudem gab es noch einige Hundert Heimarbeiter. Das war der Zeitpunkt, als Salomon Krenter kam, um die Dinge aufzurütteln, und für große Unruhe in Döbeln und weit darüber hinaus sorgte.

Salomon Krenter

Am 1. Oktober 1930 erschien im *Döbelner Anzeiger* die folgende Exklusivmeldung:

Vielfach geäußerte Wünsche, die starke Anteilnahme der Einwohnerschaft an der neuen Fabrik verrieten, haben uns nun veranlaßt, die Firma zu bitten, uns die Gelegenheit zu einer Besichtigung zu geben, um damit – außerhalb des Rahmens der sonst üblichen Presseempfänge – unserer Pflicht als Lokalchronisten unserer Stadt zu genügen. Die Firma entsprach unserem Wunsch. Gestern waren wir dort! In großen hygienisch eingerichteten Arbeitsräumen, die durch ein ausgedehntes Entlüftungssystem mit immer wieder neuer Luft versorgt werden, sind zurzeit bereits ***40 amerikanische Zigarrenwickelmaschinen*** *aufgestellt, die man wirklich als Wunderwerke der Technik bezeichnen muss. […] Der Umfang des Werks ist weiter gekennzeichnet durch umfangreiche Tabak- und Materiallager. Beschäftigt sind zurzeit, wie uns mitgeteilt wurde, etwa 1000 Arbeitskräfte. […] Wenn aber, wie geplant, erst weitere 70 Maschinen aufgestellt sein werden, soll die Zahl der Arbeiter auf etwa 3000 Personen steigen. Bei voller Ausnutzung der Maschinen werden die Krenter Zigarren-Werke nach der Höhe der Produktion* ***die größte Zigarrenfabrik Europas*** *sein. Wie weit sich diese Zukunftspläne erfüllen werden, steht natürlich dahin […]. Die Bedeutung des Unternehmens für unsere Stadt und ihre weitere Umgebung, denn auch von dort werden zahlreiche Arbeitskräfte beschäftigt, geht besonders daraus hervor, dass der allgemein herrschenden Erwerbslosigkeit dadurch bereits erheblich Einhalt getan werden konnte.*

Bürgermeister Kunzemann hatte sich die Füße wundgelaufen, um die Krenter Zigarren-Werke nach Döbeln zu locken, und endlich war es so weit: Die erste vollautomatische Zigarrenfabrik Deutschlands wurde in Betrieb genommen.

Es war erst ein Jahr her, dass bei der Stadtverwaltung ein Brief der Dresdner Zigarettenfabrik Bulgaria eingegangen war, in dem gefragt wurde, ob in Döbeln weibliche Arbeitskräfte verfügbar seien. Die Informationen waren für eine Firma bestimmt, die nach einem geeigneten Standort für eine neue Zigarrenfabrik suchte, schrieb Salomon Krenter.

Rückblickend, einige Jahre später, erinnerte sich der Stadtrat an die Anstrengungen und Versprechungen, die er machen musste, um Krenter für sich zu gewinnen. Mehr als hundert deutsche Städte reagierten mit Interesse, als Krenter die Möglichkeiten sondierte. Kein Wunder, denn Krenter hatte gesagt, dass er für seine Fabrik zunächst 600 Arbeiter brauche und dass die Belegschaft schnell auf 2.000 Männer und Frauen anwachsen solle.

Krenter ließ durchblicken, dass er, wenn ihm Döbeln entgegenkäme, diese Stadt bevorzugen und als Standort wählen würde. Er machte seine Entscheidung von geeigneten Fabrikgebäuden, dem Lohntarif, Steuervergünstigungen und der Unterbringung der Arbeiter abhängig.

Um Krenters Wünsche zu erfüllen, reisten Bürgermeister Kunzemann und sein Stellvertreter Röher nach Berlin und Dresden und setzten sich dort für Steuererleichterungen für die neue Fabrik ein. Kunzemann – selbst aus der Gewerkschaftsbewegung kommend – sprach persönlich mit der Tabakarbeitergewerkschaft, um niedrigere Stundenlöhne auszuhandeln. Die Gewerkschaft war so erfreut über die Beschäftigungsmöglichkeiten, die die Fabrik bieten konnte, dass sie bereit war, darüber zu verhandeln.

Kunzemann verfasste Berichte über alle Gespräche, auch über die Telefonate. Aus diesen Berichten geht hervor, dass er fast täglich damit beschäftigt war, die Bedingungen für Krenter attraktiv zu gestalten. Ob es um die Suche nach Fabrikräumen, um die Verfügbarkeit von Fachkräften und ungelernten Arbeitskräften oder um das Einholen von Genehmigungen ging – Kunzemann ließ nichts unversucht, die Fabrik nach Döbeln zu holen.

Als sich Kunzemann und Röher einmal zu Besprechungen nach Dresden in das Büro der neuen Firma, der Americana-Havanna Zigarrenfabrik, begaben, trafen sie dort nicht Krenter an, sondern Dr. Isidor Kronstein, der sich als Bevollmächtigter und Wirtschaftsberater der Firma vorstellte. Kronstein erhöhte die Forderungen weiter: Befreiung von den lokalen Steuern und Löhne ohne Zulagen, sonst gebe es keinen Grund, sich in

Döbeln niederzulassen. Nach weiteren Verhandlungen erklärte sich die Stadt bereit, die Fabrik für drei Jahre von den Kommunalsteuern zu befreien. Im Gegenzug musste Krenter zusagen, Arbeitskräfte aus Döbeln bei der Einstellung den Vorrang zu geben und für mindestens fünf Jahre dort zu bleiben.

Es drohte nachträglich noch ein Hindernis aufzutauchen, als Krenter von den getroffenen Lohnvereinbarungen zurücktrat und sich weigerte, die Miete für die Fabrikräume ein Jahr im Voraus zu bezahlen. Doch schließlich teilte das Unternehmen mit, dass die Produktion beginnen könne, sobald die Maschinen, die in Amerika bestellt werden sollten, eingetroffen seien. »Wir benutzen gern die Gelegenheit«, schrieb Bürgermeister Kunzemann begeistert, »Ihnen zur Gründung Ihrer Firma in unserer Stadt unseren herzlichsten Glückwunsch auszusprechen und Ihnen ein reiches Blühen, Wachsen und Gedeihen von Herzen zu wünschen!«

Wer war dieser Gründer der Döbelner Zigarrenfabrik?

Wenn wir seine Biografie betrachten, erkennen wir Parallelen zu unserem Großvater. Auch Salomon Krenter wurde in einer jüdischen Familie im Russischen Kaiserreich geboren, in seinem Fall 1896 in Nowoseliza, einem Handelsplatz im Dreiländereck zwischen Österreich-Ungarn, Rumänien und Russland, unweit von Tschernowitz, das heute zur Ukraine gehört. Nowoseliza hatte damals eine überwiegend jüdische Bevölkerung, die anfangs des 20. Jahrhunderts durch Pogrome in der nahen Umgebung in Angst und Schrecken versetzt wurde. Viele Juden flohen in die kleine Stadt, um dort über die Grenze nach Österreich zu gelangen und sich ein neues Leben außerhalb Russlands aufzubauen. Auch Salomon Krenter kam zu dem Schluss, dass es für ihn in Russland keine Perspektive gab, und verließ das Land.

Nicht Berlin, sondern Wien wurde sein neuer Wohnort, wo er sich zunächst als Eierpacker über Wasser hielt. Krenter ging in den Handel, aber im Gegensatz zu Isay Rottenberg war sein Ruf schon bald nicht mehr tadellos. Aus einem Bericht in der *Wiener Zeitung* vom 21. April 1921 geht hervor, dass Krenter wegen Verbrauchssteuerbetrugs gesucht wurde. Im Freihafen von Triest kaufte er steuerfreie Partien Tabak und ließ sie in Österreich zu Zigarren und Zigaretten verarbeiten. Anstatt sie zu exportieren – was legal gewesen wäre, sofern die Tabakverbrauchssteuer im Ausfuhrland entrichtet wurde –, verkaufte er sie schwarz auf dem österreichischen Markt und umging so die Verbrauchssteuer. Krenter entkam der Polizei und floh nach Bulgarien. 1924 zog er nach Dresden und kaufte mit dem Geld, das er im Tabakhandel in Bulgarien verdient hatte, eine schlecht gehende Zigarettenfabrik und nannte sie in »Zigaretten-Fabrik Bulgaria«, kurz »Bulgaria«, um.

Kühne Werbung

Salomon Krenter hatte ein gutes Gespür für den Zeitgeist. Mit einer Marketingstrategie nach amerikanischem Vorbild gelang es ihm, seine Marke Bulgaria in Deutschland schnell bekannt zu machen. Die Zigarettenmarken waren zu dieser Zeit kaum voneinander zu unterscheiden. Auf allen Schachteln waren die gleichen orientalischen Bilder von Kamelen, Bauchtänzerinnen und Pyramiden zu sehen. Krenter schlug einen anderen Weg ein.

Als Markenzeichen wählte er einen aus zwei Dreiecken bestehenden Davidstern auf weißem Hintergrund mit klaren blauen, grünen und roten Elementen, die auf die Farben der bulgarischen Flagge verweisen. Der Stern – wurde er als Davidstern erkannt? Und schreckte er die Käufer nicht ab? – Und die frischen Farben der Verpackung fallen in den Regalen der Zigarettenverkäufer auf. Das Jüdische Museum in Berlin hat die Zigarettenschachteln von Bulgaria und auch eine Emaille-Werbetafel mit dem Davidstern in seine Sammlung aufgenommen. Das Museum verweist auf einen Artikel des Kulturwissenschaftlers Volker Ilgen, um das überraschende Design zu erklären. Aus diesem erfahren wir, dass Krenter im Deutschland der 1920er-Jahre nicht der Einzige war, der den Davidstern in sein

Abb. 17 Bulgaria-Werbung in Dresden, 1932

Emblem integrierte; viele jüdische Firmen taten dies damals ohne zu zögern.

Die Bulgaria-Zigarette fand bei den deutschen Rauchern Anklang. Krenter importierte die besten Tabaksorten aus Bulgarien, und mit seinen modernen Mischmaschinen gelang es ihm, die Qualität der Zigaretten konstant zu halten. Die Produktion wurde hochgefahren. Einige Jahre nach dem Firmenstart war die Fabrik schon zu klein, und das Unternehmen zog in ein nagelneues und viel größeres Gebäude um. Krenter zog in eine große Villa in der noblen Wiener Straße in Dresden.

Die Situation in der Zigarettenindustrie veränderte sich, als der deutsche Fabrikant Reemtsma durch Übernahmen und Kartellbildung eine Quasi-Monopolstellung erlangte. Unter den kleineren Fabrikbesitzern setzte ein Verdrängungswettbewerb ein. Krenter hoffte, die Aufmerksamkeit für Bulgaria durch Werbegags aufrechtzuerhalten. Er setzte ein Werbeflugzeug ein und ließ eine Leuchtreklame von Bulgaria an der Front eines futuristischen Metallpavillons auf dem Dresdner Messegelände anbringen.

Trotz aller Werbegags erkannte Krenter rasch, dass sein Unternehmen der Macht des Kartells nicht gewachsen war und bot Reemtsma 1928 die Bulgaria-Fabrik zum Kauf an. Der Verkauf brachte ihm vier Millionen Reichsmark ein, mit denen er ein neues Unternehmen gründen wollte. Er hatte die Idee, die Zigarrenindustrie nach dem Vorbild der Zigarettenherstellung zu automatisieren. Die Herstellung von Zigarren war nach wie vor eine zeitaufwändige und teure Handarbeit. Krenter erkannte das Potenzial für eine Revolution in der Zigarrenbranche und startete sofort im großen Stil.

Die offizielle Eröffnung der Krenter Zigarren-Werke – die zunächst angedachten Namen Americana-Havanna und Deutsch-Amerikanische wurden verworfen – wurde für den 1. November 1930 angekündigt: Es sollte ein Spektakel werden mit Besuch von Würdenträgern aus der ganzen Region und, als Krönung, der Landung des berühmten Luftschiffes Graf Zeppelin in Döbeln.

Doch die Eröffnungsfeier fiel ins Wasser. Zwei Tage zuvor teilte Krenter dem Bürgermeister Kunzemann mit, dass die Feier abgesagt werden müsse, weil der Reichskanzler Heinrich Brüning für den 1. November einen Besuch in Dresden geplant habe und die von Krenter geladenen hochrangigen Gäste dort anwesend sein müssten. Zuvor war bereits bekannt geworden, dass der Graf Zeppelin wegen der Herbststürme nicht in Döbeln landen konnte. Man betrachtete dies als Pech, nicht als Vorbote des Scheiterns.

»Die Indianer kommen«

Krenter scheute keine Kosten, um seine Zigarren an den Mann zu bringen. Eine auffällige Werbekampagne in Dresden sollte seiner Marke »Indianer« Bekanntschaft verschaffen.

Die Neugier der Öffentlichkeit wurde durch Anzeigen in Tageszeitungen und in Kinos geweckt, und in ganz Dresden hingen Plakate mit dem Krenter-Logo und immer demselben Text: »Die Indianer kommen.« Ein paar Tage später fuhren Lieferwagen durch die Stadt mit der Beschriftung »Die Indianer sind da!« In Warenhäusern wurden kleine Ausstellungen über das Leben der Indianer eingerichtet, und in Zigarrenläden hängte man in den Schaufenstern Indianerkostüme auf. In den Einkaufsstraßen Dresdens tauchten verkleidete Männer auf, die in bunte Folie verpackte Zigarren verteilten. Es wurde sogar ein Werbesong komponiert:

Wir rauchen nur »Indianer«, die der Krenter fabriziert.
Bill'ge Marken liefern kann er, weil er selber importiert.
Ob »Sioux« oder »Texas«, alle Sorten sind »eins – a«
Für die Verwöhntesten etwas. Freuet Euch: Die Indianer sind da!

Wie modern Krenters Werbung war, zeigt die ihr zugeschriebene unbewusste Wirkung. Im Buch *Psychodynamik der Werbung* aus dem Jahr 1932 wurde diese Kampagne als ein hervorragendes Beispiel für eine freudsche Strategie bejubelt. Das Logo spricht die Sehnsucht nach der Kindheit an, weiß der Autor Fritz Feller, als der Zigarrenraucher noch unbeschwert »Indianer«spielte. Natürlich müssen wir die Zigarre auch als sexuelles Symbol sehen: »Zigarre = Phallus«, schreibt Feller. Selbst die Farben der Etiketten auf den Zigarrenkisten finden seine freudianische Anerkennung. Um Schuldgefühle wegen des ungesunden Rauchens zu unterdrücken, wäre es laut dem Autor für Krenter ratsam, den Zigarren etwas für die Kinder der Raucher beizulegen. Hörte Krenter auf diesen Rat? Wer weiß, jedenfalls brachte er ein Sammelalbum mit Aufklebern auf den Markt, das wir mehr als 80 Jahre später dank des Geschenks von Heimatfreund Horst Schlegel in den Händen halten.

Döbelns Verwaltung und die Konsumenten dürften vielleicht begeistert gewesen sein, doch Krenters Vermarktungspolitik rief sofort enormen Widerstand hervor. Er kümmerte sich nicht um die Gepflogenheiten der Branche. Er wollte Zigarren herstellen und vertreiben, wie er es zuvor mit seinen Bulgaria-Zigaretten gemacht hatte. Das bedeutet, Markenzigarren zu einem festen Preis und in gleich bleibender Qualität auf den Markt zu bringen, die überall gekauft werden können. Damit bedrohte er nicht nur die Zigarrenroller und die kleinen Fabrikbesitzer, sondern auch Zehntausende von Tabakfachgeschäften. Ihre Daseinsberechtigung lag in der persönlichen Beratung des Kunden, der eine handgefertigte Zigarre wünschte; der Verkäufer kannte seinen Geschmack, verfolgte die Trends und behielt die Qualität der einzelnen Lieferanten im Auge. Vergleicht man die Einführung der Markenzigarre mit dem Aufkommen der Konfektionsware in der Bekleidungsindustrie, versteht man, welche Bombe Krenter in der Branche hat platzen lassen.

Hinzu kommt, dass die Kleingewerbetreibenden ihre Hoffnungen auf die Nazis setzten und sich massenhaft Vereinigungen anschlossen, die mit der NSDAP verbunden waren. In ihren Augen entsprach Krenter dem Bild des kapitalistischen Juden, der den ehrlichen, traditionellen, bescheidenen, fleißigen christlichen Deutschen um Lohn und Brot brachte. *Der Freiheitskampf*, die Zeitung der Nazis in Sachsen, rief die Öffentlichkeit unmittelbar nach der Inbetriebnahme von Krenters Fabrik dazu auf, Krenters Zigarren und die Geschäfte, die seine Marke verkauften, zu boykottieren.

Für jeden Maschinenarbeiter, den der »Ostjude Krenter« einstellt, so behauptete *Der Freiheitskampf*, verlören drei Handarbeiter ihren Job. »Die Indianer sind die mit amerikanischen Maschinen hergestellten Zigarren des nach dem Kriege aus dem Osten eingewanderten Juden Krenter. Wer deutsche Arbeiter brotlos machen will, der kaufe sie!«

In einer anderen Ausgabe von *Der Freiheitskampf* ist ein Foto von einem Schaufenster eines Tabakgeschäfts in Dresden zu sehen, das als Protest gegen Krenter dekoriert worden war. »Deutsche Handarbeit bringt Brot, Amerikanische Maschinenarbeit mehr Not« lautet die Parole, die sich über die gesamte Breite des Schaufensters erstreckt. Darunter sieht man eine Zeichnung eines Trappers, der mit einem Gewehr auf Indianer schießt. Der Kampagne gegen Krenter widmete *Der Freiheitskampf* am 9. Dezember 1930 unter der Überschrift »Kampf dem Indianerjuden!« drei ganze Seiten.

Ebenso wenig wie die Nazis waren übrigens auch die Marxisten von Krenter begeistert. Obwohl es ihnen vollständig gleich war, ob »Jude oder Christ ist, Kapitalist bleibt Kapitalist«, bemerkten sie beiläufig: »Die vermeintlichen Juden sind eben viel schlauer als die ganze Hitler-Innung.«

Eigene Unternehmen zuerst

Auch in Döbeln regte sich Unmut. Kleine Zigarrenhersteller und andere Unternehmer empfanden es als ungerecht, dass ein Außenstehender mit seinen amerikanischen Maschinen all diese Zugeständnisse von der Stadtverwaltung erhielt. Die alten Zigarrenfirmen dürften durch den Neuling nicht benachteiligt werden; andernfalls, so drohten sie, würden sie abwandern. Der einflussreiche Döbelner Metallfabrikant Erhardt Tümmler, der größte Arbeitgeber der Stadt, Mitglied des Stadtrats und Vorstandsmitglied des Reichsverbandes der Deutschen Industrie, wandte sich an den Verband Sächsischer Industrieller. Aus den vertraulichen Protokollen der Sitzung, in der Tümmler die Angelegenheit vorbrachte, spricht Empörung. »Herr Direktor Wittke hält ein sofortiges Eingreifen seitens des Verbandes für notwendig«, da der Fall Krenter einfach unerhört sei. »Wenn wir dies zulassen, dann begeben wir uns auf eine schiefe Ebene«, meinten die Unternehmer. »Die Industrie müsse sich mit aller Energie gegen jede Subventionspolitik wenden, besonders auch dann, wenn sie ausländischen Firmen oder Kapitalien zugutekomme, die mit derartigen Vergünstigungen die deutsche Industrie niederkonkurrieren.«

Das Ergebnis war ein geharnischter Brief an die Stadtverwaltung Döbeln. Deren Aufgabe sei es, bestehende Unternehmen zu unterstützen, und nicht irgendeinen Neuling. Der Industrieverband war übrigens grundsätzlich gegen die Subventionierung von Unternehmen, da dies eine Verzerrung des freien Marktes darstellt. Die Stadt täte besser daran, günstige Bedingungen zu schaffen, indem sie die Steuern für Unternehmen senkt, Rabatte auf Energietarife gewährt und – wie für Krenters Belegschaft – Wohnungen für von außerhalb angeworbene Arbeiter zur Verfügung stellt. Eine Politik, die auf die Ansiedlung neuer Unternehmen setze, sei in dieser tiefen Wirtschaftskrise illusorisch, behaupteten sie. Krenters Niederlassung sei ein einmaliger Glücksfall. Also unterstützt die eigenen Unternehmen zuerst!

Von diesen einheimischen Unternehmen ist das von Tümmler das wichtigste. Seine Fabrik, ein riesiger Komplex entlang des Flusses mit drei hohen Schornsteinen, die auf Bildern und Briefpapier abgebildet sind, war bis zu Krenters Ankunft mit 1.300 Beschäftigen bei Weitem die größte. Tümmler war einer der ersten modernen Betriebe in Döbeln. Erhardts Vater, Robert Tümmler, der aus Leipzig stammte, gründete das Unternehmen im Jahr 1878. In seinem Kielwasser siedelten sich Dutzende größere und kleinere Metallbetriebe in Döbeln an und ließen die Stadt aufblühen.

Natürlich hatte die Stadt unter dem Ersten Weltkrieg und der darauf folgenden Krise zu leiden, aber nach der Anzahl der Unternehmen und der Beschäftigten im Jahr 1914 und der Situation, wie sie 1925 beschrieben wurde, zu urteilen, erholte sich Döbeln gut. Im Jahr 1925 arbeiteten 6.000 Menschen in Industrie und Gewerbe. Abgesehen von Metallunternehmen gab es eine große Fabrik für landwirtschaftliche Maschinen, es gab chemische Fabriken, eine Schokoladenfabrik, eine Zuckerfabrik und eine Fabrik, die Industriefilter herstellte. Es wurden Möbel hergestellt, Feuerlöschspritzen, Silberbesteck und nicht zu vergessen: Zigarren. Ein Großteil der Produktion dieser Unternehmen war für den Export bestimmt, oder es handelte sich um Luxusgüter. Deshalb traf die Weltwirtschaftskrise von 1929 die Stadt hart: Unternehmen gingen bankrott oder konnten sich nur mit Mühe über Wasser halten. So war es nicht verwunderlich, dass die Unternehmer über die Vorteile, die der Stadtrat Krenter gewährte, verärgert waren.

Bürgermeister Kunzemann ignorierte das Schreiben des Industrieverbandes und schob die Beantwortung monatelang vor sich her. Erst als Krenters Fabrik im Frühjahr 1931 florierte und inzwischen 2.000 Mitarbeiter beschäftigte, antwortete er Tümmler und den Seinen mit einem knappen Brief:

»Wir sind mit ihnen Gegner jeder Subvention der privaten Wirtschaft durch Reich, Land und Gemeinde. Leider läßt sich dieser Grundsatz in diesen außerordentlichen Zeiten einer nie dagewesenen Wirtschaftskrise nicht durchgehends aufrechterhalten.«

Krenters Niederlassung in Döbeln spaltete die Politik. Die Vorzugsbehandlung führte zu einem Bruch in der Zusammenarbeit zwischen der SPD und den rechtskonservativen Parteien im Stadtrat. Sie entschieden sich für die lokalen Unternehmer und nahmen politisch einen weiteren Schwenk nach rechts vor. Kunzemann versuchte, die Stimmungsmacher gegen Krenter verstummen zu lassen. Auf sein Drängen hin zwang die Dresdner Regierung die Nazis im sächsischen Parlament zu einem Versprechen, die Angriffe auf Krenter einzustellen. Aber *Der Freiheitskampf* setzte seine Berichterstattung fort und verbreitete das Gerücht, dass die Zigarrenfabrik nur 50 Arbeiter beschäftigte. Krenter ließ sich nicht unterkriegen. Vom Arbeitsamt in Döbeln holte er sich eine amtliche Bescheinigung, dass er bereits 1.132 Arbeitslose eingestellt hatte, und veröffentlichte sie als Zeitungsanzeige. In der Zeitung wurde berichtet, dass seine Zigarren wie warme Semmeln verkauft wurden. Und er suchte politische Unterstützung gegen die Nazis. Der SPD-Abgeordnete Paul Hertz sprach im Reichstag in Berlin über Krenter. Hertz hatte am Vortag Krenters Fabrik besucht und ihn als Beispiel für jemanden bezeichnet, der sein Geld in Deutschland investiere, obwohl er ein »rumänischer Jude« sei. Eine positive Ausnahme unter all den deutschen Unternehmern, die ihr Geld im Ausland in Sicherheit bringen, meinte Hertz.

Vorübergehende Schwierigkeiten

Krenters Produktion wuchs von Tag zu Tag und die Fabrik benötigte mehr Platz. Franz Richter, ein Hersteller von Landwirtschaftsmaschinen, verfügte zwar über leerstehende Gebäude, wollte diese aber nicht vermieten. Bürgermeister Kunzemann versuchte mit aller Macht, ihn genau dazu zu überreden, denn er hatte Angst, Krenter würde sonst abwandern. Aus »allen Teilen des deutschen Vaterlands« strömten nämlich bei Krenter verlockende Angebote herein, wie es zwei Jahre später in einem Rechenschaftsbericht der Stadt hieß. »Wir empfanden es als unsere Pflicht, mit allen Kräften dahin zu wirken, die Firma Krenter Zigarren-Werke für Döbeln und damit für Sachsen zu behalten und sie in Döbeln ortsansässig zu machen. Durch unsere Vermittlung gelang es, einen Kaufvertrag zwischen der Firma Franz Richter und der Firma Krenter-Zigarrenwerke zustande zu bringen.«

Für 360.000 Reichsmark kaufte Krenter zwei große Gebäude und das dazugehörige Grundstück. Allerdings blätterte er das Geld nicht selbst hin. Die Fabrik befand sich im Aufbau und deshalb konnte er den Betrag nicht aus dem Unternehmen entnehmen, sagte er. Hungrig nach Arbeitsplätzen und im Vertrauen auf Krenters Geschäftssinn vermittelte die Stadtverwaltung ein Darlehen und bürgte für die gesamte Summe. Nach langem Zögern genehmigte der Landkreis Leipzig der Stadtverwaltung dies, war aber – mit vorausschauendem Blick – kein Befürworter davon: Wenn ein Unternehmen darum bitten müsse, sei das kein Zeichen von finanziellem Wohlergehen. Döbeln ging ein großes Risiko ein, fand Leipzig.

Warum Döbeln das Risiko dennoch einging, ist einfach zu erklären.

Im oben bereits angeführten Rechenschaftsbericht erwähnte die Stadt, dass Krenters Unternehmen so schnell wuchs, dass bis zum Sommer 1931 bereits 3.000 Arbeiter im Drei-Schicht-Betrieb arbeiteten. »Die Krenter-Zigarrenwerke wurden in dieser Zeit für Döbeln und seine Umgebung und die Nachbarstädte und insbesondere für die Geschäftswelt von großer wirtschaftlicher Bedeutung, zahlten sie doch wesentlich rund 60.000 RM

Abb. 18 Die Zigarrenfabrik in Döbeln, um 1931

Lohn aus, die fast restlos wieder in das Wirtschaftsleben der Stadt und Umgebung flossen.« Mit 30 zu 1 Stimmen genehmigte der Stadtrat die Bürgschaft. Das Fabrikgelände und die stattliche Villa Salomon Krenters in Dresden nahm Döbeln als Pfand.

Eine Woche nach dem Kauf der großen Räumlichkeiten von Richter – es sind diese Gebäude, die wir im Industriegebiet von Döbeln-Ost als ehemalige Zigarrenfabrik mehr oder weniger intakt vorfanden – beantragte Krenter die teilweise Stilllegung und Entlassung von 600 Arbeitern und 15 weiteren Angestellten. Es sei eine vorübergehende Maßnahme, beruhigte er die Behörden. Sobald die neuen Maschinen eingetroffen seien, würde die Produktion wieder hochgefahren.

Im Bundesarchiv in Berlin-Lichterfelde befindet sich ein Bericht, in dem Krenter selbst beschreibt, was schiefgelaufen war und was er alles versucht hatte, um das Blatt zu wenden. Er mag ein Marketinggenie gewesen sein, aber bei der Einführung der maschinell hergestellten Zigarre hatte er etwas übersehen: Er kannte den Geschmack der deutschen Raucher nicht. Sie waren nicht an die feuchten Zigarren gewöhnt, die die amerikanischen Maschinen produzierten. Die Deutschen liebten die trockene Zigarre. Nun, dann trocknen wir die Zigarren halt, muss Krenter gedacht haben, und ließ Trockenräume einrichten. Das bedauerliche Ergebnis war, dass die Zigarren schrumpften und nicht mehr verkauft werden konnten.

Krenter bat die International Cigar Machinery Company um Hilfe. Amerikanische Ingenieure überquerten sofort den Ozean, um nach Deutschland zu gelangen. Sie schlugen Krenter vor, auf ein anderes Maschinenmodell umzusteigen. Da es sich um eine gewaltige Investition handelte, waren sie bereit, sich an dem Unternehmen zu beteiligen. Die Amerikaner betrachteten Döbeln als Sprungbrett für ganz Europa. Gelang es ihnen hier, den deutschen Markt zu erobern, dann stand ihnen der ganze Kontinent offen.

Krenters Schwiegereltern wehrten sich gegen die amerikanische Beteiligung; sie wollten die Firma in der Familie behalten und übernahmen 60 Prozent der Anteile des Unternehmens. Mit diesem Kapital bestellte Krenter nicht weniger als 150 neue Maschinen. Allerdings trafen diese nicht wie versprochen innerhalb von zehn Wochen ein, sondern erst fünf Monate später. Hunderte von Arbeitern mussten für die Arbeit mit den neuen Maschinen geschult werden. Der Umsatz brach ein. Eine Zeitung berichtete: »Die Sioux-Indianer-Zigarre ›zieht nicht mehr.‹« Die Revolution auf dem Zigarrenmarkt war gescheitert.

Krenter geriet in finanzielle Schwierigkeiten und bat im November 1931 um Zahlungsaufschub. Vorübergehende Schwierigkeiten, behauptete er hartnäckig. Er glaubte fest an sein Projekt und plante sogar die Anschaffung weiterer Maschinen.

Doch die Stadt Döbeln machte sich große Sorgen. Bürgermeister Kunzemann reiste Ende November nach Berlin und flehte das Reichsfinanzministerium um Unterstützung an. Wenn Krenter unterginge, fürchtete er, würde er die Stadt mit in den Abgrund reißen. Und dann würden diejenigen, die an die Fabrik geglaubt hatten und im Namen der Stadt Risiken eingegangen waren, zur Rechenschaft gezogen. Kunzemann und der stellvertretende Bürgermeister Röher sahen das Unheil kommen. Im Dezember, als die Rettungsversuche auf Hochtouren liefen, machten die beiden SPD-Bürgermeister von einer Sonderregelung Gebrauch: der Möglichkeit, sich ein Jahr vor Ablauf ihrer Amtszeit im Jahr 1933 zur Wiederwahl zu stellen. Allerdings musste der Stadtrat zuerst zustimmen. Die rechten Parteien waren dagegen, die Kommunisten ebenfalls.

Als es zur Abstimmung kam, wurde die Wiederwahl dann doch durchgesetzt, ganz knapp mit 17 zu 16 dank eines Überläufers aus dem rechten Lager. Ausschlaggebend war – wohlgemerkt – die Stimme eines Ratsmitgliedes, das bei Krenter angestellt war. Die konservativen Fraktionen waren so verärgert, dass sie die Versammlung verließen und den Rest der Sitzung boykottierten. Der *Döbelner Anzeiger* war empört, dass die Wiederwahl der sozialdemokratischen Führung durchgesetzt wurde. Doch die Abstimmung war gültig. Noch vor Weihnachten wurde Kunzemann für sechs Jahre wiedergewählt und konnte bis 1939 im Amt bleiben. Röher beantragte und erhielt ein Doppelmandat. Wenn alles so lief, wie er es erwartete, würde er bis 1945 im Amt bleiben können.

Anfang 1932 wurde Krenters Lage prekär, aber der Eigentümer gab nicht auf. Er stellte fieberhaft Berechnungen an und sah in einem neuen Vertriebsnetz und einem Deal mit niederländischen Abnehmern Rettung am Horizont. Die Stadtverwaltung wollte die Fabrik nicht im Stich lassen und suchte nach Geld, um durch eine Beteiligung an Krenters Vertriebsgesellschaft der Firma aus der Misere zu helfen. Im Stadtrat stand die SPD nun jedoch allein da. Krenter richtete eine flehentliche Bitte nach der anderen an die Gläubiger. Vergeblich. Im August war das Spiel aus. Mit seinen teuren Werbekampagnen nach amerikanischem Vorbild und der schnellen Expansion hatte sich Krenter zu viel vorgenommen. Er hatte den Fehler gemacht, feuchte statt trockener Zigarren einzuführen. Kleinhändler weigerten sich, die »Indianer« und andere Markenzigarren von Krenter zu verkaufen. Und die Stadt schrieb hinterher:

»Auch war nach unseren Beobachtungen insbesondere in der ersten Zeit die Betriebsführung in der Döbelner Fabrik wenig sparsam, wenn nicht sogar nachlässig zu nennen.« Die Krenter Zigarren-Werke, die mit so viel Bravour auf den deutschen Markt stürmten, schlossen nach weniger als zwei Jahren wieder ihre Pforten.

Insolvenz

Mitte August beantragten die Gläubiger die Eröffnung des Insolvenzverfahrens. Dazu kam es aber nie, da das Gericht den Fall nicht behandeln wollte, solange keine Aussicht auf Zahlung der Gerichtskosten bestand. Auf Vorladungen reagierte Krenter nicht. Döbeln ernannte einen Insolvenzverwalter und beschlagnahmte das Grundstück, die Gebäude und Kreters Villa in Dresden. Die Stadt, die nun für das Darlehen plus Zinsen in Höhe von 360.000 Reichsmark aufkommen musste, hoffte, die Verluste durch die Versteigerung der Immobilie und des Grundstücks ausgleichen zu können. Der Zeitpunkt hätte nicht ungünstiger sein können. Die Arbeitslosigkeit in Deutschland war auf sechs Millionen angestiegen, die Krise war ausweglos und niemand zeigte Interesse an Villen, Gebäuden oder Grundstücken. Bei der Besichtigung der Villa stellte sich heraus, dass alles Wertvolle bis hin zu den goldenen Wasserhähnen entfernt worden war. Krenter war nach Berlin gezogen und verließ wenige Monate später Deutschland. Ob dies aus geschäftlichen Gründen geschah oder weil Hitler inzwischen an die Macht gekommen war? Auf jeden Fall konnten ihn weder die Gläubiger noch die Nazis fassen.

In Dresden treffen wir den Historiker Christian Kurzweg. Für das Gespräch mit uns ist er extra aus Berlin angereist. Seine Magisterarbeit über die politischen und wirtschaftlichen Dynamiken der Krenter Zigarren-Werke in Döbeln stammt zwar aus dem Jahr 1995, aber das Thema fasziniert ihn so sehr, dass er sich die Chance auf neue Quellen nicht entgehen lässt.

»Krenter war kein schlechter Unternehmer«, meint er. Die Insolvenz von Krenter war zum Teil selbst verschuldet, aber auch die Umstände waren ungünstig. Außerdem hatte er mit dem anhaltenden Boykott seitens des Einzelhandels zu kämpfen.

»Deutsche Handarbeit bringt Brot, Amerikanische Maschinenarbeit mehr Not«, zitiert er aus dem Gedächtnis die Parole, mit der die Schmutzkampagne geführt wurde. »Krenter war seiner Zeit voraus, er war ein Pionier. Er scheiterte, aber die von ihm eingeleitete Modernisierung war nicht mehr aufzuhalten.«

Kurzweg ist der Meinung, Isay Rottenberg habe aus dem Widerstand, den Krenter hervorrief, Lehren gezogen. »Zigarren waren nach Ansicht der deutschen Hersteller nur dann Zigarren, wenn sie handgemacht waren. Rottenberg nannte seine Zigarren Zigarillos.« Das half, doch Kurzweg räumt auch ein, dass der Einzelhandel damals die »amerikanischen Zigarren« aus Döbeln weiterhin boykottierte.

Als wir von unserem Großvater erzählen, wie er in Amsterdam in der Trinkhalmfabrik mit seinem strahlend weißen Kittel über dem Anzug durch die lärmende Fabrikhalle herumging, auf der Balustrade die Farben selbst mischte, sich unablässig mit den Chefmechanikern beriet, technisches Verständnis hatte und ständig an der Weiterentwicklung der Produktion arbeitete, ruft Kurzweg überrascht aus: »Das stimmt genau!« Auf unsere Frage hin erklärt er, was ihm aufgefallen ist. »Das passt zum sächsischen Unternehmensstil. In die Produktion involviert und Verbesserungen vornehmend. Nicht wie Krenter, der eher ein moderner Manager und Werbefachmann war, fernab von der Produktionsstätte.«

Ein patriarchalischer, fürsorglicher Umgang mit den »ihnen anvertrauten« Arbeitern, Technikern und Büroangestellten sei typisch sächsisch gewesen, so Kurzweg. Aufgrund seiner Arbeitsweise wurde unser Großvater sowohl in der Fabrik als auch außerhalb stärker akzeptiert und respektiert als Krenter, meint Kurzweg. »Das muss ihm geholfen haben.«

5

Nazis an der Macht

Der Eintrag des von Isay Rottenberg erworbenen Unternehmens in das Handelsregister erfolgte am 4. Oktober 1932. Er wählte den Namen Deutsche Zigarren-Werke, angelehnt an den Namen, der Salomon Krenter ursprünglich vorgeschwebt war: Amerikanische Deutsche Zigarren-Werke. Um den Deutschen in ihrem Nationalismus entgegenzukommen, ließ Rottenberg das Wort »Amerikanische« weg. Aber auch ohne »Amerikanische« wurde der Name nicht einfach so akzeptiert. Noch vor Jahresende leitete die Handelskammer Chemnitz ein Verfahren ein, um die Namensgebung von Rottenbergs Fabrik gerichtlich anzufechten.

Am 6. November fanden erneut Reichstagswahlen statt, eine Woche später folgten die Kommunalwahlen. Während des Wahlkampfs machten sich die Nazis auch in Döbeln stark bemerkbar. Sie hielten eine Wahlkampfveranstaltung nach der anderen ab, wo sie Hitler als Retter und die Juden als Verderber des Vaterlandes propagierten. Julius Streicher, der auf die Titelseite jeder Ausgabe seiner Wochenzeitung *Der Stürmer* die Parole »Die Juden sind unser Unglück!« drucken ließ, reiste nach Döbeln und hetzte. Bei den Stadtratswahlen am 13. November blieb die SPD mit zwölf Sitzen stärkste Partei. Zweitstärkste Partei wurde jedoch die NSDAP, die einen Sprung von einem auf acht Sitze machte.

In der Handelskammer Chemnitz, zu der auch Döbeln gehörte, versuchten die Nazis zu diesem Zeitpunkt, die Leitung zu übernehmen.

Sie scheiterten zwar knapp, aber die Vertreter der Industrie bekamen einen bösen Schrecken. Um die Macht zu behalten, musste der Vorstand der Handelskammer zeigen, dass er genauso national gesinnt war wie die Nazis. Ein Verfahren gegen die Namensgebung der Deutschen Zigarren-Werke war dafür ein besonders geeignetes Mittel.

Die Handelskammer legte eine lange Liste mit Einwänden vor. Die Bezeichnung »Deutsche« sei irreführend, da sie suggeriere, dass es sich um eine Firma handele, die das gesamte Gebiet des Deutschen Reiches abdecke.

»Dasselbe gilt aber auch in anderer Beziehung«, meinte die Handelskammer.

»Wie uns mitgeteilt wird, ist der Vorstand der Gesellschaft, Herr Isay Rottenberg, ein abwechselnd in Holland und Deutschland wohnhafter Russe. Die Produktion der Zigarren erfolgt fast ausschliesslich auf amerikanischen Maschinen. Nach diesen beiden Feststellungen ist das Unternehmen wohl keineswegs als ›Deutsches‹ zu bezeichnen.« Auch der Ausdruck »Werke« wurde beanstandet. Hiervon könne erst die Rede sein, wenn es sich um ein »grossindustrielles Unternehmen mit bedeutender Arbeiter- und Maschinenzahl und umfangreichen mechanischen, Transport- usw. -Anlagen handelt.« Darüber hinaus erfordere der Ausdruck »Werke« mehr als ein Gebäude an verschiedenen, voneinander getrennten Orten. Die Handelskammer war fassungslos, dass der Name Deutsche Zigarren-Werke eingetragen worden war und forderte eine Namensänderung.

Überraschte Isay Rottenberg der Widerstand, auf den er als Ausländer und Jude mit seiner Fabrik, der modernsten in Deutschland, die mit amerikanischen Maschinen vollautomatisch Zigarren produzierte, von Anfang an stieß? Oder dachte er übermütig, dass Krenter die Sache falsch angepackt hatte und er das Kind schon schaukeln werde?

Am 10. Januar 1933, bei der ersten Sitzung des neuen Stadtrats, erschienen die acht gewählten Nazis in braunen SA-Uniformen. Bürgermeister Kunzemann richtete düstere Worte an den neuen Rat. »Schärfer denn je hat sich die Wirtschaftskrisis im vergangenen Jahre in allen Kreisen der Bevölkerung ausgewirkt. Wieder wurden selbständige Existenzen in den Krisenstrudel hineingezogen. Vielen von unseren Einwohnern, die heute noch eine bescheidene Existenz haben, kann morgen schon die Stunde des Stempeln-Gehens oder der Bezug von Wohlfahrts-Unterstützung drohen.« Im vergangenen Jahr bezeichnete er die Zeit als schicksalsschwanger, zeigte sich aber zuversichtlich, dass es bald wieder aufwärtsgehen werde. Leider musste er nun feststellen, dass sich diese Hoffnung nicht erfüllt hatte.

Besonders erschütternd war die Not der Handarbeiter, die schon seit Jahren arbeitslos waren. Die Stadt tat, was sie konnte, um ihre Lage erträglich zu machen, hatte aber zu wenige Mittel zur Verfügung. Zusätzliche materielle Hilfe für bedürftige Bürger aus freiwilligen Beiträgen müsse wieder organisiert werden, sagte Kunzemann. Diese »Winterhilfe« – ein Sicherheitsnetz, das in den Niederlanden während der deutschen Besatzung in Verruf geriet, in Deutschland aber schon vor Hitler existierte – werde weniger großzügig ausfallen als im vergangenen Jahr. Kunzemann appellierte an die Unternehmen, Spenden zu leisten. Döbeln könne sich glücklich schätzen, dass die Stadtverwaltung und die Beamten engagiert seien und die schlimmsten politischen Reibereien vermieden werden könnten. In anderen Orten Sachsens sei das durchaus anders, führte Kunzemann dem neuen Stadtrat vor Augen. Aber auch in Döbeln hatten es die Beamten nicht leicht: »Der Beamte muss es als bitter empfinden, wenn er ungerecht angegriffen und teils noch körperlich bedroht wird. In diesen unruhigen Zeiten verliert mancher Einwohner in seiner Kritik Mass und Ziel.«

Kunzemann machte sich und dem Stadtrat mit Worten wie »Lebenswille« und »Kraft« Mut und zitierte die Meinung »namhafter Wirtschaftspolitiker«, dass der Tiefpunkt der Krise erreicht sei. Das Arbeitsbeschaffungsprogramm der Reichsregierung werde hoffentlich Linderung verschaffen. »Trotzdem muss Arbeit geschaffen werden, denn Arbeit ist das erlösende Wort, das uns aus diesem Elend herausführen wird.« Er beendete seine lange Rede mit dem Wunsch, der Stadtrat möge sich im kommenden Jahr von »Rechtsgefühl und sozialem Empfinden« leiten lassen. Sein Wunsch wird sich als vergeblich erweisen. Es war das letzte Mal, dass Kunzemann vor dem Stadtrat sprach.

Montag, der 30. Januar 1933, der Tag, an dem Reichspräsident Hindenburg Adolf Hitler zum Reichskanzler ernannte, war auch der Tag, an dem der Bürgermeister Kunzemann und der Zweite Bürgermeister Röher für eine weitere Amtszeit bestätigt wurden. Der Landkreis Leipzig, zu dem Döbeln gehörte, hatte offiziell bekannt gegeben, dass Kunzemann weitere sechs Jahre im Amt bleiben durfte. Die doppelte Amtszeit, die Röher für sich durchgesetzt hatte, lief bis zum 25. Februar 1945.

Am Abend des folgenden Tages versammelten sich die SA-Mitglieder von Döbeln in ihrem Hauptquartier in der Bahnhofstraße 8. Mitglieder der SS und der Veteranenvereinigung Stahlhelm schlossen sich ihnen an, und gemeinsam marschierten sie in einem Fackelzug zum Rathaus, dem Gebäude, in dem wir jetzt im obersten Stockwerk sitzen und in den Unterlagen blättern. Wenn wir aus dem Fenster schauen, sehen wir den Rathausplatz, den Obermarkt, wo der Aufmarsch endete und wo Hermann Groine, ein Nazi der ersten Stunde, vor der Menge der Braun- und Schwarzhemden triumphierend eine Rede über die Macht hielt, die nun in Hitlers Händen liege.

Groine, mit dem unser Großvater viel zu tun bekam, war damals 35 Jahre alt und hatte bereits eine lange Schule der Gewalt und des Fanatismus durchlaufen. Er war noch ein Junge, als der Erste Weltkrieg ausbrach, und kaum 18 Jahre alt, als er eingezogen wurde. Drei Jahre lang kämpfte er, zuerst an der russischen Front und dann an der Westfront. Wie so viele Soldaten konnte er die deutsche Niederlage und den Zusammenbruch des Kaiserreichs nicht verwinden und wollte darin einen »Dolchstoß in den Rücken« durch die Sozialdemokraten sehen. Er schloss sich dem Deutschen Schutz- und Trutzbund an, einer Vereinigung, die zu Beginn der 1920er-Jahre rasch an Popularität gewann und 200.000 Mitglieder anzog. Der Bund setzte sich zwei Ziele: weg mit den Juden und weg mit der Weimarer Republik. Auch berüchtigte Nazifanatiker wie Julius Streicher und Reinhard Heydrich gehörten dieser Vereinigung an. Hier wurden ihre Weltanschauungen geprägt.

Abb. 19 Hermann Groine

1923 trat Groine der drei Jahre zuvor gegründeten NSDAP bei. Er stieg langsam in der Partei auf und arbeitete als Elektroingenieur, bis er 1931 eine hauptamtliche Parteifunktion als Kreisleiter von Döbeln erhielt. Auf dem Porträt, das im *Döbelner Anzeiger* abgedruckt ist, blickt er ernst vor sich hin wie einer, der weiß, dass ihm eine verantwortungsvolle und schwierige Aufgabe anvertraut wurde. Seine Haarlinie weist tiefe Geheimratsecken auf, ein kerzengerader Scheitel verläuft quer über den Schädel.

Helfrid Piper, der Krämersohn, war im Januar 1933 ein Junge von fast zwölf Jahren. Der Fackelzug und die Nazimeute, die sich vor dem Rathaus versammelten, sind ihm noch in lebhafter Erinnerung. Er war überrascht darüber, wer plötzlich alles Parteimitglied zu sein schien. »Viele unserer Lehrer kamen in SA-Uniform zur Schule«, schreibt er.

Ob Isay Rottenberg in diesen Tagen in Döbeln war, können wir nicht in Erfahrung bringen. Wir wissen auch nicht, ob er das Hitler-Regime kommen sah, ob er davon sehr schockiert war oder ob ihn andere Dinge in Anspruch nahmen. Was wir jedoch sicher wissen, ist, dass die Familie in Amsterdam die Entwicklungen in Deutschland gespannt und aufmerksam verfolgte. Sandras Vater Edwin ließ seine Erinnerungen an den Krieg und die 1930er-Jahre im Rahmen eines von Steven Spielberg initiierten weltweiten Projekts, bei dem Interviews mit Zeitzeugen des Holocaust gemacht wurden, auf Video aufzeichnen. Auch Edwin, 1920 geboren, war 1933 zwölf Jahre alt. Er erzählt:

»Ich erinnere mich daran, dass ich zu Hause die Nachrichten vom Januar und Februar 1933 im *Algemeen Handelsblad* vollständig gelesen habe. Die Familie saß um den Tisch versammelt und ich las sie vor, all diese Nachrichten. Das *Algemeen Handelsblad* hatte gute Journalisten. Die Berichterstattung war sehr ausführlich, es wurde bis ins kleinste Detail darüber berichtet. Ich sehe die Schriftart noch vor mir.«

War es ein Diskussionspunkt, ob Isay Rottenberg unter diesen Umständen in Deutschland bleiben sollte? Der Sohn Edwin verliert darüber kein Wort. Falls damals darüber gesprochen wurde, dann wohl nicht in seinem Beisein, denn Kinder wurden aus solchen Angelegenheiten herausgehalten.

Der Reichstagsbrand

Nachdem Hitler Reichskanzler geworden war, wollte er die totale Macht an sich reißen, dabei aber den Anschein von Rechtmäßigkeit wahren. Er strebte eine Mehrheit im Reichstag an, die es ihm ermöglichen sollte, gegebenenfalls mit Unterstützung der Deutschnationalen Volkspartei die Verfassung nach seinem Willen zu ändern. Das Kabinett, dem er nun vorstand, hatte keine Mehrheit, und die Gespräche mit der katholischen Deutschen Zentrumspartei brach er sofort ab. Auf diese Weise erzwang er Neuwahlen für den Reichstag, die für den 5. März 1933 angesetzt wurden.

Trotz ihrer Provokationen, Einschüchterungen und Gewalt konnten sich die Nazis des von ihnen gewünschten Resultats nicht sicher sein. Weniger als eine Woche vor den Wahlen brannte der Reichstag in Berlin – es war Brandstiftung. Doch wer steckte dahinter? Die Nazis waren blitzschnell dabei, die Kommunisten zu beschuldigen: Sie würden einen Staatsstreich planen. Der Brand sei das Signal für ihren Aufstand. Am nächsten Tag setzte Reichspräsident Hindenburg mit einer Notverordnung die Bürgerrechte außer Kraft: Die Pressefreiheit und das Vereins- und Versammlungsrecht wurden beschnitten, das Briefgeheimnis ausgesetzt, die Anordnung von Haussuchungen sowie Beschränkung des Eigentums zugelassen. Im ganzen Land wurden Kommunisten und andere Gegner der Nazis verhaftet. Auch in Döbeln.

Hier nahm man am 3. März vierzehn Mitglieder der KPD wegen einer »illegal tagenden Versammlung« fest. Am 22. März erging es zwölf weiteren Kommunisten ebenso, und eine Woche später verhaftete die Polizei nochmals vier KPD-Mitglieder, die angeblich Anschläge mit Zyankali auf Nazis geplant haben sollen.

»Die ausgearbeiteten Pläne der Döbelner Kommunisten gingen bereits soweit, dass von der Partei die Vertrauenspersonen ausgewählt und teilweise bestimmt waren, die den ›Zucker‹ den auserwählten Opfern auf äusserst raffinierte Art beibringen sollten«, berichtete der *Döbelner Anzeiger*. Um solche Vorhaben im Keim zu ersticken, sollten die Döbelner alles Verdächtige, das sie sahen und hörten, sofort der Polizei melden. Vertraulichkeit zugesichert.

Später im Prozess gegen den Hauptverdächtigen des Reichstagsbrandes, Marinus van der Lubbe, wurden Kommunisten aus Döbeln als seine angeblichen Komplizen präsentiert.

Am Tag vor den Reichstagswahlen, am 4. März, veranstalteten die Nazis in Döbeln erneut einen ihrer Fackelzüge, und aus den Lautsprechern auf dem Obermarkt am Fuße des Rathauses ertönte die Rede des Reichskanzlers Adolf Hitler. Trotz des Wahlkarussells, das sich seit über einem Jahr drehte und immer noch keine funktionierende Regierung hervorgebracht hatte, waren die Wähler in Döbeln sehr motiviert. Die Wahlbeteiligung lag bei rund 95 Prozent. Die rechtskonservativen Parteien erlitten eine verheerende Niederlage. Und erstmals erhielten die Nazis mehr Stimmen als die Sozialdemokraten: Die NSDAP bekam 6.456 Stimmen, die SPD 5.171. Trotz der landesweiten Verhaftungswelle nach dem Reichstagsbrand wählten weiterhin 2.381 Döbelner kommunistisch, genauso viele wie im Juli 1932. Wenn man die beteiligten Parteien zusammenzählte, kam es darauf an, ob das rechte oder das linke Lager stärker war. Als das Resultat bekannt war, berichtete der *Döbelner Anzeiger* rundheraus: »Döbeln ist nun nicht mehr rot, sondern national.«

Der Heimatfreund Horst Schlegel war 1933 noch ein kleiner Junge – er wurde 1928 geboren –, aber die 1930er-Jahre haben sich ihm in sein Gedächtnis eingebrannt. Mit den Tränen kämpfend erzählt er: »In Döbeln lebten viele ungelernte Arbeiter. Sie wurden als erste entlassen. Ich sehe noch die Schlangen vor mir, in denen sie auf ein armseliges Stück Brot warteten. Ein Mädchen namens Marianne kam öfters zu uns nach Hause. Ihre Eltern waren so arm, dass sie kein Brot mit in die Schule nehmen konnte. Meine Mutter gab ihr immer ein Brot mit Marmelade oder Fett mit.« Seine Stimme bricht. »Die Not, die Not, sie war so groß. Darum wählten die Leute Hitler.«

Auch Helfrid Piper beschreibt die bittere Armut der Zeit vor Hitlers Machtübernahme. Im Jahr 1932 wurde die ohnehin schon niedrige Arbeitslosenunterstützung erneut gekürzt. »Wir hatten mehrere sehr kalte Winter, die Kohlen wurden knapp und teurer«, schreibt er. »Es wurden in den Schulen Wärmezimmer eingerichtet, in den Wäldern wurde Kleinholz gesammelt. Es gab auch viele Familien, die nicht satt wurden. Es gab immer wieder Demonstrationen, bei denen auch Blut floss.«

Als die Wahlen am 5. März vorbei waren, war es auch mit der Demokratie vorbei. Mit 44 Prozent der Stimmen hatten die Nazis zwar immer noch keine absolute Mehrheit im Reichstag, aber das spielte keine Rolle mehr. Ein paar Tage später wurde die KPD verboten und am 23. März unterzeichnete der alte Hindenburg das Ermächtigungsgesetz, das Hitler das Recht gab, das Parlament auszuschalten. Damit trat der Ausnahmezustand in Kraft, und er wurde nicht mehr aufgehoben. Die Diktatur des Dritten Reiches war errichtet.

In Sachsen wurde die nationalsozialistische Revolution von zwei Hitlergetreuen der ersten Stunde rigoros umgesetzt: vom Gauleiter Martin Mutschmann und dem SA-Obergruppenführer Manfred von Killinger, einem ehemaligen Marineoffizier, der in den frühen 1920er-Jahren politische Attentate verübte und an der Ermordung des liberalen (jüdischen) Außenministers Walther Rathenau beteiligt war. Drei Tage nach den Wahlen ließen sie in ganz Sachsen Gebäude politischer Gegner stürmen und Kommunisten und Sozialdemokraten verhaften. Am selben Tag, dem 8. März, ernannte Hitler Killinger zum Reichskommissar für die Polizei in Sachsen, und zwei Tage später übernahm er die Leitung der Landesregierung.

Der Umsturz

In Döbeln fand der Umsturz am 9. März statt. Im Stadtarchiv finden wir einen sachlichen, aber grauenerregenden Bericht über dieses Ereignis, nicht mehr als zwei Schreibmaschinenseiten lang, die uns miterleben lassen, wie der wiedergewählte SPD-Bürgermeister Kunzemann von den Nazis vertrieben wurde. Das muss sich zwei Stockwerke unter uns in diesem Gebäude, in dem wir gerade den Bericht lesen, abgespielt haben.

***

Rathaus Döbeln, am 9. März 1933
Heute, kurz nach 20 Uhr, erschienen im Dienstzimmer des Herrn Ersten Bürgermeisters Kunzemann die Herren Stadtv. Saupe, Kreisleiter Groine, Damme, Schomburg, Uhlemann, Braun und Thiele.
Herr Groine erklärte Herrn Ersten Bürgermeister Kunzemann:

Abb. 20 Die Naziflagge hängt zum ersten Mal am Rathausturm von Döbeln, 9. März 1933, »Am Tag der nationalen Revolution«

»Im Auftrage einer höheren Dienststelle setze ich Sie hiermit als Erster Bürgermeister der Stadt Döbeln ab. Ihre Geschäfte wird vorübergehend Herr Stadtverordneter Saupe weiterführen.«
Kunzemann: »Abgesetzt? In welchem Auftrage?«
Groine: »Nein, nicht abgesetzt, sondern nur bis auf weiteres beurlaubt.«
Kunzemann: »Haben Sie für Ihr Vorgehen eine Vollmacht? Ich werde als Beamter auf meinem Posten so lange aushalten, bis meine Anstellungsbehörde, das ist der Rat, die Kreishauptmannschaft und das Ministerium, mir Anweisung erteilt.«
Groine: »Ich handle im Auftrage einer höheren Dienststelle und habe den Befehl, Ihnen die Mitteilung über Ihre Beurlaubung zu unterbreiten.«
Kunzemann: »Was ist das für eine höhere Dienststelle?«
Groine: »Ich habe es schon gesagt: Eine höhere Dienststelle.«
Kunzemann: »Herr Saupe, was sagen Sie als Stadtverordneter dazu?«
Saupe: »Ich bin nicht zuständig.«
Inzwischen war Herr Hauptmann Roenneke als gegenwärtiger Leiter der Vollzugspolizei zugezogen worden. Herr Groine wiederholte seine Erklärung und wies darauf hin, dass er heute Nachmittag in Dresden gewesen sei und dort vom Reichstagsbeauftragten für Sachsen, Herrn von Killinger, Auftrag erhalten habe, Herrn Ersten Bürgermeister Kunzemann vorläufig vom Dienst zu beurlauben.
Kunzemann: »Herr v. Killinger ist nicht meine Anstellungsbehörde, sondern nur Inhaber der Polizeigewalt. Für Anweisung an mich kommt nur der Rat oder das Ministerium in Frage. Ich bin Soldat gewesen und werde auf meinem Posten aushalten. Herr Groine, hat Ihre Erklärung die Bedeutung, dass Sie mich mit Gewalt an der Fortführung meines Amtes hindern wollen?«
Groine: »Jawohl.«
Kunzemann: »Herr Polizeihauptmann Roenneke, ich frage Sie, was Sie dagegen zu unternehmen beabsichtigen.«
Roenneke: »Ich kann da nichts ändern.«

Kunzemann: »Gegen die Massnahmen gegen mich lege ich hiermit Protest ein und behalte mir alle meine Rechte aus meinem Dienstverhältnis ausdrücklich vor.«
Groine: »Das können Sie. Sie haben das Recht der Beschwerde.«
Kunzemann: »Dann verlasse ich meinen Posten unter ausdrücklichem Protest und weiche nur dem Zwange, ich ziehe die Konsequenzen. Dabei habe ich auch die Ruhe in unserer Stadt im Auge.«

Unter dem Bericht befindet sich die Unterschrift von Theodor Kunzemann. Er wird das Ereignis nachträglich selbst protokolliert haben. Oder vielleicht hat ein Sekretär mitgeschrieben. Wie dem auch sei, der Bericht wurde aufbewahrt und ordnungsgemäß in Kunzemanns Personalakte abgelegt.

Abb. 21 Fritz Saupe

Hinter Kunzemanns Schreibtisch nahm Fritz Saupe Platz und machte sich an die Arbeit. Er war damals ein 48-jähriger Unternehmer, Besitzer einer Fabrik für Industriefilter. Auf dem Foto, das wir im Archiv der Handelskammer Chemnitz gefunden haben, sieht er vornehm aus, ein eleganter Mann im Maßanzug, der selbstbewusst in die Kamera blickt. In seinem 1935 von ihm verfassten Lebenslauf hebt er seine Zeit als Offizier der Kaiserlichen Marine hervor, in der er ab 1902 diente und für die er im Ersten Weltkrieg als U-Boot-Kommandant tätig war. Er listet seine Auszeichnungen auf und erwähnt, dass er 1919 seinen Dienst quittiert und in das Geschäft seines Vaters einsteigt. Im Jahr 1924 wird er erstmals zum Stadtrat gewählt.

Die Bürgerliche Arbeitsgemeinschaft, die konservative Partei der Unternehmer, für die er acht Jahre lang im Stadtrat saß und für die er in gutem Einvernehmen mit der SPD und mit Bürgermeister Kunzemann zusammenarbeitete, erwähnt er nicht. Er erklärt, dass er Stadtverordneter »der äussersten Rechten« wurde und von da ab »den Kampf gegen den Marxismus in Döbeln führte«.Im Februar 1932, so schreibt er, habe er die Mitgliedschaft bei der NSDAP beantragt und wurde am 1. Mai aufgenommen. Bei den nächsten Kommunalwahlen im November 1932 steht Saupe auf der Kandidatenliste der Nazis und wird gewählt.

Man kann zu seinen Gunsten sagen, dass er den Zeitgeist erspürt hatte und dafür belohnt wurde. Am 9. März 1933 ist er der Mann, dem die NSDAP ihre Machtergreifung in der Stadt anvertraut.

Es ist offensichtlich, dass Saupe seine neue Rolle genoss. Gleich am nächsten Morgen um acht Uhr versammelte er die städtischen Beamten im Ratssaal. Er erklärte, dass er von nun an ihr Chef sei, und er forderte Loyalität von ihnen. Wer der Regierung der »nationalen Erhebung« nicht dienen wolle, könne jetzt vortreten. Niemand reagierte. Saupe zwang daraufhin die Anwesenden, mit der Hand auf dem Herzen Treue zu schwören: »Sieg Heil! Für Adolf Hitler als den Retter Deutschlands«, und die versammelten Beamten sprachen es ihm nach. Dreimal erklang »Sieg Heil!« und dann gingen alle wieder an die Arbeit.

So einfach. Wenn man sich die Situation vorstellt, die hier beschrieben wurde, kann man verstehen, weshalb die Döbelner Beamten brav auf ihren Posten verblieben. Wer sich weigerte, der Naziregierung zu dienen, wurde entlassen. Und dann? Es war die Zeit der Wirtschaftskrise, und es war ungewiss, ob die neuen Machthaber denjenigen, die offen ihre Ablehnung zum Ausdruck gebracht hatten, auch nur eine kleine finanzielle Unterstützung gewähren würden.

Am 9. März hatten die Nazis noch lange nicht gezeigt, wozu sie in der Lage waren, aber klar war, dass sie wenig Mitleid mit Gegnern haben würden. Die Bürgerrechte waren bereits außer Kraft gesetzt, die Jagd auf Kommunisten hatte begonnen, und selbst der Bürgermeister war ohne Zeremonie abgesetzt worden.

Die neue Ordnung in Döbeln

Das Treffen von Saupe mit den Beamten im Rathaussaal wurde von einem Stadtschreiber minutiös protokolliert. Zusammen mit anderen Dokumenten aus dem Jahr 1933 befindet sich diese Niederschrift in einer Mappe des Stadtrats mit dem Titel »Die nationale Erhebung im Jahr 1933«. Als Ute Wiesner 1991, zwei Jahre nach der Wende, Archivarin in Döbeln wurde, lag diese Akte, zusammen mit einem großen Stapel anderer sensibler Akten im »geschlossenen Archiv«. Ute befreite diese Akten aus ihrer sicheren Verwahrung, und nun sind sie für alle zugänglich. Wir haben das Glück, dass Döbeln kaum Kriegsschäden erlitten hat und auch die Einnahme durch die Rote Armee einigermaßen geordnet verlief. Anderswo wurden sämtliche Verwaltungsunterlagen von fliehenden Nazis verbrannt. Was in diesen letzten Kriegstagen nicht verloren ging, erwartete ein ungewisses Schicksal. Im Auftrag Moskaus wurden massenhaft Nazidokumente aus Ostdeutschland in die Sowjetunion gebracht. Ein Teil dieser Dokumente wurde zurückgegeben, ein anderer Teil nicht.

Was in der DDR an Archiven und Zeitungen aus der Nazizeit zurückblieb, wurde unter Verschluss gehalten. Der Staatssicherheitsdienst war besonders an den Dokumenten interessiert, da sie nützlich sein konnten, um Bürger mit einer Nazivergangenheit unter der Fuchtel zu halten und sie zur Kooperation mit der neuen Staatsgewalt zu zwingen. Deshalb wurden viele lokale Archivakten in zentrale Archive und Verstecke der Stasi ausgelagert. In Döbeln ist das Stadtarchiv aus der Nazizeit ziemlich vollständig, sodass wir die Schritte der Naziverwalter der Stadt nachvollziehen und uns ein Bild von den Männern machen können, an die sich unser Großvater später mit der Bitte um Unterstützung für den Erhalt seiner Fabrik wenden würde.

Die ersten Tage von Saupes Amtszeit als Bürgermeister sind akribisch dokumentiert, fast stündlich. So wissen wir, dass er nach der Ansprache an die Beamten seinen abgesetzten Vorgänger aufforderte, ihm die Schlüssel für den Tresor, zwei Geldkassetten und eine Silberkiste zu übergeben. Er fragte in Dresden bei der Naziführung um Rat, ob sie Kunzemanns Gehalt weiterzahlen sollten oder nicht. Statt ein gutes Wort für ihn einzulegen, lieferte er eine Vorlage, um ihm einen brutalen Tritt zu versetzen: »Herr Kunzemann ist Mitglied der Sozialdemokratischen Partei und nicht Berufsbeamter.«

Auf Anweisung von Dresden entließ Saupe die sozialdemokratischen und kommunistischen Ratsmitglieder und Stadträte, insgesamt 22 Leute. Nur ideologisch reine, »national gesinnte« Männer und Frauen durften im Dienst der Stadt bleiben. Alle, unabhängig von ihrem Rang, mussten innerhalb von zwei Tagen eine unterzeichnete Erklärung abgeben, in der sie der Regierung die Treue schworen und versicherten, keine Verbindungen (mehr) zu marxistischen – das bedeutet: sozialdemokratischen und kommunistischen – Parteien und Personen zu haben.

Auch Otto Röher, stellvertretender Bürgermeister der früheren und jetzt verachteten Stadtverwaltung, reichte eine schwungvolle, handschriftliche Erklärung ein. Anders als Bürgermeister Kunzemann wurde er am 9. März nicht entlassen. Er kündigte sofort seine SPD-Mitgliedschaft und wurde wieder in der Stadtverwaltung eingesetzt und entlohnt. Auf Saupes Fürsprache hin wurde dies einen Monat später von höherer Stelle genehmigt. Aus einem Brief von Saupe geht hervor, dass Röher nicht entbehrt werden könne, da er ein »sehr befähigter und fleissiger Beamter ist und die Finanzen der Stadtgemeinde Döbeln trotz des Widerstandes der marxistischen Mitglieder der städtischen Kollegien im bürgerlichen Sinne verwaltet hat«. Aufgrund seiner langjährigen SPD-Mitgliedschaft konnte er nicht stellvertretender Bürgermeister bleiben, das verstand Saupe, aber vielleicht könne er ein drittes Mitglied des Kollegiums werden, ein zweiter Stellvertreter? Saupe bat darum, die Angelegenheit unverzüglich zu behandeln.

Aus den Berichten, Korrespondenzen und Personalakten geht nirgends hervor, dass Röher für Kunzemann, mit dem er jahrelang ein Team bildete, auch nur einen Finger gerührt hätte. Auch später nicht, als Kunzemann verarmt war und um eine kleine Rente betteln musste, die er jedoch nicht erhielt.

Als Fritz Saupe in den ersten hektischen Tagen der nationalsozialistischen Revolution eine freie Minute fand, schrieb er einen Brief an den letzten deutschen Kaiser, an Wilhelm II., der sich im Exil im niederländischen Schloss Doorn aufhielt.

Eurer Kaiserlichen Majestät melde ich ganz untertänigst, dass ich nach meiner Einsetzung als kommissarischer Erster Bürgermeister der Bezirksstadt Döbeln angeordnet habe, dass das Bildnis Eurer Majestät, das bis 1918 hier den Stadtverordnetensaal schmückte, sofort wieder auf dem alten Platze angebracht wurde.
Ich bitte Eure Majestät, diese Meldung gnädigst entgegennehmen zu wollen. Eurer Majestät treu und dankbar ergebener,
Fritz Saupe, Kaiserlicher Korvetten-Kapitän a. D. und komm. Erster Bürgermeister

Offenbar hoffte Saupe, dass die »nationale Erhebung« auch die Wiederherstellung der glorreichen Monarchie mit sich bringen würde. An seinem Einsatz würde es nicht liegen: Neben Wilhelm II. hängte er das Porträt des letzten Königs von Sachsen auf. Das Einzige, was dieser Geschichte noch hinzuzufügen ist, ist ein Dankesbrief von Saupe ins Schloss Doorn für das Foto, das Wilhelm II. ihm geschickt hatte und das in seiner Familie eine »unaussprechliche Freude« ausgelöst habe.

Während Saupe im Rathaus die Macht ergriff, etablierte Hermann Groine die neue Ordnung draußen. Am Abend des 9. März marschierten Kriegsveteranen und Braunhemden von ihren Vereinslokalen in der Bahnhofstraße mit Fackeln und Musik durch Döbeln und stellten sich unter dem

Balkon des Rathauses auf. Hinter ihnen hatte sich bereits eine Menschenmenge versammelt. Vom Turm fiel ein zusammengebundenes Stück Stoff herab. Kurz darauf wurde die schwarz-rot-goldene deutsche Flagge den Flammen übergeben. Die Menge jubelte. Befehle ertönten. »Am Rathausturm entfaltete sich unter Musikklängen unter dem brausenden Jubel der Tausenden ein mächtiges Hakenkreuzbanner, von einem Scheinwerfer beleuchtet, von rotem Buntfeuer in magisches Licht getaucht«, berichtete der *Döbelner Anzeiger* am nächsten Tag. Der gängige sachliche Ton der Lokalzeitung war am 10. März mit einem Schlag verschwunden, aus allen Poren quoll schwülstiger Nazijargon.

Vom Balkon aus wandte sich Groine an die Menge. Der *Anzeiger* zitiert ihn:

»Jahrelang habe das nationale Döbeln unter politischem und wirtschaftlichem Terror gestanden. Diese Zeit sei jetzt endgültig aus.« In seiner Rede betonte Groine, der die Zusammensetzung und die Stimmung der Bevölkerung gut kannte, dass Hitler gerade auch für die Arbeiter einen bedeutenden Unterschied bewirken würde. Schauen Sie sich nur seine ersten Maßnahmen an, die Krankenkassenbeiträge wurden gesenkt, warb Groine. Und das sei erst der Anfang des Wiederaufbaus. Nach einem dreifachen »Heil!« für den Führer und dem *Horst-Wessel-Lied* ist die Feierlichkeit vorbei. Der Rathausturm mit der neuen Flagge wurde fotografisch festgehalten und als historisches Großereignis im Archiv aufbewahrt. Auf dem Foto stehen die Worte: »Am Tag der nationalen Revolution.«

Am nächsten Tag, einem Freitag, holte Groine SA-Verstärkung aus der Umgebung nach Döbeln, da die Nazis in der Industriestadt Widerstand befürchteten. Die Sturmtruppen hängten Naziflaggen auf, patrouillierten und postierten sich vor den Geschäften jüdischer Inhaber. Laut dem *Döbelner Anzeiger* haben die SA-Männer das Geschäft nicht behindert. Alle, die wollten, konnten die Läden betreten. Auch sonst sei es in der Stadt ruhig, schreibt die Zeitung, um im nächsten Satz zu berichten, dass die Polizei ständig mit Ausschreitungen und Zusammenrottungen beschäftigt sei und dass die Fenster des Gewerkschaftshauses eingeschlagen worden seien. Der Bericht schließt mit einer Mahnung an die Bevölkerung, der Tatsache, dass ein Umsturz stattgefunden hat, ausreichend Rechnung zu tragen. »Bewahrt man Ruhe und Ordnung, dann wird niemandem ein Haar gekrümmt werden.«

Die neuen Machthaber erhielten Anweisungen, wachsam zu sein und jeden Protest im Keim zu ersticken. Aus Dresden kam ein Sendschreiben: »Um die Bevölkerung zu beunruhigen, werden von gewissenlose Personen Gerüchte in Umlauf gesetzt, dass der Ausbruch eines Generalstreiks bevorstehe.« Bürgermeister Saupe lud die nicht vertriebenen Ratsmitglieder zu einer feierlichen Sitzung ins Rathaus ein. Am Sonntagmorgen wurden sie erwartet, die Mitglieder der NSDAP in Naziuniformen, die Mitglieder der bürgerlichen Fraktionen in schwarzen Anzügen und Zylinderhüten. Sobald alle im Rathaussaal versammelt waren, wurde der Antrag verlesen, Reichspräsident Hindenburg und Reichskanzler Hitler zu Ehrenbürgern der Stadt zu ernennen. Nachdem der Antrag einstimmig angenommen worden war, wurde beschlossen, sofort einige Straßen und Plätze umzubenennen. Der Obermarkt hieß fortan Hindenburgplatz, mit dem ermordeten jüdischen Weimarer Politiker Rathenau wurde durch die Umbenennung der nach ihm benannten Straße in Adolf-Hitler-Straße abgerechnet, und auch der Dichter Heinrich Heine, immerhin ein getaufter Jude, sollte in Vergessenheit geraten. Seine Straße wurde nach Albert Leo Schlageter benannt, einem Nazimärtyrer, der 1923 während der französischen Besatzung des Ruhrgebiets wegen Bombenanschlägen hingerichtet wurde. In Döbeln erfolgte der Austausch der Straßenschilder schon früh.

Boykott

Für die in Döbeln lebenden Juden wurde die Lage sofort düster. Die städtischen Dienste wurden am 13. März angewiesen, keine Bestellungen mehr bei Juden aufzugeben, und die Beamten wurden auch mehr oder weniger angewiesen, privat nicht bei Juden einzukaufen. Die Mitglieder des Kollegiums fragten Bürgermeister Saupe, welche Unternehmen unter diese Anweisung fallen. Ein paar Tage später wurde eine Liste aufgestellt. Zwölf Firmen waren aufgeführt: ein Schuhgeschäft, ein Bettfedernhändler, ein Öl- und Fetthändler, ein Herrenbekleidungsgeschäft, ein Gebrauchtwarenladen, zwei Kaufhäuser, ein Wolle-, Garn- und Bandgeschäft, ein Damenkonfektionsgeschäft, eine Kinderärztin, eine Metallgießerei und schließlich Isay Rottenbergs Deutsche Zigarren-Werke.

Hugo Totschek, der jüdische Inhaber des Herrenbekleidungsgeschäfts in der Breite Straße 17, stand unter besonderer Beobachtung der Nazis. Saupe ließ sein Telefon vom Postamt abhören. »Vor allen Dingen sind alle Gespräche nach Leipzig im Wortlaut festzuhalten und sofort fernmündlich nach hier durchzugeben.«

Im Jahr 1933 lebten in Döbeln 29 Juden. Die meisten von ihnen stammten aus Osteuropa und hatten sich erst vor relativ kurzer Zeit in Deutschland niedergelassen. 90 Prozent der 20.000 Juden in Sachsen lebten in Leipzig, Dresden und Chemnitz, dort spielte sich das jüdische Leben ab, dort gab es Synagogen. In Döbeln nicht. Für den jüdischen Unterricht der Döbelner Kinder kam einmal pro Woche ein Rabbiner aus Leipzig. Abgesehen davon, dass die Juden nicht wie die lutherischen Einwohner zur Kirche gingen, gab es kaum Unterschiede zu den anderen Einwohnern. Die meisten Juden in Döbeln waren nicht religiös, ihre Geschäfte waren am Sabbat ganz normal geöffnet.

Direkt nach Hitlers Machtergreifung forderte Julius Streicher, der Herausgeber des *Stürmer*, dass die Juden »ausgerottet« werden sollten. Die Naziführung empfand dies als etwas überstürzt. In Europa und Amerika

Ausgabe Ostsachsen
Stadtausgabe Dresden

Verlagsort: Dresden
Einzelpreis 10 Pf., auswärts 15 Pf.

Der Freiheitskampf

Herausgeber: Martin Mutschmann

Amtliche Tageszeitung der N.S.D.A.P. Gau Sachsen

Nr. 75
Mittwoch, 29. März 1933

Wir warnen die Juden!

Nationalsozialistische Boykottbewegung gegen alle Juden angedroht!

Der Marxisten-Unterschlupf im braunschweigischen Stahlhelm

Die katholische Kirche erkennt die NSDAP. an

Unsere Geduld ist zu Ende!

Die NSK. veröffentlicht einen Aufruf der Parteileitung an alle Parteiorganisationen der NSDAP., in dem es u. a. heißt:

Nach vierzehnjähriger innerer Zerrissenheit hat das deutsche Volk seine Stände, Klassen, Berufe und konfessionellen Spaltungen politisch überwunden und eine Erhebung durchgeführt, die dem marxistisch-jüdischen Spuk blitzschnell ein Ende bereitete.

In den Wochen nach dem 30. Januar hat sich eine einzigartige nationale Revolution in Deutschland vollzogen.

Nun, da die Feinde der Nation im Innern vom Volke selbst unschädlich gemacht worden sind, tritt das ein, was wir längst erwartet hatten:

Die kommunistischen und marxistischen Verbrecher und ihre jüdischen intellektuellen Anstifter, die mit ihren Kapitalien rechtzeitig in das Ausland ausrückten, entfalten nun von dort aus eine gewissenlose landesverräterische Hetzkampagne gegen das deutsche Volk überhaupt. Da ihnen das Lügen in Deutschland unmöglich wurde, beginnen sie von den Hauptstädten der Entente aus dieselbe Hetze gegen die junge nationale Erhebung, die sie zu Kriegsbeginn schon gegen das damalige Deutschland betrieben haben.

Damit ist jetzt Schluß!

Das Deutschland der nationalen Revolution ist nicht das Deutschland einer feigen Bürgerlichkeit!

Wir sehen die Not und das Elend unserer eigenen Volksgenossen und fühlen uns verpflichtet, nichts zu unterlassen, was eine weitere Schädigung dieses unseres Volkes verhindern kann. Verantwortlich für die Lügen und Verleumdungen sind die Juden unter uns. Von ihnen geht diese Kampagne des Hasses und der Lügenhetze gegen Deutschland aus. In ihrer Hand läge es, die Lügner in der anderen Welt zurechtzuweisen. Da sie dies nicht wollen, werden wir dafür sorgen, daß dieser Haß und Lügenfeldzug sich nicht gegen das unschuldige deutsche Volk, sondern gegen die verantwortlichen Hetzer selbst richtet.

Die Boykott- und Greuelhetze darf nicht und wird nicht das deutsche Volk treffen, sondern in tausendfacher Schwere die Juden selbst.

Es ergeht daher an alle Parteidienststellen und Parteiorganisationen

folgende Anordnung:

Punkt 1: In jeder Ortsgruppe und Organisationsgliederung der NSDAP. sind sofort Aktionskomitees zu bilden, zur praktischen planmäßigen Durchführung des Boykotts jüdischer Geschäfte, jüdischer Waren, jüdischer Aerzte und jüdischer Rechtsanwälte. Die Aktionskomitees sind verantwortlich dafür, daß der Boykott keinen Unschuldigen, um so härter aber die Schuldigen trifft.

Punkt 2: Die Aktionskomitees sind verantwortlich für den höchsten Schutz aller Ausländer ohne Ansehen ihrer Konfession und Herkunft oder Rasse. Der Boykott ist eine reine Abwehrmaßnahme, die sich ausschließlich gegen das deutsche Judentum richtet.

Punkt 3: Die Aktionskomitees haben sofort mit Propaganda und Aufklärung den Boykott zu popularisieren. Grundsatz: Kein Deutscher kauft noch bei einem Juden oder läßt sich von ihm und seinen Hintermännern Waren anpreisen. Der Boykott muß ein allgemeiner sein. Er wird vom ganzen Volke getragen und muß das Judentum an seiner empfindlichsten Stelle treffen.

Punkt 4: In Zweifelsfällen soll von einer Boykottierung solcher Geschäfte so lange abgesehen werden, bis nicht vom Zentralkomitee in München eine andere bestimmte Anweisung erfolgt. Vorsitzender des Zentralkomitees ist Pg. Streicher.

Punkt 5: Die Aktionskomitees überwachen aufs schärfste die Zeitungen, inwieweit sie sich an dem Aufklärungsfeldzug des deutschen Volkes gegen die jüdische Greuelhetze im Auslande beteiligen. Tun Zeitungen dies nicht oder nur beschränkt, so ist darauf zu sehen, daß sie aus jedem Hause, in dem Deutsche wohnen, augenblicklich entfernt werden. Kein deutscher Mann und kein deutsches Geschäft soll in solchen Zeitungen noch Annoncen aufgeben, sie müssen

der öffentlichen Verachtung verfallen

geschrieben für die jüdischen Rassegenossen, aber nicht für das deutsche Volk.

Punkt 6: Die Aktionskomitees müssen in Verbindung mit den Betriebszellenorganisationen der Partei die Propaganda der Aufklärung über die Folgen der jüdischen Greuelhetze für die deutsche Arbeit und damit für den deutschen Arbeiter in die Betriebe hineintragen und besonders die Arbeiter über die Notwendigkeit eines nationalen Boykotts als Abwehrmaßnahme zum Schutze der deutschen Arbeit aufklären.

Punkt 7: Die Aktionskomitees müssen bis in das kleinste Bauerndorf hinein vorgetrieben werden, um besonders auf dem Flachlande die jüdischen Händler zu treffen.

Grundsätzlich ist immer zu betonen, daß es sich um eine uns aufgezwungene Abwehrmaßnahme handelt.

Punkt 8: Der Boykott setzt nicht verzettelt ein, sondern schlagartig.

In dem Sinne sind augenblicklich alle Vorbereitungen zu treffen. Es ergehen Anordnungen an die SA. und SS., um vom Augenblick des Boykotts ab durch Posten die Bevölkerung vor dem Betreten der jüdischen Geschäfte zu warnen. Boykottbeginn ist durch Plakate, Anschläge und durch die Presse, durch Flugblätter usw. bekanntzugeben. Der Boykott setzt schlagartig Sonnabend, den 1. April, Punkt 10 Uhr vormittags, ein. Er wird durchgeführt so lange, bis nicht eine Anordnung der Parteileitung Aufhebung befiehlt.

Punkt 9: Die Aktionskomitees organisieren sofort in tausenden Massenversammlungen, die bis in das kleinste Dorf hineinzureichen haben, die Forderung nach Einführung einer relativen Zahl für die Beschäftigung der Juden in allen Berufen entsprechend ihrer Beteiligung an der deutschen Volkszahl. Um die Stoßkraft der Aktion zu erhöhen, ist diese Forderung zunächst auf drei Gebiete zu beschränken:

a) auf den Besuch in den deutschen Mittel- und Hochschulen,

b) für den Beruf der Aerzte,

c) für den Beruf der Rechtsanwälte.

Punkt 10: Die Aktionskomitees haben weiterhin die Aufgabe, dafür zu sorgen, daß jeder Deutsche, der irgendeine Verbindung zum Ausland besitzt, diese verwendet, um in Briefen, Telegrammen und Telephonaten aufklärend die Wahrheit zu verbreiten, daß in Deutschland Ruhe und Ordnung herrschen, daß das deutsche Volk keinen sehnlicheren Wunsch besitzt, als in Frieden seiner Arbeit nachzugehen und in Frieden mit der anderen Welt zu leben, und daß es den Kampf gegen die jüdische Greuelhetze nur führt als einen reinen Abwehrkampf.

Punkt 11: Die Aktionskomitees sind dafür verantwortlich, daß sich dieser Kampf in vollster Ruhe und größter Disziplin vollzieht. Krümmt auch weiterhin keinem Juden auch nur ein Haar! Wir werden mit dieser Hetze fertig einfach durch die einschneidende Wucht dieser Maßnahmen.

Mehr als je zuvor ist es notwendig, daß die ganze Partei in blindem Gehorsam wie ein Mann hinter der Führung steht.

Nationalsozialisten!

ihr habt das Wunder vollbracht, in einem einzigen Angriff den Novemberstaat über den Haufen zu rennen. Ihr werdet auch diese zweite Aufgabe genau so lösen. Das soll das internationale Weltjudentum wissen:

Die Regierung der nationalen Revolution hängt nicht im luftleeren Raum. Sie ist die Repräsentanz des schaffenden deutschen Volkes. Wer sie angreift, greift Deutschland an! Wer sie verleumdet, verleumdet die Nation! Wer sie bekämpft, hat 65 Millionen den Kampf angesagt!

Wir sind mit der marxistischen Hetze in Deutschland fertig geworden, sie werden uns nicht in die Knie beugen, auch wenn sie nunmehr vom Auslande aus ihren volksverbrecherischen Verrat fortsetzen.

Nationalsozialisten,

Sonnabend, um 10 Uhr, wird das Judentum wissen, wem es den Kampf angesagt hat!

Nationalsozialistische Deutsche Arbeiterpartei – Parteileitung

Abb. 22 Die Sächsische NSDAP-Zeitung *Der Freiheitskampf* warnt die Juden

wuchs seit Hitlers Machtergreifung die Besorgnis über die Gewalt gegen Juden in Deutschland. Jüdische Organisationen im Ausland hielten Massenprotestversammlungen ab und es gab Stimmen, die dazu aufriefen, deutsche Waren zu boykottieren. Als in einer Veröffentlichung der Londoner Zeitung *Daily Express* die sensationelle Schlagzeile »Judea Declares War on Germany« erschien, ergriff Streicher die Gelegenheit, wie er 1946 in Nürnberg erklärte, »dem Weltjudentum zu zeigen, dass wir die Hetze gegen das neue Deutschland nicht länger dulden«.

Innerhalb einer Woche organisierte Streicher auf Hitlers Bitte hin einen landesweiten Boykott gegen Juden. Der Boykott sollte so lange andauern, bis die angebliche Hetze gegen Deutschland aufhört.

Am Freitag, den 31. März, druckte der *Döbelner Anzeiger* einen Aufruf mit Hakenkreuzen und einem schwarzen Rand ab. »Die Parteileitung der NSDAP, hat zum Schutze des deutschen Volkes den wirtschaftlichen Boykott gegen die in Deutschland lebenden Rassejuden angeordnet als Antwort auf die unerhörte Greuelpropaganda ihrer Rassegenossen im Ausland.« Der Text erinnert an Gräuelmärchen über deutsche Soldaten im Ersten Weltkrieg, die laut den Nazis von ausländischen Juden in Umlauf gebracht wurden. Dieselben Juden sollten nun eine Lügenkampagne über Hitlerdeutschland entfesselt haben.

„Freiheit und Brot!“ „Freiheit und Brot!“

Aufruf!

Die Parteileitung der NSDAP. hat zum Schutze des deutschen Volkes den wirtschaftlichen Boykott gegen die in Deutschland lebenden Rassejuden angeordnet als Antwort auf die unerhörte Greuelpropaganda ihrer Rassegenossen im Ausland.

1914 berichteten die Juden des Auslandes über schändlichste Greueltaten deutscher Soldaten in Belgien und hetzten friedliche Völker gegen uns. Heute lügen Sie, daß zerstückelte jüdische Leichname auf den Berliner jüdischen Friedhöfen abgeliefert werden und andere unmenschliche Dinge, die nur ein jüdisches Hirn erdenken kann.

Unser Abwehrkampf dauert so lange an, bis die jüdische Hetze im Ausland aufhört. Wer ab Sonnabend, den 1. April 10 Uhr noch bei einem Juden kauft, noch auf dem Lande mit Juden Handel treibt, noch einen jüdischen Arzt, Rechtsanwalt usw. in Anspruch nimmt, stellt sich außerhalb des Lebenskampfes des deutschen Volkes und ist ein Verräter.

Juden sind: Totscheck, Lachmann, Heynemann, Rosenthal, Wohlwert, Selinger, Glasberg, Stoppelmann, Dr. med. Gutherz.

Im Zweifelsfalle bei weiteren Geschäften bitte in der Geschäftsstelle der NSDAP., Bahnhofstr. 8, Telefon 2116 anfragen.

Morgen Sonnabend 18.30 Uhr anläßlich des Geburtstages des Altreichskanzlers Fürst Bismarck Kranzniederlegung der SA und des Stahlhelms am Bismarckdenkmal.

Wir bitten die nationalen Verbände, sich vollzählig zu beteiligen. Besondere Einladung kann wegen der Kürze der Zeit nicht erfolgen.

Anschließend auf dem Niedermarkt: Massen- und Protestkundgebung gegen die jüdische Greuelpropaganda im Ausland.

Nationalsozialistische Deutsche Arbeiter-Partei, Kreisleitung Döbeln.

Abb. 23 Aufruf zum Boykott jüdischer Firmen im *Döbelner Anzeiger*, 31. März 1933

Der *Döbelner Anzeiger* drohte den Bewohnern an: »Wer ab Sonnabend den 1. April 10 Uhr noch bei einem Juden kauft, noch auf dem Lande mit Juden Handel treibt, noch einen jüdischen Arzt, Rechtsanwalt usw. in Anspruch nimmt, stellt sich außerhalb des Lebenskampfes des deutschen Volkes und ist ein Verräter.« Darunter standen die Namen von Juden mit einem Geschäft in Döbeln. Es waren nur noch neun, Isay Rottenberg war nicht darunter. Wenig verwunderlich, wenn man bedenkt, dass er nicht an Privatpersonen lieferte und sein Geschäft eine Fabrik außerhalb des Zentrums war. Auch die beiden anderen Unternehmen, die nicht mehr ins Visier genommen wurden, lieferten nicht direkt an Verbraucher. Ansonsten sollten die Bürger genau darauf achten, bei wem sie ihre Einkäufe tätigen, vielleicht sind jüdische Firmen übersehen worden. Im Zweifelsfall sollte man sich an das Büro der NSDAP in der Bahnhofstraße wenden.

Am Samstag des Boykotts ließen die meisten jüdischen Eigentümer ihre Läden geschlossen. Aber laut dem *Anzeiger* öffneten sie wie üblich und schlossen ihre Türen im Laufe des Tages aufgrund der Auswirkungen des Boykotts. Die Tatsache, dass der landesweite Boykott an einem Samstag begann, zeigt übrigens, wie sehr die deutschen Juden assimiliert waren.

So positiv die Berichterstattung des *Döbelner Anzeiger* über die Boykottaktion auch inszeniert war, so schwangen doch auch einige Misstöne mit.

»Neugierige« wurden von der Polizei vertrieben und Bürger, die gegen die SA-Männer mit ihren Plakaten »Diese Geschäfte werden nur noch für Vaterlandsverräter geöffnet« protestierten, wurden auf die Polizeiwache gebracht.

Hugo Totschek vom Herrenbekleidungsgeschäft in der Breite Straße ließ sich von den Sturmtruppen nicht einschüchtern. Er trat den Kerlen, die vor seiner Tür Posten bezogen hatten, in den Hintern und jagte sie davon.

Der Krämersohn Helfrid Piper kannte Hugo Totschek. »Meine Eltern waren mit mehreren jüdischen Familien eng befreundet«, schreibt er. »Sie besuchten uns und wir sie. Besonders oft kamen sie mit Onkel Hugo Totschek zusammen. Er lebte mit seiner Haushälterin und einem behinderten Sohn zusammen. Sein anderer Sohn studierte damals in England Jura und wurde Professor. [...] Wenn die Haushälterin etwas zu tun hatte, wurde ich gebeten, mit Hansi zu spielen. Onkel Hugo bezahlte für die etwa 40 behinderten Kinder von der Pestalozzi-Schule jeden Morgen eine Flasche Kaba und ein Milchbrötchen.«

Piper beschreibt die Auseinandersetzung mit den SA-Männern im Jahr 1933. Er irrt sich zwar im Datum – es war der 1. April und nicht das Ende 1933 –, aber er kennt Details über den Hergang. Totschek war ein großer, kräftiger Mann. Als sich zwei junge SA-Männer mit Plakaten vor seiner Tür postierten, kam er aus dem Laden heraus und sagte: »Wenn ich in zehn Minuten wieder rauskomme und ihr seid noch da, haue ich euch die Hucke voll.« Zehn Minuten später, so Piper, sei Totschek sie derart angegangen, dass sie abzogen. Kurz vor Ladenschluss kehrten die beiden mit sechs Mann Verstärkung zurück und drangen in den Laden ein. Keine zwei Minuten später flog die ganze Bande auf die Straße, »mindestens zwei mit blutigen Köpfen«. Jemand hätte daraufhin die Polizei gerufen und Anzeige wegen Hausfriedensbruchs erstatten wollen. Die Polizei lehnte dies jedoch ab. »Die ganze Stadt lachte über die SA-Leute. Man versuchte, die Sache zu vertuschen«, schreibt Piper zufrieden.

Am Abend sprach NSDAP-Kreisleiter Hermann Groine auf dem Niedermarkt, schräg hinter dem Rathaus, von den Juden, die die Deutschen mit fremdem Blut verunreinigten. Er gibt zu verstehen, dass mit den Nazis nicht zu spaßen ist:

»Wer in dem jetzigen Abwehrkampf dem nationalen Deutschland in den Rücken falle, ist ein Feind des Volkes.« Nach dem Samstag legten die Nazis »eine Unterbrechung« von ein paar Tagen ein und drohten damit, dass – falls die Hetze nicht aufhören würde – das Judentum die wahre Bedeutung des »Furor teutonicus« kennenlernen würde. Doch am Dienstag, dem 4. April, beschloss die Regierung, den Boykott aufzuheben, angeblich, weil England und Amerika so erschrocken waren, dass sie ihre Sanktionspläne gegen Deutschland nicht mehr weiterverfolgten. In Wirklichkeit war der Boykott gescheitert. Die Reaktionen im Ausland waren vernichtend. Aufträge wurden zurückgenommen, weil Unternehmen mit diesem Deutschland keine Geschäfte machen wollten. In Deutschland selbst kam der Boykott auch bei den gewöhnlichen Bürgern nicht gut an.

Auch in Döbeln war das laut Helfrid Piper der Fall. »Die ganze Stadt lachte« bekanntlich über die Blamage der SA-Kerle vor Totscheks Bekleidungsgeschäft. Der Umsatz jüdischer Geschäfte sei stattdessen gestiegen, schreibt Piper weiter. Vielleicht drückten die Döbelner auf diese Weise ihre Abneigung gegen die nationalsozialistische Gewalt aus, auf jeden Fall ließen sich die meisten nicht davon abhalten, bei Juden einzukaufen.

Ein weiterer Einwohner hat seine Erinnerungen niedergeschrieben. Er muss hier anonym bleiben, da er seine Aufzeichnungen dem Stadtarchiv unter der Bedingung, nicht namentlich zitiert zu werden, zur Aufbewahrung übergeben hat. Genau wie Piper war er 1933 noch ein Junge. Er ging oft zum Kaufhaus Wohlwert, das der jüdische Geschäftsmann Georg Kariel 1930 eröffnet hatte. Für Kinder war das Geschäft ein Schlaraffenland, durch das sie auf dem Weg zur Schule immer liefen. Er erinnert sich noch genau daran, wie das Geschäft eingerichtet war, wo sich die Schuhabteilung, das Küchenzubehör und die Textilien befanden. Und natürlich auch das Spielzeug. Das Kaufhaus war ein Geschäft der Einheitspreise mit gerundeten Preisen und qualitativ hochwertigen Waren für vergleichsweise wenig Geld. Wohlwert war in der Stadt äußerst beliebt.

Ab 1933, notierte er, begannen die Nazis eine Rufmordkampagne gegen den jüdischen Eigentümer Kariel, aber offenbar ohne Erfolg, denn im Jahr 1935 lief das Geschäft immer noch gut. Dass dies keine nachträgliche Schönrednerei ist, erkennen wir daran, dass wir im *Döbelner Anzeiger* und anderen lokalen Zeitungen auf Anzeigen jüdischer Firmen auch nach dem Boykott stoßen, sowohl im Jahr 1933 als auch in den Folgejahren.

Für Hugo Totschek erwies sich der Boykott jedoch als fatal. Seine Unerschrockenheit wurde ihm nicht verziehen. Etwa ein halbes Jahr später wurde er verhaftet. Er wurde beschuldigt, deutsche junge Frauen, die bei ihm arbeiteten, sexuell belästigt oder vergewaltigt zu haben. Der Fall wurde landesweit in der nationalsozialistischen Propaganda ausgiebig ausgeschlachtet. Julius Streichers *Der Stürmer* schreibt über den »Kleiderjude[n] Totschek. Der Mädchenschänder von Döbeln.« Ein Fall von »Hunderten« sollte veranschaulichen, wie gerissen Totschek vorging. Die Zeitung griff auf eine Affäre zurück, die sich ereignete, bevor die Nazis das Sagen hatten. »Die Else D. war 14 Jahre alt, als sie zum Juden Hugo Totschek in die Lehre kam. Die Eltern ahnten nicht, dass sie ihre unschuldige Tochter damit in die Hölle des Teufels schickten.« Totschek soll das Kind mit Schmeicheleien belästigt, es auf Autofahrten mitgenommen und sich ihm aufgedrängt haben. Elses Vater griff ein und erstattete Anzeige. Doch der Richter hielt Elses Geschichte für unglaubwürdig. Er schickte das Mädchen in ein Erziehungsheim und sprach Totschek frei. Keiner wagte es, dem Juden Steine in den Weg zu legen. Die Karikatur zur Geschichte in *Der Stürmer* illustriert diese Behauptung: Justitia lässt sich von korrupten Juden mit ihren gierigen Händen bestechen. Doch nach der Machtübernahme der Nazis wurde Totschek erneut erwischt und diesmal tatsächlich bestraft. »Der Jude Hugo Totschek hat gewuchert und geraubt, geschändet und vergiftet. Er hat getan, was das jüdische Gesetzbuch Talmud-Schulchan Aruch dem Juden vorschreibt«, folgert der anonyme Verfasser des Artikels. Die Anschuldigungen gegen Totschek wurden zum Anlass genommen, um ein Ende der »Rassenschande« in Deutschland und ein Verbot sexueller Beziehungen zwischen Juden und Nichtjuden zu fordern. Unter seinem Artikel rief *Der Stürmer* die Deutschen erneut zum Boykott jüdischer Geschäfte auf. »Wer bei Juden kauft, ist ein Volksverräter!«

Als der Artikel im April 1934 erschien, war Hugo Totschek bereits tot. Am Tag nach seiner Verhaftung habe er sich erhängt, behaupteten die Nazis, als sie seinen Tod bekanntgaben. Er hat sich selbst gerichtet, schreibt *Der Stürmer*.

Der Stürmer

Deutsches Wochenblatt zum Kampfe um die Wahrheit

HERAUSGEBER: JULIUS STREICHER

Nummer 14		Nürnberg im April 1934		12. Jahr 1934

Kleiderjude Totschek

Der Mädchenschänder von Döbeln

Was unsere Vorväter wußten und taten / Hugo Totscheks Verbrechen waren stadtbekannt / Niemand wagte gegen ihn vorzugehen / Namenlos ist das Leid der Geschändeten / Das Ende mit dem Strick um den Hals / Wie Totschek treiben es auch die andern Talmudjuden

Wir Neuzeitlichen, wir „Modernen", wir „Aufgeklärten" behaupten, wir seien viel gescheiter als unsere Vorfahren. Wir behaupten unsere Vorjahren hätten hinterm Mond gelebt. Die Dummen aber sind nicht die Alten gewesen, die Dummen waren die, die sich für gescheit halten.

Unsere Vorväter kannten das Geheimnis des Blutes, das Geheimnis der Rasse. Sie wußten, daß die Juden Menschen anderen Blutes und damit anderer Rasse sind. Sie wußten, daß die Vermischung von deutschem mit jüdischem Blut schädlich ist. Sie wußten, daß aus der Paarung von Juden und Deutschen Mischlinge entstehen, deren seelische Eigenschaften ebenso schlecht wie ihr Mischblut sind. Unsere Vorfahren wußten, daß schon allein der Geschlechtsverkehr zwischen Juden und Deutschen genüge, um diese Deutschen rassisch zu verschlechtern, zu verderben. Sie wußten, daß das deutsche Volk an Leib und Seele zu Grunde ginge, wenn der geschlechtliche Verkehr zwischen Juden und Deutschen gestattet wäre. Weil sie dies alles wußten, darum sorgten sie dafür, daß die Gefahr der Rassenvermischung auf ein Mindestmaß beschränkt blieb. Sie schufen Gesetze, die die Paarung von Juden und Nichtjuden bei Todesstrafe verbot. Deutsche Frauen, die sich von jüdischen Männern geschlechtlich auch nur berühren ließen, galten als geschändet, sie galten an Leib und Seele verdorben und waren damit aus der rassischen Gemeinschaft des Volkes für immer ausgeschlossen.

Die Deutschen der letzten zwei Jahrhunderte fingen an, die Schranken zu beseitigen, die bislang eine Rassenverderbnis verhindert hatte. Sie fingen an, die Vorväter für rückständig und ihre Rassengesetze für veraltet und sogar für lächerlich zu erklären. Und so kam es, daß die Juden dem deutschen Weibe gegenüber freie Bahn

Die lieben Weltbürger

Warum eigentlich sind immer Juden in die großen Korruptions- und Skandalprozesse verwickelt? Die Antwort gibt der Stürmer

erhielten. Die Gesetze, die die Rassenverderbnis unmöglich machten, sind längst gefallen, der Jude darf ungehindert den deutschen Frauenleib besudeln, schänden. Hunderttausende Bastarde (Mischlinge) mit dem Kainszeichen im Gesicht laufen heute in Deutschland herum als lebendige Zeugen der Entartung und staatlich geduldeter Rassenschande.

Auch der Kleiderjude Totschek in Döbeln (Sachsen) verdankt es solcher Duldung, daß er ungestraft seine Verbrechen begehen konnte. Seine Verbrechen waren stadt-

Aus dem Inhalt

Die Möbeljuden Kahn
Jüdischer Wunsch
Tittmanns Fall
Der betrogene Pächter
Ein Jude im nationalpolitischen Schulungskursus

Die Juden sind unser Unglück!

Abb. 24 Antisemitische Hetze gegen Hugo Totschek in *Der Stürmer*

Die Breite Straße liegt im Zentrum von Döbeln und ist heute eine Einkaufs- und Fußgängerzone. Stephan Conrad und Sophie Spitzner, unsere Stadtführer von der Arbeitsgruppe NS-Geschichte, begleiten uns zum ehemaligen Wohnhaus von Hugo Totschek in der Nummer 73 und zu seinem Geschäft, das sich in der Nummer 17 befand. Vor dem Wohnhaus wurden ins Straßenpflaster drei kleine quadratische Messingtafeln eingemauert. Es sind »Stolpersteine«, die in den letzten Jahren in ganz Deutschland und anderswo mit einer kleinen, sehr persönlichen Gedenkfeier vor den Häusern und Geschäften ermordeter oder vertriebener jüdischer Bürger verlegt wurden. Auf den Tafeln steht: »Hier wohnte Hugo Totschek«, »Hier wohnte Margarete Totschek, geb. Grünthal« und »Hier wohnte Fritz Rudolph Totschek«, jeweils mit ihren Geburts- und Sterbedaten und wenigen Worten zu ihrem Schicksal.

Conny und Sophie wissen, dass Hugo im polnischen Schlesien geboren wurde und ab 1911 das Kleidergeschäft in Döbeln besaß. Margarete und er hatten zwei Söhne: Carl (1908) und Fritz Rudolf (1911). Der jüngere Sohn hatte das Down-Syndrom. Das Ehepaar ließ sich scheiden und Margarete zog nach Erfurt und später nach Berlin, von wo aus sie 1942 in das Getto Piaski in Polen deportiert wurde. Dort verliert sich ihre Spur. Carl war bereits nach England gezogen, als die Nazis an die Macht kamen; er studierte Medizin und Jura. Später emigrierte er nach Israel und wurde Professor. Fritz, den Helfrid Piper als »Hansi« in Erinnerung hat, wurde nach der Verhaftung und dem Tod seines Vaters in eine Anstalt gebracht. Als behinderter Mensch fiel er der »Euthanasie« zum Opfer. Im Februar 1941 wurde er in die berüchtigte Heilanstalt Sonnenstein in Pirna, südlich von Dresden, deportiert und dort vergast. Totscheks Bekleidungsgeschäft wurde 1934 von einem gewissen Karl Damm übernommen.

Als wir mit Conny und Sophie vor der Breite Straße 17 stehen, sehen wir, dass dort ein Brillengeschäft ist. Damm ist nicht mehr da. Conny zeigt auf eine schöne Fassade, die nur einen Steinwurf entfernt ist.

»GABER & DAMM« steht in Großbuchstaben darauf, ein Geschäft für Damen- und Herrenbekleidung. »Die gleiche Familie«, sagt Conny.

Die Fabrik besetzt

Wir haben keine Ahnung, was unser Großvater in diesen ersten Wochen des Hitlerregimes tat.

Er ließ sich nicht in Döbeln nieder, sondern in der Großstadt Dresden, wo es Theater, Cafés und Restaurants in Hülle und Fülle gibt. Wir sind auf zwei Adressen gestoßen. Die erste Adresse, an der er sich aufhielt, ist eine Pension in der Beuststraße, einer Straße mit großen Stadtvillen, der englischen Kirche und der russischen Botschaft. Die Straße ist nur wenige Gehminuten vom Hauptbahnhof Dresden entfernt, der eine Bahnverbindung nach Döbeln und nach Amsterdam hat. Vermutlich reiste er mit dem Zug nach Amsterdam, legte aber die 50 Kilometer nach Döbeln meist mit dem eigenen Auto zurück. Von der Beuststraße ist nichts mehr übrig, stellen wir fest, als wir uns vor Ort umsehen. Die Straße wurde bei den Bombenangriffen der Alliierten im Februar 1945 dem Erdboden gleichgemacht.

Dass Isay nach der Machtergreifung Hitlers nicht verschont blieb, lesen wir in einem Brief unserer Großmutter Helena Ptasznik, der sich in der Gefängnisakte des Auswärtigen Amtes in Den Haag befindet. Sie verfasste den Brief am 22. September 1935 in Amsterdam, er ist an den niederländischen Konsul in Dresden, Johan Steenbergen, adressiert. Auf zweieinhalb dicht beschriebenen Seiten schildert sie die Vorgeschichte der Deutschen Zigarren-Werke und alles, was sie sonst noch weiß. Der Brief, der im niederländischen Original nicht erhalten ist, wurde von Steenbergen für den deutschen Anwalt unseres Großvaters ins Deutsche übersetzt.

»Im Frühjahr 1933, kurz nachdem das Dritte Reich ans Ruder kam, wurde die Fabrik unversehens von einem Trupp S. A.-Männer besetzt. Beide Direktoren [Isay Rottenberg und der Tabakeinkäufer Vincenz Silvan] wurden vom Amt suspendiert, während die Bücher und Urkunden, sogar die Privatkorrespondenz, einer Untersuchung unter-

worfen wurden. Mein Mann blieb damals in Dresden, doch Silvan, der ein »Auslandsdeutscher« war, zog es vor, nach den Niederlanden auszurücken, da er Angst hatte, dass er in »Schutzhaft« genommen würde, was damals ziemlich jedem »Auslandsdeutschen« jüdischer Abkunft bevorstand. Nach einer Untersuchung, die zwar einige Tage dauerte, doch während der nicht die geringsten Unregelmässigkeiten gefunden wurden, wurde mein Mann rehabilitiert und in seine Funktion als Direktor wieder eingesetzt.«

Im Stadtarchiv von Amsterdam können wir Details zu Vincenz Silvans Flucht finden. Er wurde bei der Gründung der Deutschen Zigarren-Werke zum Vorstandsmitglied ernannt und arbeitete später als Tabakeinkäufer von Amsterdam aus für die Fabrik. Auf seiner Anmeldekarte bei der Stadtverwaltung ist Köln als Wohnort angegeben. Er wurde in Kalisz geboren, das früher zum Russischen Reich gehörte, aber seit 1918 polnisch ist. Am 14. Mai 1933 ließ sich Silvan in Essen einen neuen polnischen Reisepass ausstellen. Mit diesem Pass reiste er nach Prag. Dort beantragte er ein Visum für die Niederlande, das ihm am 22. August erteilt wurde. Nach seiner Ankunft in Amsterdam erhielt er eine vorläufige Aufenthaltsgenehmigung. Dass er Auslandsdeutscher war, wird nirgends erwähnt, aber es wird wohl stimmen. Vermutlich hatte er eine doppelte Staatsbürgerschaft und traute sich aus Angst vor einer Festnahme nicht mit seinem deutschen Reisepass über die Grenze. Also beantragte er ein polnisches Dokument.

Isay Rottenberg blieb in Dresden, in der Pension, in die er eingezogen war, und wartete ab, was passieren würde. Im Gegensatz zu Silvan hatte er einen niederländischen Pass in der Tasche und fühlte sich dadurch sicher, wie wir aus den Worten unserer Tante Tini heraushörten, als würde er vom niederländischen Löwen, dem Wappentier der Niederlande, selbst beschützt. Er wollte sich nicht vertreiben lassen und die Fabrik aufgeben, die inzwischen 670 Leute beschäftigte und gut lief. Ein paar Tage später, so erfahren wir dank des Briefs unserer Großmutter, wurde er »rehabilitiert« und konnte seine Arbeit als Direktor wiederaufnehmen. Wer hatte sich für ihn eingesetzt? Musste er im Gegenzug etwas tun oder versprechen, um unter dem Naziregime als Eigentümer und Direktor weitermachen zu dürfen?

6

Das Maschinenverbot

Rottenbergs Fabrik blieb vorerst aus der Schusslinie. Doch schon bald tauchte die nächste Hürde auf. Am 15. Juli 1933 verkündete die NS-Regierung ein Verbot des Einsatzes von Maschinen und zwar ausgerechnet in der Zigarrenindustrie, um die Arbeitslosigkeit durch die Erhöhung des Anteils der Handarbeit zu bekämpfen.

Genau dieses Maschinenverbot lieferte den ersten Anhaltspunkt zur Geschichte unseres Großvaters und seiner Fabrik. Aus den wenigen Sätzen, die der Schweizer Journalist Urs Thaler den Deutschen Zigarren-Werken in seinem Buch *Unerledigte Geschäfte* widmete, konnten wir schließen, dass die Fabrik mit amerikanischen Maschinen arbeitete, hochgradig rationalisiert war und etwa 670 Menschen beschäftigte. Als wir Thaler kontaktierten, konnte er sich sofort an die Deutschen Zigarren-Werke erinnern, obwohl seine Recherchen mehr als 15 Jahre zurücklagen. »Diese Fabrik gehörte zu den modernsten in Deutschland«, mailte er postwendend zurück und versprach, die Dokumente, die er in seinem Archiv hatte, zu schicken. Sein Briefumschlag enthielt etwa dreißig Blätter mit Briefen über die Deutschen Zigarren-Werke und die Einhaltung irgendeines für uns zu diesem Zeitpunkt unverständlichen Maschinenverbots. Die Quelle war das Bundesarchiv in Berlin-Lichterfelde, wo Akten des Dritten Reiches aufbewahrt werden. Thaler schien gründlich recherchiert zu haben und hätte daher wohl alles gefunden, was es noch über die Deutschen Zigarren-Werke gab.

Um auf Nummer sicher zu gehen, forderten wir in Berlin die Aktenzeichen an und besuchten das Archiv, ein großer Komplex auf einem weitläufigen Kasernengelände am Stadtrand. Es lagen mehrere Rollen Mikrofilm bereit. Wir erwarteten, endlos auf das Mikrofilm-Lesegerät starren zu müssen, um zufällig auf Material zu stoßen, das mit der Fabrik zu tun hatte, die uns interessierte. Aber ganz im Gegenteil: Es stellte sich heraus, dass ein Dokument nach dem anderen die Deutschen Zigarren-Werke in den Jahren 1933, 1934 und 1935 betraf. Mit über 300 Ausdrucken verließen wir das Gelände. Was war so besonders an dieser Zigarrenfabrik, dass ihr so viele Notizen und Korrespondenzen von Ministern und hohen Beamten des Dritten Reiches gewidmet wurden?

Die Antwort auf diese Frage kam schon bald ans Licht: Die Deutschen Zigarren-Werke waren nicht eine der modernsten Zigarrenfabriken, wie Urs Thaler glaubte, sondern die mit Abstand modernste und effizienteste Fabrik in ganz Deutschland. Und genau deshalb setzten die Konkurrenten alles daran, die Fabrik auszuschalten. Dank ihrer Lobbyarbeit erließ Hitler sogar ein Sondergesetz, um die vollautomatische Zigarrenproduktion in Döbeln zu stoppen.

Um die Deutschen Zigarren-Werke und ihren jüdischen Besitzer schien ein Kampf auf Leben und Tod entbrannt zu sein. Die kämpfenden Parteien waren Zigarrenfabrikanten, die zugleich aktive NSDAP-Mitglieder aus dem ganzen Land waren; Verwaltungsbeamte, Parteifunktionäre und andere führende Nazis in Döbeln, Sachsen und Berlin – und ein jüdischer Fabrikbesitzer mit niederländischem Pass, unser Großvater, der zu unserem wachsenden Erstaunen nicht aufgab.

Handarbeit versus Maschine

»Lieber Parteigenosse Ender!«, schreibt Ernst Deter, ein Mitglied der NSDAP und Leiter des Reichsverbandes Deutscher Zigarrenhersteller e. V., sechs Wochen nach Hitlers Machtergreifung an den Reichstagsabgeordneten Herbert Ender. »Es dürfte Ihnen ja noch erinnerlich zu sein, dass wir bei Gründung der Krenterwerke in Döbeln schon damals mit Unterstützung der Partei einen scharfen Kampf gegen Einführung der Maschinenarbeit innerhalb der Zigarrenindustrie aufgenommen haben.« Ein Maschinenverbot ist damals vor zwei Jahren gescheitert, aber es müsse jetzt dringend erlassen werden, wenn kleine und mittelständische Unternehmen dieser Branche vor dem Ruin bewahrt werden sollen, schreibt Deter. Von den Handarbeitern in der Zigarrenindustrie seien notabene 58 Prozent arbeitslos. Wenn die Regierung ein Maschinenverbot erließe, meint Deter, würden die meisten von ihnen wieder arbeiten können. Er bittet seinen Parteigenossen Ender, das Problem auf die Tagesordnung der Reichstagsfraktion zu setzen.

Ender war ein sächsischer Fabrikdirektor und eng mit dem NSDAP-Gauleiter Martin Mutschmann befreundet. Wie Mutschmann stammte er aus Plauen, der Stadt, wo der Nationalsozialismus seinen Siegeszug in Sachsen begann.

Auslöser für die Forderung nach einem Maschinenverbot war nicht nur Krenter, der Vorgänger der Deutschen Zigarren-Werke. Krenter hatte mit seinen hochmodernen amerikanischen Maschinen, den amerikanischen Werbekampagnen und der Einführung von Markenzigarren, die überall erhältlich waren, der ganzen Branche einen großen Schrecken eingejagt. Doch schon bevor Krenter auf der Bildfläche erschien, kam in Kreisen der notleidenden Zigarrenbranche die Idee eines Maschinenverbots auf.

Genau wie die Zigarettenindustrie wollte auch die Zigarrenbranche zu Beginn des 20. Jahrhunderts die Produktion automatisieren, doch die ersten Versuche scheiterten. Die maschinelle Herstellung von Zigarren mit ihren unterschiedlichen Tabakblättern und der Mode unterworfenen Sorten war technisch weitaus schwieriger als die von standardisierten Zigaretten. Deshalb hielt die Zigarrenindustrie an der Handarbeit fest.

Während der Wirtschaftskrise konnten sich die Konsumenten Zigaretten, die damals auch stückweise verkauft wurden, eher leisten als Zigarren. Und wenn Zigarren gekauft wurden (Anfang der 1930er-Jahre noch jährlich 100 Stück pro Kopf!), waren es die billigsten Sorten.

Die einzige Möglichkeit, in Zeiten des sinkenden Absatzes konkurrenzfähig zu bleiben, bestand darin, die Löhne weiter zu senken oder den Produktionsprozess zu rationalisieren. Die Löhne der Zigarrenroller konnten nicht weiter gekürzt werden. Der Historiker Christian Kurzweg zeigt in seiner Untersuchung die Unterschiede in den Löhnen auf, die in Döbeln gezahlt wurden. Arbeiter in der Metallindustrie verdienten 17 Reichsmark pro Woche, in der Döbelner Schokoladenfabrik 20 Reichsmark und in der Korsettfabrik sogar 28 Reichsmark. Am wenigsten verdienten die Handarbeiter in der Zigarrenbranche: Sie erhielten höchstens 13 Reichsmark pro Woche.

Allerdings hatten nicht viele Fabrikanten das Kapital, um Maschinen zu kaufen. Wie kleinmaßstäblich die Zigarrenproduktion Anfang der 1930er-Jahre war, zeigen die Zahlen in Dr. W. Reinmanns Dissertation *Mensch und Maschine in der deutschen Tabakindustrie*. Im Jahr 1931 gab es in Deutschland über 5.000 Zigarrenfirmen, davon waren 3.000 Einpersonenbetriebe. Die meisten der anderen beschäftigten weniger als zehn Mitarbeiter. Nur 26 Unternehmen hatten mehr als 500 Arbeitnehmer.

Mit dem Beispiel der Zigarettenindustrie vor Augen schauten die Zigarrenmacher mit einem düsteren Blick in die Zukunft. Von den mehr als 1.000 Unternehmen, die vor 1914 in Deutschland Zigaretten herstellten, waren 1933 nur noch einige wenige Riesenfirmen übriggeblieben. Dasselbe würde in der Zigarrenindustrie passieren, wenn einige kapitalkräftige Produzenten damit begannen, Maschinen einzusetzen, so die Überlegung.

Die meisten Zigarrenmacher waren der Meinung, dass sie sich weiterhin mit Handarbeit abmühen und auf eine bessere Wirtschaftslage hoffen sollten, weil das die größte Überlebenschance bot.

Eine erfolgreiche Lobby

Für den Reichsverband Deutscher Zigarrenhersteller e. V., der schon bei den verschiedenen rasch aufeinanderfolgenden Regierungen der Weimarer Republik Alarm geschlagen, aber kein Gehör gefunden hatte, kam die Machtübernahme der NS-Regierung wie gerufen. Der Verband begann sofort mit seiner Lobbyarbeit für ein Maschinenverbot. »Das höchste politische, soziale und wirtschaftliche Gebot der Stunde ist: wo immer nur möglich zu verhindern, dass fleissige menschliche Hände ruhen müssen, wo immer nur möglich erreichen, dass ruhende menschliche Hände wieder arbeiten können«, lauten die ersten fast religiös klingenden Sätze einer Petition an die Regierung in Berlin, die am 18. April 1933 in der Mitgliederzeitschrift veröffentlicht wurde.

Das Attraktive an der Zigarrenindustrie, fand der Verband, war schon immer, dass jeder, »der sich die Fachkenntnisse erworben hatte und sparsam und fleissig war«, die Möglichkeit hatte, sich vom Arbeiter über den Vorarbeiter bis hin zum selbstständigen Fabrikanten hochzuarbeiten. Das musste auch so bleiben. Für eine Zukunft, in der die Umstellung auf Maschinen nicht gestoppt würde, entwarf der Verband ein Untergangsszenario. Andere Arbeitsmöglichkeiten in den Dörfern, wo die Landwirtschaft wenig einbrachte und das Einkommen durch Zigarrenrollen aufgebessert wurde, gab es nicht und würde es auch nicht geben. Wenn diese Menschen ihre Einkommensquelle verlören, würden sie in die Stadt ziehen und zu einer Belastung für das Reich und die Gemeinden werden. »Proletarisierung und Hoffnungslosigkeit wäre ihr Los.«

Die Nazis waren empfänglich für diese Argumente und, was noch wichtiger ist, für die Bedürfnisse der Bevölkerungsschichten, die um Schutz baten. Schließlich haben sie sich immer als Interessenvertreter der in der Industrie tätigen Handwerker und der Mittelständler mit ihren kleinen Betrieben und Geschäften aufgespielt. Diese konnten sie nicht im Stich lassen, nicht jetzt. Die Schaffung von Arbeitsplätzen war für die Nazis die soziale Priorität Nummer eins.

Das Verbot kam, aber nicht widerstandslos. Die deutsche Industrie war besorgt über die Pläne für ein Maschinenverbot in der Zigarrenbranche. Auf einer Versammlung des Reichsverbandes der Deutschen Industrie protestierten die deutschen Maschinenbauer. »Ein solches vollständiges Verbot würde die Zigarrenmaschinen bauenden Firmen der Maschinenindustrie zwingen, ihre hochwertigen Arbeiter, Ingenieure und Angestellten zu entlassen, würde die Ausfuhr dieser Maschinen unmöglich machen, würde alle die Aufwendungen, die von diesen Firmen in den letzten Jahrzehnten zur Entwicklung einer nationalen Zigarrenmaschinenindustrie angewendet worden sind, entwerten.«

Ein Verbot würde außerdem den gesamten Maschinenbausektor treffen, schrieb der Verein Deutscher Maschinenbau-Anstalten zwei Wochen später in einem mit gründlichen Analysen und Zahlen untermauerten Protestschreiben an die Regierung. Wenn erst einmal ein Maschinenverbot in einer Branche in Kraft tritt, werden auch andere Branchen ein solches Verbot fordern, und dann bestellen deutsche Unternehmen keine neuen Maschinen mehr, weil sie Angst vor einem drohenden Verbot haben. Der Verein warnt vor einem Verlust von Fachwissen und einem Braindrain von Ingenieuren, die bereits jetzt Schwierigkeiten haben, Arbeit zu finden: »Will man noch vermehrte Veranlassung dazu geben, dass die erwähnten Ingenieure und der beste Teil der Arbeiterschaft der deutschen Maschinenindustrie bei nächster Gelegenheit auswandert, um dann der deutschen Wirtschaft zur schwersten Konkurrenz zu werden?«

An manchen Orten stieg die Spannung. Am 24. Mai 1933 teilte ein Funktionär der NS-Gewerkschaft Deutsche Arbeitsfront einem Reichstagsabgeordneten in Berlin mit, dass ihn zahlreiche Arbeiter telefonisch mit der Frage bombardieren: »Wie ist es mit der Maschine?« Es gibt einen »Sturm im Land«, schrieb er. Wenn das Maschinenverbot jetzt nicht eingeführt wird, »weiss ich, werden die Arbeiter zur Selbsthilfe schreiten und die Maschinen zerschlagen.«

Zielscheibe Deutsche Zigarren-Werke

Isay Rottenberg äußerte sich im Vorfeld des Maschinenverbots nicht. Zumindest haben wir keinen Brief oder Protokolle gefunden, die darauf hindeuten, dass er besorgt war. Vielleicht wusste er nichts davon oder hielt es für klug, sich in dieser Phase nicht darum zu kümmern.

Wie dem auch sei, am 15. Juli 1933 trat das von Adolf Hitler und seinen Ministern für Wirtschaft und Finanzen unterzeichnete Maschinenverbot in Kraft. Die Argumente stammten direkt vom Reichsverband Deutscher Zigarrenhersteller e. V. und waren in nationalistischen Ausdrücken formuliert. »Bei dieser Sachlage ist es dringend geboten, einer Entwicklung vorzubeugen, die unter Umständen in kurzer Frist viele mit ihrer Heimat stark verbundene Volksgenossen entwurzelt.«

Die Regierung hatte auch die Einwände der Maschinenindustrie berücksichtigt. Es würde kein vollständiges Verbot geben. Die Inbetriebnahme neuer Maschinen würde verboten; Fabriken, die bereits Maschinen verwenden, dürften dies weiterhin tun, jedoch wäre eine Steigerung der Produktion über das Niveau von 1932 hinaus nicht zulässig. Die Finanz- und Wirtschaftsminister hätten zudem das Recht, die Produktion solcher Fabriken zu senken. Hilfsmaschinen für die Handarbeit wie Streifen- und Schneidemaschinen für Tabakblätter blieben erlaubt; und – für die Maschinenbauer entscheidend – neue deutsche Maschinen dürften als Ausnahme und lediglich zur Erprobung in Fabriken aufgestellt werden, um solche Maschinen anschließend ins Ausland zu exportieren. Zur Abmilderung der Maßnahme stellte die Regierung zwei Millionen Reichsmark für Fabriken zur Verfügung, die ihre Maschinen außer Betrieb nahmen.

Laut der Gesetzesbegründung wurde geschätzt, dass durch die Maßnahme 5.000 zusätzliche Arbeitsplätze geschaffen würden.

Entgegen den Befürchtungen der Maschinenbauer war das Verbot von Maschinen in der Zigarrenbranche nicht der Auftakt zu einer Reihe derartiger Verbote. Es blieb eine Ausnahme, ein Zugeständnis an Kleinbetriebe und an den gewerblichen Mittelstand, dass die Regierung nicht viel kostete und symbolisch von großem Wert war. Das Maschinenverbot zielte darauf ab, die Modernisierung der Zigarrenindustrie zu verlangsamen. Die Zielscheibe war in erster Linie die einzige vollautomatische Zigarrenfabrik in Deutschland, die Deutschen Zigarren-Werke in Döbeln.

Für unseren Großvater war das Maschinenverbot ein Felsbrocken, der plötzlich den Berg hinuntergerollt kam und ihm den Weg versperrte. Wollte er bleiben und seine Investition und seine Fabrik retten, dann musste er das Gesetz rückgängig machen lassen oder entschärfen. Unmöglich, absurd, sagt unser Gefühl. Würde er den Block wie Sisyphus den Berg hinaufrollen? Wie wollte er sich gegen die Naziregierung und seine deutschen Konkurrenten durchsetzen?

In Amsterdam wird Lena Rottenberg die Entwicklungen nervös verfolgt haben. Vincenz Silvan, Vorstandsmitglied der Deutschen Zigarren-Werke, kam regelmäßig zu ihnen nach Hause, also kannte sie ihn und wusste, dass er die Lage im nationalsozialistischen Deutschland so beängstigend empfand, dass er geflohen war. Sie war über den Boykott sowie über die Razzia in der Fabrik durch die SA informiert und erfuhr zweifellos von Isay vom Maschinenverbot. Zudem wusste sie auch sonst sehr gut, was sich in Deutschland abspielte.

Von Zeit zu Zeit besuchte Isay seine Familie. Dann blieb er für ein paar Tage und fuhr danach wieder nach Deutschland. Auf Familienfotos aus dieser Zeit fehlt er. Wir sehen ihn jedoch in einem Stummfilm, der bei einer Feier anlässlich des 50. Hochzeitstags seiner Schwiegereltern Abraham und Teofile Ptasznik aufgenommen wurde. Die ganze Familie ist im Garten versammelt: unsere Väter, ihre Schwester, ihre Cousine und Cousins – junge Teenager –, die sich aufgedreht knuffen und schubsen. Die Jungs alle in Anzug und Krawatte, die Mädchen in Blumenkleidern mit Puffärmeln, dahinter die Erwachsenen. Isay steht stolz da, mit der Hand in der Hüfte, sichtlich scherzend.

»Onkel Szaja habe ich nicht oft gesehen«, erzählt Theo Franken, der jüngste Cousin von Alfred, Edwin und Tini, als wir ihn besuchen. Von der deutschen Zigarrenfabrik weiß er eigentlich nichts, obwohl die Familien sehr viel Kontakt hatten und nahe beieinander wohnten. »Ich war jeden Tag bei ihnen zuhause oder Tini war bei uns, wir hatten nur drei Monate Altersunterschied. Onkel Szaja war meistens weg, in Deutschland oder wo auch immer er hinging. Tante Lena war für mich wie eine zweite Mutter und Tini wie meine Zwillingsschwester, aber zu ihm hatte ich wenig Kontakt.«

Theo erinnert sich aber noch, dass Isay und sein Vater, Abraham Franken, über Deutschland aneinandergerieten. »Mein Vater orientierte sich an England, Onkel Szaja eher an Deutschland. Sie haben darüber manchmal gestritten. Ich weiß nicht genau, worum es dabei ging, aber ich denke, mein Vater hatte Schwierigkeiten damit, dass Onkel Szaja im nationalsozialistischen Deutschland Geschäfte machte. Mein Vater verabscheute Deutschland zutiefst.« Ironischerweise hasste Abraham Franken seinen jüdischen Vornamen und unterschrieb stets mit »Abraham Franken, der sich Adolf nennt«. Theo erzählt: »Man kannte ihn nur als Dolf. Später stellte sich heraus, dass das auch keine besonders glückliche Namenswahl war. Leider hat ihm das nicht geholfen.«

Was in Amsterdam sonst noch an Diskussionen über Isays Unterfangen im nationalsozialistischen Deutschland stattgefunden hat, ist nicht überliefert. Niemand hat je etwas darüber erzählt. Aber was auch immer an prinzipiellen, persönlichen oder geschäftlichen Einwänden vorgebracht wurde, unser Großvater war dafür nicht empfänglich. Er scheint zu keinem Zeitpunkt erwogen zu haben, zum Rückzug zu blasen.

7

Eine Anzeige bei der Gestapo

Sobald das Maschinenverbot verhängt war, wurde Isay Rottenberg aktiv. Am 24. Juli 1933 schickte er per Eilboten einen Brief an Dr. Kurt Schmitt, den Wirtschaftsminister in Berlin, und ähnliche Briefe an alle ihm bekannten Stellen und Behörden: Minister in Dresden, die Industrie- und Handelskammer in Chemnitz, die NSDAP-Kreisleitung in Döbeln, die Gewerkschaft und so weiter.

Wenn das Gesetz wortgetreu auf seine Fabrik angewendet wird, schreibt er, muss er in zwei Wochen die Maschinen stilllegen und den Betrieb schließen. Im Referenzjahr 1932 war die Produktion deutlich niedriger als üblich, da Krenter in diesem Jahr in Konkurs ging und die Deutschen Zigarren-Werke erst nach einer monatelangen Anlaufzeit den Betrieb langsam wieder aufnehmen konnten. Im Jahr 1932 wurden nur 22 Millionen Zigarren hergestellt. Das zulässige Maximum von 22 Millionen wird in zwei Wochen erreicht sein. »Die Folgen«, schreibt Rottenberg, »würden der Absicht der Reichsregierung keinesfalls entsprechen. Unsere Belegschaft von ca. 650 Arbeitern und Angestellten würde mit einem Schlag arbeitslos.« Er bat darum, als Maßstab die Produktion von Krenter im

Jahr 1931 und in den Monaten des Jahres 1932, in denen Krenter noch gut lief, zu nehmen. Und er bat um eine Entscheidung bis Ende des Monats.

In einem weiteren Schreiben versicherte er den Behörden, dass »wir keine Sonderbehandlung, die gegen das Gesetz verstoßen würde, begehren, sondern im Gegenteil eine dem wirklichen Zweck des Gesetzes entsprechende Anwendung.«

Rottenberg versuchte, die Stadt Döbeln für seine Lobbyarbeit zu mobilisieren. Er unterstrich die Dringlichkeit mit dem Hinweis, dass er bereits beim Sozialministerium in Dresden die Genehmigung zur Stilllegung des Betriebs beantragt habe. Könnte die Stadtverwaltung seine Gesuche an die Behörden unterstützen, und das bitte schleunigst?

Der Appell war äußerst wirksam. Gleich am nächsten Tag sandte Bürgermeister Herbert Denecke, der gerade auf den Posten ernannt worden war, den Fritz Saupe nach der Machtübernahme der Nationalsozialisten vorübergehend innehatte, einen höflichen Brief voller Lob für die Deutschen Zigarren-Werke an den Wirtschaftsminister in Berlin. »Die Stadt legt außerordentlichen Wert auf die Erhaltung dieses für Deutschland und Europa einzigartigen Betriebes.« Denecke wies Minister Schmitt darauf hin, dass der automatisierte Betrieb nicht auf Handarbeit umstellen könne, weil es in Döbeln und Umgebung keine Arbeitskräfte mit dem erforderlichen Fachwissen gebe. »Es würde also hier ein gutgehender Betrieb zum Erliegen kommen, ohne dass dafür eine Steigerung der Arbeit in anderen Betrieben möglich sei. Hinzu kommt, dass die Stadt, in deren eigenen Räumen das Unternehmen untergebracht ist, durch die Stilllegung schwere Verluste erleiden würde.«

Im Stadtarchiv Döbeln ist nicht zu ermitteln, ob der Unterstützung Rottenbergs überhaupt eine Diskussion vorausging. Aber wenn die Stadt eine einfache Berechnung anstellte und die Ideologie als Hintergrundrauschen betrachtete, musste die Entscheidung natürlich so ausfallen. Döbeln profitierte von den Deutschen Zigarren-Werken: Sie waren der zweitgrößte Arbeitgeber der Stadt. Die 670 Beschäftigten, die auf der Lohnliste standen, mussten sich nicht an die Stadt wenden, um Sozialhilfe zu erhalten, und sie brachten Geld in Umlauf. Darüber hinaus bescherte der Betrieb der Stadt Einnahmen in Form von Steuern und Pachtgeldern, die für die Gebäude bezahlt wurden. Die Gemeinde ging kein zusätzliches Risiko ein, da Rottenberg keine Subventionen oder Vergünstigungen erhielt und die Verluste, die die Stadt durch Krenter erlitten hatte, durch die Schließung des Unternehmens nicht verringert würden. Die Fabrik offenzuhalten, war für die Stadt bei Weitem die beste Option.

Lobgesang eines Nazis

Dann finden wir einen weiteren Brief, datiert auf den 29. Juni 1933, rund zwei Wochen vor Inkrafttreten des Maschinenverbots. Es handelt sich um einen Brief des amtierenden Bürgermeisters Saupe an den sächsischen Wirtschaftsminister Georg Lenk. Saupe hatte bereits einige Tage zuvor in Dresden persönlich mit Lenk über die Deutschen Zigarren-Werke gesprochen. Der Brief verweist auf das Gespräch und enthält einen fast leidenschaftlichen Lobgesang auf die vollautomatische Zigarrenfabrik. Saupe führt Argumente an, die wir bei unserem Großvater nicht finden, die aber offenbar geeignet sind, Naziverwaltungsbeamte zu überzeugen.

In der Zigarrenbranche sind im Bereich der Handarbeit vor allem Frauen tätig, schreibt er, und ist es nicht so, dass die Reichsregierung danach strebt, die Frauen wieder zurück in den Haushalt zu schicken? In der maschinellen Zigarrenfabrik sind viele männliche Arbeitskräfte beschäftigt, deren Aufgabe es ist, die Maschinen zu warten und einzustellen. Sie verdienen nicht den niedrigen Arbeiterlohn , sondern einen höheren Facharbeiterlohn. Zudem lägen die Tariflöhne in der maschinellen Zigarrenherstellung ohnehin um acht Prozent höher, wobei Saupe noch hinzufügt, dass die Handarbeit oft unter den vereinbarten Tariflöhnen bezahlt werde. Bei der maschinellen Produktion fällt auch die Heimarbeit weg, die nur von Frauen verrichtet wird; diese »bringt doch soviel soziale Nachteile mit sich, dass darüber nicht gesprochen werden braucht«. Zusätzlich zum sozialen Fortschritt ist auch die Hygiene in der Fabrik besser, wie Minister Lenk sicherlich weiß. Außerdem sei die maschinelle Produktion vorteilhaft für den Konsumenten, der eine gute Zigarre zu einem niedrigen Preis bekommen könne, »was die Handherstellung niemals erreichen kann und wird«.

Im Namen der Stadtverwaltung von Döbeln bittet Saupe den Minister, seinen Einfluss in Berlin geltend zu machen, um ein Maschinenverbot zu verhindern. Zum Schluss lädt er Lenk höflich ein, die Deutschen Zigarren-Werke zu besuchen, damit er sich mit eigenen Augen von der »wirklich in jeder Weise einwandfreien Herstellung der Zigarren« überzeugen könne.

Saupes Brief zeigt, dass unser Großvater hinter den Kulissen doch schon seit einiger Zeit Lobbyarbeit betrieben hatte. Und er zeigt, dass der Naziverwaltungsbeamte Saupe, und mit ihm die Döbelner Stadtverwaltung, seit dem Inkrafttreten des Maschinenverbots darauf hinwirkten, die Deutschen Zigarren-Werke offenzuhalten. Dass der Besitzer Jude war und dass die SA nur zwei oder drei Monate zuvor die Fabrik aus diesem Grund besetzt hatte, war zu diesem Zeitpunkt selbst für überzeugte Nazis von untergeordneter Bedeutung. Unterdessen hatte Isay Rottenberg ein Versprechen abgegeben, das die Fabrik für die Nazis und ihre Anhängerschaft etwas akzeptabler machte. Dies können wir aus einem Brief des örtlichen Kampfbundes des gewerblichen Mittelstandes, der NS-Gewerkschaft des Mittelstands, an Rottenberg ableiten.

»Ferner haben wir uns an Hand der uns vorgelegten Unterlagen und auf Grund von Aussagen unserer Vertrauensleute davon überzeugt, dass Sie die Belieferung von Warenhäusern, Einheitspreisgeschäften und sonstigen den Mittelstand schädigenden Gewerbebetrieben ablehnen.«

Rottenberg wurde gezwungen, Krenters Vorgehensweise aufzugeben und das Marketing für die Zigarren anzupassen. Ob er dies nach Drohungen von Mittelständlern tat oder nachdem SA-Männer im Frühling 1933 die Fabrik stürmten und ihm ein Ultimatum stellten, lässt sich nicht mehr feststellen. Die sächsischen SA- und Gestapo-Archive wurden bei der Bombardierung Dresdens zerstört. Aber der Brief des Kampfbundes zeigt, wie man versuchte, ihm klarzumachen, dass das Bewerben seiner Zigarren als Markenzigarren und die Belieferung von Nicht-Fachgeschäften unerwünscht war.

Bürgermeister Denecke wollte die Schließung der Deutschen Zigarren-Werke um jeden Preis verhindern. Zwei Tage nach seinem ersten Brief bezüglich des Maschinenverbots reiste er mit einer ganzen Delegation, zu der auch Isay Rottenberg und dessen Rechtsberater Dr. Arndt Oehmichen gehörte, nach Dresden, um seinem Plädoyer Nachdruck zu verleihen. Sie suchten Unterstützung von höchster Stelle, aber Gauleiter Mutschmann, inzwischen von Hitler zum Reichsstatthalter von Sachsen ernannt, war nicht da oder nicht zu sprechen. Die ersten Reaktionen waren nicht vielversprechend. Laut dem sächsischen Wirtschaftsministerium war davon auszugehen, dass die Deutschen Zigarren-Werke früher oder später auf Handarbeit umstellen müssten. Denecke schlug Rottenberg vor, dass die 60 bis 80 ausgebildeten Facharbeiter, die er beschäftigte, bereits mit der Handarbeit beginnen sollten. Doch dieser Vorschlag hatte keine Chance. »Anscheinend bestehen jedoch hiergegen Widerstände bei Herrn Rottenberg«, notierte der Bürgermeister trocken.

Denecke ist für uns ein Rätsel geblieben. Das Stadtarchiv lässt einen pflichtbewussten und korrekten Staatsdiener erkennen. Nirgendwo ist in den Protokollen oder Notizen eine Leidenschaft zu erkennen – wie bei seinem Vorgänger Kunzemann – oder eine persönliche Passion wie bei Saupe die Liebe zum letzten Kaiser. Seine Wortwahl ist höflich, seine Einstellung, soweit wir sehen können, bürokratisch. Er hat eine runde und regelmäßige Handschrift und unterschreibt immer mit »Dr. Denecke«. Natürlich ist er Mitglied der NSDAP, sonst hätte er im Juli 1933 nicht die Stelle des vertriebenen SPD-Mitglieds Kunzemann übernehmen dürfen. Aber er wird, stellen wir uns vor, ein erfahrener Verwalter gewesen sein, Bürgermeister

Aktenzeichen des RJM.: I p = 16 D. 646

Dr. Denecke 1936

1. Vor- und Zuname: (akademischer Grad)	Dr. jur. Herbert Friedrich Denecke
2. Geburtstag und -ort:	15.12.1893, Dresden
3. Deutschblütige Abstammung: (wodurch nachgewiesen?)	ja, durch Urkunden
4. Glaubensbekenntnis:	evang.-luth.
5. Beruf des Vaters:	Konrektor, Professor, Dr. phil. [illegible] 26.2.41 ([illegible])
6. Vermögensverhältnisse des Beamten:	geordnet
7. Frühere Zugehörigkeit (mit genauer Zeitangabe)	
a) zu politischen Parteien:	nein
b) zu politischen Verbänden:	nein
c) zu Freimaurerlogen: (mit Angabe des Grades)	nein
d) zu politischen oder konfessionellen Beamtenvereinen:	nein
8. Zugehörigkeit (mit genauer Zeitangabe)	
a) zur NSDAP.: (Mitgliedsnummer, Amt?)	seit 1.11.1931, Mitgl. Nr. 714283. Z.Zt. Beisitzer im Kreisgericht II Zittau.
b) zu einer Gliederung: (Dienstrang und Führerstelle?)	nein
c) zu einem angeschlossenem Verband: (Amt?)	VDA, 5.6.37, Mitgl. Nr. 41035 R. Kolonial-Bd., 1.11.37. NS-Rechtswahrerbund seit 14.7.1932; Mitgl.-Nr. A 991, ~~N.S.K.G. seit 1933; Ortsverband 2126~~, N.S.V. seit 1.5.1934, Mitgl.-Nr. 333 882, Reichsbund d. deutsch. Beamten seit 1.4.1936; Mitgl. Nr. 982032,
d) zum Luftschutzbund, VDA., Kolonialverband oder ähnlichen Verbänden:	Reichsluftschutzbund seit 26.9.1933; Nr. 8294; Bund deutscher Osten seit 4.3.1936, Nr. 123578. [illegible handwritten note]

Vordruck Nr. 188. Personalbogen

Abb. 25 Herbert Denecke

vielleicht in einer anderen Stadt. Wenn er seinen Beruf weiter ausüben wollte, musste er der NSDAP beitreten. Ein Foto von ihm haben wir nicht gefunden. In unserer Fantasie sieht er aus wie ein steifer Jurist, Brille, glatt rasiert und mit nach hinten gekämmtem Haar.

Erst als dieses Buch schon zu drei Vierteln geschrieben war, fanden wir einen Artikel im *Döbelner Anzeiger* über seine Amtseinführung. Darin wird beschrieben, wie er zusammen mit dem amtierenden Bürgermeister Saupe den Ratssaal betritt. Beide sind in braune Uniformen gekleidet. Denecke legt den Eid in der SA-Uniform ab. Seine Ansprache ist scharf. Für die »zartbesaiteten Spiessbürger und Edelkommunisten« hat er Worte aus dem propagandistischen Spielfilm *SA-Mann Marke* parat: »Auf Ihre Nerven, meine Herren, kann dabei keine Rücksicht genommen werden.«

Das klingt nach einem Dogmatiker. Auf dem Foto sehen wir einen brillenlosen 40-Jährigen im SA-Hemd, mit dunklen Haaren in einem kerzengeraden Scheitel. Das Döbelner Einwohnerverzeichnis von 1934 bestätigt, dass er Jurist ist. Dr. Jur. steht hinter seinem Namen, und er wohnt in der Adolf-Hitler-Straße. Was bewog diesen Mann, sich der SA anzuschließen und Nazifunktionär zu werden? Sein erzwungener Weggang aus Döbeln einige Jahre später macht die Sache noch interessanter.

Schließlich haben wir eine Akte über Deneckes Werdegang in die Hände bekommen. Er war ein anständiger Mann aus einem akademischen Milieu in Dresden, der nach Kriegsdienst im Ersten Weltkrieg und längerer Kriegsgefangenschaft ein Studium aufnahm und das anspruchsvolle Staatsexamen zum Juristen erfolgreich ablegte. In einem Zeugnis wird er als ein »gewissenhafter, fleißiger, tüchtiger und zuverlässiger Jurist« sowie als Person mit »tadellosem Charakter« beschrieben. Anschließend begann er eine Karriere als Richter. Bereits 1931 trat er in die NSDAP ein. Er war ein Nazi aus Überzeugung. Deswegen wurde er bei der Machtergreifung der Nazis am 9. März 1933 in der sächsischen Stadt Aue zum amtierenden Bürgermeister ernannt und wechselte drei Monate später nach Döbeln. Auf einem Passfoto in der Akte sieht er aus wie ein kultivierter Bürger, wie der tadellose Beamte aus dem Zeugnis. Wenn man ganz genau hinsieht, sieht man an seinem Revers eine kleine runde Anstecknadel. Mit einem Hakenkreuz darauf.

Da die Gefahr der Schließung der Deutschen Zigarren-Werke wuchs, musste Rottenberg die Stadt nicht dazu anspornen, noch aktiver Lobbyarbeit zu betreiben. Um zu verhindern, dass die Fabrik die Maschinen sofort stilllegen musste, haben sich die Behörden in Dresden eine Notlösung einfallen lassen. Sie legten eine vorläufige Tabakquote fest, sodass die Deutschen Zigarren-Werke weiter betrieben werden konnten, allerdings mit halber Arbeitszeit. Das Damoklesschwert hing währenddessen weiterhin über der Fabrik.

Die Stadt schickte Briefe an die Ministerien in Berlin, das Arbeitsamt schlug Alarm, Telefonate wurden geführt und Besuche abgestattet. Beim regionalen Zollamt erschien Rottenberg zusammen mit dem stellvertretenden Bürgermeister Walter Nitzsche – dieser bildete zusammen mit Herbert Denecke und Otto Röher die entlohnte Stadtverwaltung –, um eine möglichst hohe Tabakquote durchzusetzen.

Im August 1933 gab es in Döbeln 1.400 Sozialhilfeempfänger. Wenn die Deutschen Zigarren-Werke schließen müssten, kämen weitere 50 Prozent hinzu. Eine Last, die die Stadt nicht tragen könne, argumentierte Nitzsche. Das könne doch nicht der Sinn des Gesetzes sein. Rottenberg rechnete vor, dass die Deutschen Zigarren-Werke im Normalbetrieb 219.000 Zigarren pro Tag produzieren, also 67 Millionen in einem vollen Produktionsjahr.

Inzwischen hatten Mitglieder des Reichsverbandes Deutscher Zigarrenhersteller e. V. eine Kampagne gegen die Deutschen Zigarren-Werke gestartet. Mit allerlei Anschuldigungen gegen die Fabrik und den Inhaber beziehungsweise Direktor machten sie Stimmung, in der Hoffnung, dass das Maschinenverbot zur vollständigen Schließung der Deutschen Zigarren-Werke führen würde. Wir wissen nicht, welche Verleumdungen genau kolportiert wurden, aber sie waren so übel, dass sich Bürgermeister Denecke veranlasst sah, für unseren Großvater einzutreten. Er schrieb ihm am

12. August 1933 einen persönlichen Brief. »Wir nahmen mit Bedauern davon Kenntnis, dass teilweise aus recht durchsichtigen Gründen von gewissen nicht unbeteiligten Kreisen ein Kampf gegen Sie mit nicht zu billigenden Mitteln in Szene gesetzt wird in der offenbaren Absicht, das Werk zu zerschlagen. Soweit uns Fälle bekannt werden, wo in unverantwortlicher Weise gegen Sie gehetzt wird, werden wir mit dafür Sorge tragen, dass diesen Leuten das Handwerk gelegt wird.« Ob Rottenberg bitte Namen weitergeben würde, falls er diese Leute kennt.

Hat er das getan? Er muss sich auf jeden Fall von der NS-Verwaltung in Döbeln unterstützt gefühlt haben. Als wir den Brief von Denecke entdecken, ist unsere erste Reaktion Unglauben. Ein Nazibürgermeister, der den Juden Rottenberg bittet, ihm seine Feinde zu nennen? Im nächsten Moment brechen wir in Gelächter aus, so absurd ist das. Danach fangen wir an, über unseren Großvater nachzudenken und darüber, was er bereit war, für seine Fabrik zu tun.

Es überrascht Sandra nicht wirklich, dass er es für möglich hielt, mit der Naziverwaltung in Döbeln zusammenzuarbeiten. Er bewies, dass es möglich war. Er, der Jude Rottenberg, verschaffte sich Respekt, indem er den Menschen, mit denen er zusammenarbeitete, auch Respekt für ihre Professionalität entgegenbrachte. Für ihn war die ideologische Seite der Angelegenheit offenbar dem Geschäftsinteresse untergeordnet.

Bedenken

Ein halbes Jahr nach dem ersten Besuch fährt Hella nochmals nach Döbeln. Diesmal, um das Stadtarchiv gründlich zu durchsuchen und die Dokumente der elf Mappen über die Fabrik und andere relevante Unterlagen zu fotografieren. Bisher haben wir nur Auszüge aus diesem Material für unsere Radiodokumentation verwendet, aber für dieses Buch benötigen wir die vollständigen Unterlagen. Tagelang verkrieche ich, Hella, mich in der winzigen Dachkammer des Rathauses. Ute Wiesner gibt mir weiße Handschuhe zum Anfassen der Archivalien und einen Schlüssel für die Toilette. Am Tag nach meiner Ankunft, am 11. Oktober 2015, strahlte der niederländische Rundfunksender VPRO unsere Radiodokumentation aus, die den Titel *Niet bang te krijgen (Unerschrocken)* trägt.

Im Gegensatz zu unserem Großvater bin ich nicht unerschrocken und habe auch Angst vor dem, was ich in den Archiven finden könnte. Noch am Abend und in den Tagen nach der Ausstrahlung erreichten uns zahlreiche E-Mails von Freunden, Bekannten und Fremden mit Reaktionen auf die Dokumentation. Darin findet sich nicht die geringste Spur von Bedenken, nur Überraschung und Freude darüber, dass ein Jude sich nicht von den Nazis vertreiben ließ. Jemand spricht von »eurem eigensinnigen, furchtlosen und dickköpfigen Großvater«, ein anderer schreibt: »Das Verrückte ist, dass ich trotz aller Widrigkeiten durch deinen Opa, durch seine Verwegenheit und seinen Mut, sein energisches Auftreten und seine Energie, richtig fröhlich geworden bin. Was für eine Lebenskraft!« Ich freue mich über die Reaktionen, kann aber meine eigenen Zweifel nicht verdrängen. Der Opa meiner Jugend war mein Vorbild, mein Halt. Er wusste alles, er verstand alles, durchschaute alles. Über seine Prinzipien hatte ich nie wirklich nachgedacht, aber sie mussten wohl taugen. Ist es mein kindlicher Blick, mit dem ich meinen Großvater zu einem Halbgott gemacht habe, den ich jetzt gezwungen bin, abzulegen? Und ist es das, womit ich Schwierigkeiten habe?

In der Nachkriegsfamilie, in der ich aufgewachsen bin, war Deutschland ein verunreinigtes Gebiet. Als wir klein waren, wurde das strikt gehandhabt: Ein deutsches Auto zu kaufen, galt als Kollaboration mit dem Feind, deutsche Geräte anzuschaffen, war verpönt, und durch Deutschland in den Urlaub in die Schweiz oder nach Italien zu fahren, war zu vermeiden. Später wurde das nicht mehr so genau genommen und wir fuhren über die deutschen Autobahnen in die Schweiz. Von den Prinzipien ist geblieben, dass wir die Deutschen so wenig wie möglich an uns verdienen ließen: keine Übernachtungen, keine Pausen, um Essen oder Getränke zu kaufen, also die Fahrt von zu Hause nach Basel ohne Zwischenstopp, 800 Kilometer in einem schwer beladenen französischen Kleinwagen. In Deutschland zu sein, mit einem Deutschen zu sprechen, bedeutete – wie meine Mutter betonte – immer die Frage: Wo warst du, was hast du während des Krieges gemacht?

Bei uns wurde kaum ein Wort über Richtig und Falsch in den Niederlanden verloren. Es galt als richtig, im Widerstand gewesen zu sein und Juden geholfen zu haben, und als falsch, mit den Besatzern kollaboriert oder von ihnen profitiert zu haben. Für den Rest, der »einfach« unter der Besatzung weitergelebt hatte, interessierten wir uns nicht. Als Kind konnte ich mir unter dieser Gruppe eigentlich nichts vorstellen. Jemand, der sich durch den Krieg geschlagen oder das Beste daraus gemacht hatte, diese Kategorie hatte keinen Namen und keine Adresse.

Opa las deutsche Bücher und sprach Deutsch mit befreundeten deutschen Juden, die geflohen waren, aber auch für ihn blieb alles andere Deutsche tabu. Dass er in Deutschland mitten unter den Nazis gelebt hatte, dass er dort ein Unternehmen geführt und Geld verdient hatte, wurde von ihm und seiner Familie verschwiegen. Wie viel Unbehagen und Verlegenheit löste Opas deutsches Abenteuer aus? Hatte der Schweizer Journalist Urs Thaler doch den Finger in die Wunde gelegt, als er unseren Großvater einen ausländischen Juden nannte, der in Nazideutschland Geschäftsmöglichkeiten sah?

Die Außenwelt zeigt nur Verständnis. Woher hätte euer Opa wissen können, was folgen würde? Oder: Na ja, er war ein Geschäftsmann. Oder: So etwas passiert schleichend. Hätte er denn zurückkehren können? Er hatte seine Arbeit und sein Einkommen in Deutschland, er musste eine Familie ernähren. Er hat Kampflust gezeigt, dein Opa. Als ich von meinen inneren Konflikten erzähle, fragt ein Freund: »Hat er denn etwas falsch gemacht?«

Arbeiter eilen zu Hilfe

Es gab noch einen weiteren Angriff, gegen den sich Rottenberg wehren musste. Neben den Fabrikanten ergriffen auch die Tabakläden die Gelegenheit, maschinell hergestellte Zigarren vollständig vom Markt zu verbannen. Die Zusage, keine Kaufhäuser mehr zu beliefern, reichte ihnen nicht aus, sie wollten die Gefahr ein für alle Mal abwenden. Der Einzelhandelsverband rief seine Mitglieder zum Boykott der Zigarren der Deutschen Zigarren-Werke auf. Um die Kampagne zu stoppen, schaltete Rottenberg seine Arbeiter ein, zumindest den »Betriebszellen-Obmann«. Er war der Leiter der NSBO, der Nationalsozialistischen Betriebszellenorganisation, die kurz zuvor als einzige Gewerkschaft in Deutschland übrig geblieben war. Im Vergleich zu den sozialistischen und christlichen Gewerkschaften blieb die NSBO unbedeutend, trotz der heftigen Propaganda und Einschüchterung, mit der die Nazis versuchten, Arbeiter als Mitglieder zu gewinnen.

Der Existenz aller anderen Gewerkschaften wurde einen Tag nach der großen Feier des 1. Mai 1933 als »Tag der nationalen Arbeit« gewaltsam ein Ende gesetzt. Bei einer Aktion, die gleichzeitig in ganz Deutschland stattfand, wurden die Gewerkschaftsbüros gestürmt, die Vereins- und Streikkassen blockiert und beschlagnahmt und die Gewerkschaftsführer verhaftet.

Die Nazis gründeten eine neue Organisation, die Deutsche Arbeitsfront (DAF), die nicht die Interessen der Arbeiter gegenüber ihren Arbeitgebern verteidigte, sondern Arbeitgeber, Angestellte und Arbeiter in einem gestalt- und zahnlosen Massenverband vereinte. Streiks wurden verboten, und die Deutsche Arbeitsfront hatte vor allem propagandistischen Wert. Nach dem 2. Mai 1933 durfte nur noch die NSBO weiterbestehen, die zwei Jahre später in der Deutschen Arbeitsfront aufging.

»Sehr geehrter Herr Pg.!«, kurz für Parteigenosse, beginnt ein empörter Brief des Leiters der NSBO-Zelle der Deutschen Zigarren-Werke an den

Vorsitzenden des Hamburger Einzelhandelsverbandes vom 19. August 1933. Er wies ihn darauf hin, dass der Boykott auf falschen Annahmen beruhe. Entgegen den Behauptungen des Verbandes hätten die Deutschen Zigarren-Werke aufgehört, Markenzigarren auf den Markt zu bringen. Der Boykott richtete sich nur gegen die Deutschen Zigarren-Werke, obwohl es noch weitere maschinelle Zigarrenfabriken gab, zu diesem Zeitpunkt noch 46. Notabene, der engste Mitarbeiter von Dr. Robert Ley, der Leiter der Deutschen Arbeitsfront, hatte versprochen, alles in seiner Macht Stehende zu tun, um die Zerstörung eines Unternehmens zu verhindern, »in dem 650 Volksgenossen Brot und Arbeit finden.« »Es geht jedoch nicht an«, schreibt der NS-Betriebszellen-Obmann, »dass im gleichen Augenblick Ihr Verband einen Boykott erklärt, der gerade das Gegenteil erreichen würde.« Der Einzelhandelsverband schieße sich auf die Falschen ein, hielt er ihm vor, denn die Deutschen Zigarren-Werke seien ein Vorzeigeunternehmen mit ausgezeichneten Beziehungen zwischen der Geschäftsführung und der Belegschaft. »Bereits vor einem Jahr, also lange vor der nationalen Erhebung, ist von der Leitung die Parole ausgegeben worden, dass sie keine Arbeiter und Angestellten, sondern nur Mitarbeiter kennt. [...] Kein einziger Werksangehöriger wird unter Tarif bezahlt; eine große Anzahl wird übertariflich entlöhnt.«

Nicht aus Prinzip oder Ideologie werden die Deutschen Zigarren-Werke angegriffen, so glaubt der NSBO-Obmann, sondern aus Opportunismus. »Wenn es zutreffen sollte, dass auch am dortigen Platz einer der Führer des früheren Kampfbundes [des gewerblichen Mittelstandes] und zwar gerade der Herr, der die neue Hetze gegen uns entfacht hat, Vertreter einer Zigarrenfabrik ist, so wäre dies wieder ein Fall, in dem von Interessenten ›ideale Motive‹ vorgeschoben werden.« Als ob er den Verband zur Ordnung rufen könnte, verlangt er schließlich die Bestätigung, dass der Boykott gegen die Deutschen Zigarren-Werke zurückgezogen wird und dass dies in allen Verbandsinstanzen bekannt gemacht wird. »Ich danke Ihnen voraus und begrüsse Sie mit Heil Hitler!«

Mit deutschem Gruß

Nachdem wir die Dokumente im Döbelner Stadtarchiv gelesen haben, wissen wir, dass Isay Rottenberg in seinem Kampf um das Überleben der Fabrik Unterstützung vom Stadtrat, der Betriebszellenorganisation und offenbar auch der mächtigen Deutschen Arbeitsfront erhielt. Seine Fabrik, die kürzlich noch in Nazizeitungen als Beispiel für ein rücksichtsloses kapitalistisches Unternehmen eines ausländischen Juden dargestellt wurde, wurde von Nazifunktionären und Naziobmännern als Vorzeigeunternehmen verteidigt.

Rottenbergs Gegner sind in der Zigarrenbranche, bei den Fabrikanten und Tabakwarenhändlern zu finden. Sie fanden ein geneigtes Ohr bei der Reichsregierung, die auf ihr Drängen ein Maschinenverbot erlassen hatte, und bei Behörden auf nationaler und regionaler Ebene. Wo die NSDAP in dieser Angelegenheit stand, ist für uns nicht klar.

Den ganzen Herbst 1933 wurde um das Tabakkontingent, das den Deutschen Zigarren-Werken zugesprochen werden sollte, gestritten. Dies geschah mit äußerster Ernsthaftigkeit und verblüffender Genauigkeit. Der erste offizielle Beschluss für ein Kontingent fiel am 19. September. Nach seitenlangen Berechnungen und Argumentationen legte das Zollamt Meißen die maximal zulässige Anzahl von Zigarren pro Jahr auf 53.311.953 Stück fest. Es wurde auch vorgerechnet, wie viele Zigarren die Deutschen Zigarren-Werke zwischen dem 1. August 1933 und dem 31. März 1934 produzieren durften, nämlich genau 32.981.311 Stück.

Rottenberg hatte das Recht, Einspruch zu erheben, und das tat er auch. Eine Woche später reichte er seine Beschwerdeschrift ein, gefolgt von weiteren Argumenten im Oktober und November. Er sprach nun von »wenigstens 70 Millionen Zigarren« pro Jahr, um ohne Verlust produzieren zu können.

Irgendwann im August oder September, in der Hitze des Gefechts um das Überleben der Fabrik, änderte unser Großvater die Art und Weise, wie

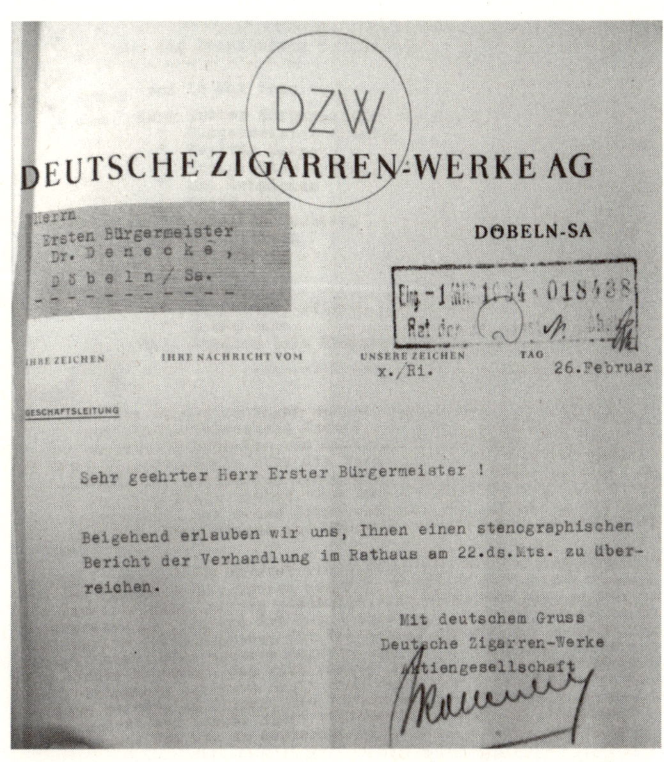

DEUTSCHE ZIGARREN-WERKE AG

DZW

Herrn
Ersten Bürgermeister
Dr. D e n e c k e ,
D ö b e l n / Sa.

DÖBELN-SA

IHRE ZEICHEN | IHRE NACHRICHT VOM | UNSERE ZEICHEN x./Ri. | TAG 26.Februar

GESCHÄFTSLEITUNG

Sehr geehrter Herr Erster Bürgermeister !

Beigehend erlauben wir uns, Ihnen einen stenographischen Bericht der Verhandlung im Rathaus am 22.ds.Mts. zu überreichen.

Mit deutschem Gruss
Deutsche Zigarren-Werke
Aktiengesellschaft

Abb. 26 Brief von Isay Rottenberg, »mit deutschem Gruss« unterzeichnet

er seine Briefe unterzeichnete. Bis dahin hieß es immer »In größter Hochachtung« oder»In Ergebenheit«. Jetzt stand plötzlich am Ende seiner Briefe »Mit deutschem Gruß«. War es seine eigene Idee oder der Rat eines ihm wohlgesonnenen Nazis? Auf jeden Fall hielt er es für vernünftig, sich den Gepflogenheiten anzupassen und den deutschen Gruß zu verwenden.

Trügerische Normalität

Binnen weniger Monate hat die nationalsozialistische Machtergreifung die alten Institutionen und Normen zerstört. Die pluralistische Gesellschaft von vor 1933 existierte nicht mehr, politische Parteien und Gewerkschaften waren aufgelöst, bei öffentlichen Bücherverbrennungen wurde »entartete« oder»volksfeindliche« Literatur in die Flammen geworfen, politisch unliebsame und jüdische Beamte wurden entlassen, die Nazifizierung von Organisationen und Verbänden war nahezu abgeschlossen.

Aber wenn man das Verhalten der staatlichen Verwaltung betrachtet, scheint es, als ob die Bürokratie, während die Revolution im Land tobte, einfach hinter ihrem Schreibtisch sitzen geblieben ist und ihre eigenen Regeln und ihre Kultur wie zuvor befolgte. Sie zog jetzt lediglich einen neuen Stempel aus der Schublade, auf dem der Adler der Weimarer Republik durch das Hakenkreuz des Dritten Reiches ersetzt worden war.

In Döbeln sehen die städtischen Jahresberichte genauso zuverlässig aus wie ein paar Jahre zuvor, mit Rubriken wie Arbeitslosenunterstützung, Wohlfahrtspflege, Wandererheim, Wohnungswesen, Volksgesundheit, Finanzlage, Polizei, Strafverfahren, Schulen und Wahlen. Am Jahresende erhielten die städtischen Dienststellen den Auftrag, Bilanz zu ziehen, und wie immer konnte der Jahresbericht pünktlich Anfang Januar veröffentlicht werden. Geblieben sind ebenfalls die Unterzeichnungsketten, die Höflichkeiten, die Hierarchien, die Beschlüsse, die sorgfältig und nach Studium der gesetzlichen Vorschriften gefasst wurden, und das Absichern gegen Vorwürfe. Das zeigt sich in der Korrespondenz rund um das Maschinenverbot, in Dutzenden von Briefen über zahlreiche Instanzen und Behörden hinweg, um die Anzahl der Zigarren für die Deutschen Zigarren-Werke festzulegen. Es wirkt trügerisch normal und legal. Die Ausführenden haben dies wahrscheinlich ähnlich empfunden: kurz umgewöhnen, ein paar neue Begriffe und Symbole lernen, und dann einfach weitermachen.

Die Befugnis, die Tabakquote festzulegen, lag formell beim regionalen Zollamt. Nach einem Einspruch muss das sächsische Finanzministerium eine Entscheidung treffen. Aber die Entscheidung über Rottenbergs Einspruch wurde plötzlich vom Reichsfinanzministerium in Berlin blockiert. Der Minister, oder wer auch immer in seinem Namen unterzeichnet hatte, hat der Angelegenheit große Bedeutung beigemessen und wollte, dass Dresden seinen Standpunkt zuerst in Berlin darlegte.

Wer hinter den Kulissen dafür gesorgt hatte, dass der Fall in Berlin aufgegriffen wurde, geht aus den Dokumenten nicht hervor. Dr. Kolbe, ein hochrangiger Finanzbeamter, wird es nicht gewesen sein.

Kurz nach dem Fall von Krenter ließ er die Stadt Döbeln wissen, er sei froh, dass »die Pest« zu Ende sei, die Pest, gegen die sich die gesamte Tabakbranche Deutschlands aufgelehnt hatte, weil durch Krenter »Hunderttausende von Arbeitern« hätten brotlos werden können. War es also die amerikanische Botschaft, die sich für die amerikanischen Maschinen der Deutschen Zigarren-Werke ausgesprochen hat? Wir stießen auf einen Hinweis – einen Besuch eines hochrangigen amerikanischen Diplomaten im Ministerium in Berlin. Aber ob das ausschlaggebend war?

Dresden erklärte seinen Standpunkt den höheren Instanzen in Berlin: Gemäß § 3.1 des Gesetzes sei es nicht möglich, die Deutschen Zigarren-Werke mehr Zigarren als 1932 herstellen zu lassen, und Rottenbergs Einspruch sei daher unbegründet. Aber weil Berlin der Angelegenheit so viel Bedeutung beimaß, ließ Dresden eine Überprüfung durchführen und kam zur selben Schlussfolgerung wie der Eigentümer und Direktor Rottenberg: Erst ab einer Jahresproduktion von 70 Millionen Zigarren wäre die Fabrik rentabel. Woraufhin sich der Beamte sofort gegen den Vorwurf absicherte, er sei derjenige, der dieses hohe Produktionsniveau befürworte, denn im nächsten Satz schrieb er: »Dazu besteht aber nach Gesetz m. E. keine Möglichkeit. Aus diesem Grunde glaube ich von einer Befürwortung des Erhöhungsantrages absehen zu sollen und bitte um Entscheidung.« Er überließ die Entscheidung in dieser heiklen Frage Berlin.

An die geheime Staatspolizei

Das Verbot der Neuanschaffung von Maschinen hatte bereits dazu geführt, dass die überwiegende Mehrheit der 190 deutschen Zigarrenfabriken, die unter das Gesetz fielen, ihre Maschinen stillgelegt und eine finanzielle Entschädigung beantragt hatten. Ende Oktober 1933 hatten 185 Fabriken ihre Maschinen – oft handelte es sich nur um ein paar – stillgelegt und abgegeben. Sie wählten die Sicherheit eines Geldbetrags anstelle des Risikos einer Produktionssenkung.

Der Reichsverband Deutscher Zigarrenhersteller e. V. war verärgert, dass immer noch fünf Fabriken ihre Maschinen unbeirrt laufen ließen und die Regierung nichts dagegen unternahm. Bei den Verhandlungen über das Gesetz habe nie der geringste Zweifel daran bestanden, so der Reichsverband, dass der Wirtschaftsminister die Maschinenfabriken zur Drosselung der Produktion und damit zur Stilllegung ihrer Maschinen zwingen werde. Der Reichsverband hat seine Mitglieder wiederholt auf diese Gefahr hingewiesen und dadurch erreicht, dass viele Firmen die maschinelle Produktion aufgegeben haben. Von den fünf Fabriken, die noch mit Maschinen arbeiteten, »ist die Wesentlichste die Deutsche Zigarren-Werke in Döbeln, die etwa 120 Maschinen angemeldet hat. Ihr Hauptaktionär und Leiter ist der holländische Staatsangehörige Isay Rottenberger [sic!]. Die Maschinen, mit denen die Firma arbeitet, sind amerikanischer Herkunft.« Der Verband fand, es sei eine Schande, dass ein Ausländer, der in Deutschland mit ausländischen Maschinen konkurrierte, bevorzugt behandelt werde. Dem musste schnell ein Ende gesetzt werden.

Es blieb nicht bei einem wütenden Brief an ein Ministerium.

An die Geheime Staatspolizei, Dresden.

Bei einem heute stattgefundenen Besuch in der Firma Paul Lungwitz Nachf., berichteten die Herren Karl Schaedtler, Rohtabakhändler aus

Rotterdam, Hans Biehl, Rohtabakvertreter aus Frankenberg, über ihren in diesen Tagen erfolgten Besuch bei den Deutschen Zigarren-Werken in Döbeln. Der Hauptaktionär dieser Firma, Herr I. Rottenberg (nicht-arischer Abstammung), kam auf den Ausfall der Wahlen vom 12. November zu sprechen. Folgende wörtliche Äußerung ist von Herrn Rottenberg den Herren Karl Schaedtler und Hans Biehl gegenüber gefallen:
»Wenn Sie es noch nicht wissen, so kann ich Ihnen beweisen, dass ich ein Jude bin. Als Parier [gemeint ist Paria] gebe ich heute aber 650 christlichen Arbeitern Beschäftigung. Bei den vorletzten Wahlen hatten die Nationalsozialisten 48 % mit Mühe und Not zusammengebracht. Bei der letzten Wahl wurden 92 %des Volkes Nationalsozialisten. Dieses Volk ist wie eine Hure!, man verspricht ihr eine Kleinigkeit und schon legt sie sich auf's Sofa!« Als langjähriger Parteigenosse erstatte ich hiermit pflichtgemäß sofortige Anzeige. Die von mir angeführten Zeugen sowie auch meine Person können jederzeit beeiden, daß meine auf Blatt I gemachten Ausführungen den Tatsachen entsprechen.
Heil Hitler.

Der Mann, der die Anzeige vom 17. November 1933 unterzeichnete, heißt Ernst Deter. Wir waren ihm bereits begegnet, als er im März 1933 mit seinem NSDAP-Parteigenossen und Reichstagsabgeordneten Herbert Ender für ein Maschinenverbot plädierte. Er selbst war Vorstandsmitglied im Verband der Zigarrenfabrikanten und besaß eine Fabrik in Frankenberg, unweit von Döbeln. Uns war sofort klar, dass er Hass gegen unseren Großvater hegte und sich bei der NSDAP sehr wohl fühlte. Wie gefährlich er war, verstanden wir erst später. Im Staatsarchiv Dresden befindet sich eine Nachkriegs-Zeugenaussage über Deter, gegen den damals ein Verfahren wegen Verbrechen gegen die Menschlichkeit eingeleitet worden war. Darin berichtete eine Frau Fischer, dass ihr Mann am 10. Mai 1933 in der Haft zu Tode geprügelt wurde. Man teilte ihr mit, dass ihr Mann, der fünf Tage zuvor verhaftet worden war, sich in seiner Zelle erhängt habe. An seinem

Körper, den sie zu sehen bekam, fand sie Spuren schwerer Misshandlungen. Die Täter waren ihr zufolge drei SS-Männer aus Frankenberg. Als Verantwortlichen für den Mord nannte sie Ernst Deter. Bei Arbeitskonflikten, so erklärte sie, geriet Deter immer wieder mit Fischer aneinander, einem aktiven Sozialdemokraten, Mitglied des Tabakarbeiterbundes und Laienrichter am Amtsgericht. Deter hatte ihm laut Frau Fischer angedroht, »wenn das Dritte Reich angebrochen wäre, Fischer als Erster gehängt werde.« Am 10. Mai hatte Deter zu Arbeitern in seiner Firma gesagt: »Na, nun ist der Fischer tot«, während Fischers Frau davon noch nichts wusste.

Deters Anzeige gegen unseren Großvater befindet sich sowohl in den Archiven von Berlin als auch in denen von Leipzig und Dresden. Deter schickte Kopien mit Erläuterungen an zahlreiche NSDAP-Instanzen in der Hoffnung, dass auf seinen Alarmruf endlich einmal reagiert würde. Was den Inhalt der Anzeige betrifft, so zweifeln wir nicht daran, dass unser Großvater so etwas gesagt haben könnte. Gröber, als wir es von ihm kennen, so war es aber doch typisch für ihn, einen bildhaften Vergleich zu ziehen. Natürlich wahnsinnig unvorsichtig, die Nazis und das deutsche Volk derart zu beleidigen. Aber es ist auch ein Hinweis darauf, dass er sich für unverwundbar hielt.

8

Deutsch und tugendhaft

Wir sitzen in dem kleinen Raum auf dem Dachboden des Döbelner Rathauses, wo uns die Stadtarchivarin Ute Wiesner untergebracht hat, nachdem sie die elf Mappen über die Deutschen Zigarren-Werke entdeckt hatte. Wenn man aufsteht und aus dem Fenster schaut, sieht man die roten Dächer der Altstadt und unten das holprige Kopfsteinpflaster. Wir durchstöbern schon seit Stunden die Briefe, Notizen und Berichte über die Deutschen Zigarren-Werke, als wir auf eine lange Reihe dicht beschriebener Seiten stoßen. Wir blättern zurück und lesen aufmerksamer. Es sieht aus wie der Text eines Theaterstücks. Die Rollenverteilung mit den Namen der Akteure steht oben. Vor jedem Absatz ist die Person, die den Text spricht, unterstrichen. Hier und da sehen wir auch Regieanweisungen wie »steht auf«, »macht Anstalten zu gehen«, »unterbrechend« und »erhebt die Stimme«.

Es muss ein Stenogramm sein, eine wortwörtliche Niederschrift einer Sitzung. Wir erkennen die meisten Namen wieder: Bürgermeister Denecke, sein Stellvertreter Nitzsche, Korvettenkapitän Saupe, NSDAP-Kreisleiter Groine, Fabrikant Ernst Deter, der Jurist des Reichsverbandes Deutscher Zigarrenhersteller e. V., Taubert, Mitglieder der Industrie- und Handelskammer Chemnitz und unser Großvater mit seinem Rechtsberater Oehmichen, Betriebsleiter Georg Berns und zwei weiteren Mitarbeitern der Fabrik. Ort der Handlung, Datum und Zeit: Besprechung im Rathaus am 22. Februar 1934 von 10 Uhr morgens bis 14:45 Uhr nachmittags.

Die Sitzung muss in dem Gebäude stattgefunden haben, in dem wir uns jetzt befinden. Unser Großvater im Gespräch mit NSDAP-Bonzen, NS-Verwaltungsbeamten, Konkurrenten aus der Tabakindustrie und dem Mann, der ihn bei der Gestapo angezeigt hat, Ernst Deter. Wäre es möglich, den Raum zu finden, in dem sie tagten?

Wir gehen zwei Stockwerke hinunter und klopfen bei der Sekretärin des Bürgermeisters an. Wir erklären ihr, wer wir sind. Die wichtigsten Räume und Säle im Rathaus haben ihre einstige Funktion behalten, berichtet sie.

Sie führt uns in die Amtsstube des Bürgermeisters. Nein, der Tisch ist zu klein für die Runde von 1934. Gibt es noch einen weiteren Sitzungssaal? Ja natürlich, sagt sie, und öffnet die Tür hinter dem Schreibtisch des Bürgermeisters. Wir stehen auf der Schwelle zu einem geräumigen Saal mit einem großen Konferenztisch in Längsrichtung. Der Tisch ist alt, aus Eichenholz und die Tischplatte ist mit grünem Leder bezogen; darum herum stehen etwa 16 altmodische Holzstühle mit Armlehnen. Die Wände sind mit dunklem Holz vertäfelt. Flügeltüren führen auf den schmalen Balkon über dem Rathausplatz. Wir lassen den Raum auf uns wirken. Hier müssen sie gesessen haben. Die Möbel, der Boden, die Einrichtung – alles scheint in der Zeit eingefroren zu sein. Nur die Wanddekoration wird sich wohl verändert haben. Hier sind nun harmlose Stadtansichten und Landschaften zu sehen. Damals müssen hier Hakenkreuze und ein Porträt des Führers gehangen haben. Mehrere Minuten lang gehen wir um den Tisch herum, berühren ihn und schauen aus den Fenstern, überwältigt von der historischen Erfahrung.

Wir bekommen den Drang, das Stenogramm herauszuholen und es als Theaterstück aufzuführen. Es könnte vielleicht helfen, uns in Großvaters Lage hineinzuversetzen, wie er hier in diesem Saal saß, unter den wach-

Abb. 27 Der Konferenztisch im Rathaus von Döbeln

samen Augen des Führers, umgeben von Männern in braunen Hemden und schwarzen Stiefeln und Männern, die äußerlich wie Bürger aussahen, innerlich aber Nazis waren.

Der Druck wird erhöht

Die Sitzung im Saal neben der Amtsstube des Bürgermeisters, so rekonstruieren wir später, wurde einberufen, weil immer mehr Instanzen in den Konflikt um die Fabrik involviert waren und die Angelegenheit vom Reichsverband Deutscher Zigarrenhersteller e. V. auf die Spitze getrieben wurde. Es ist erstaunlich, wer sich alles einmischte! Das Reichsfinanzministerium, das Reichswirtschaftsministerium und das Reichsarbeitsministerium, die sächsischen Ministerien für Wirtschaft, Finanzen und Soziales, die Deutsche

Arbeitsfront, die Industrie- und Handelskammer Chemnitz, die NSDAP in Berlin, Dresden und Döbeln.

Die von Ernst Deter bei der Gestapo erstattete Anzeige gegen Herrn Rottenberg und die Kopien, die Deter an Parteigenossen schickte, konnten nicht ignoriert werden. Der Reichstagsabgeordnete Herbert Ender, den Deter seinerzeit dazu gedrängt hatte, ein Maschinenverbot in der Zigarrenindustrie durch die NSDAP zu verhängen, forderte das Wirtschaftsministerium in Dresden auf, gegen die Deutschen Zigarren-Werke vorzugehen. Trotz des Maschinenverbots sind in den Deutschen Zigarren-Werken, wie er weiß, immer noch alle Maschinen im Einsatz. Die Deutschen Zigarren-Werke seien die Nachfolger von Krenter, der mit seinen Maschinen das gesamte Handarbeitsgewerbe gefährdet und somit das Maschinenverbot notwendig gemacht habe.

> *Ebenfalls verdient der nicht-deutsche Jude Rottenberger [sic!], wohnhaft in Döbeln, absolut nicht die Berechtigung, sein schmutziges Handwerk weiter betreiben zu können. Sie sehen aus aushängendem Schriftsatz an die geheime Staatspolizei, dass der Mann sich politisch auch noch in einer nicht misszuverstehenden Form betätigt. Ich bitte Sie freundlichst, einschreiten zu wollen. Heil Hitler.*

Herbert Ender unterzeichnete als Wirtschaftsberater der NSDAP im Gau Sachsen, eine Funktion, die hauptsächlich dazu diente, für die Interessen von kleinen und mittelständischen Unternehmen einzutreten. Nicht viel später waren es diese Berater, die die Unternehmen der Juden für die Arisierung benannten.

Das Wirtschaftsministerium in Dresden wurde durch Enders Brief aufgerüttelt und wandte sich mit eindringlichen Fragen an die Stadtverwaltung Döbeln. In einer ausführlichen Antwort vom 11. Dezember 1933 gab sich Bürgermeister Denecke alle Mühe, die Fabrik und Isay Rottenberg in einem günstigen Licht darzustellen. Die Tatsache, dass der Mann Jude war, musste in diesem Fall kein unüberwindbares Problem darstellen.

Es ist uns bekannt, dass der Hauptaktionär und Geschäftsführer der Deutschen Zigarren-Werke A.-G. Rottenberg Jude ist. Er wird auch von uns als solcher behandelt werden, wenn er in irgendeiner Weise gegen die Interesse Deutschlands verstösst. Bisher hat er sich sehr anständig gezeigt und ist immer bestrebt gewesen, für die bei den Deutschen Zigarren-Werke A.-G. beschäftigten Arbeitskräfte Arbeit und Brot zu schaffen.

Unser Großvater genoss, so geht aus dem Brief hervor, viel Wohlwollen der Stadtverwaltung, weil er neben schwer vermittelbaren Ungelernten auch Menschen beschäftigte, die nicht voll arbeitsfähig waren und anderweitig keine Arbeit finden konnten. Bürgermeister Denecke, NSDAP-Mitglied und SA-Mann, schreckte nicht einmal davor zurück, die Anzeige bei der Gestapo als Unsinn abzutun: »Wir müssen deshalb auch die in der vorstehenden Anzeige angegebenen Vorgänge als Konkurrenzmanöver ansehen, solange nicht das Gegenteil bewiesen sei.« Zudem wies er das Ministerium darauf hin, dass Rottenberg niederländischer Staatsbürger sei. Er warnte davor, dass es zu ernsthaften Problemen zwischen der niederländischen Regierung und dem Deutschen Reich kommen könnte, wenn gegen Rottenberg etwas unternommen würde, ohne dass es dafür besonders stichhaltige Gründe gäbe. Der niederländische Gesandte hatte sich jedenfalls bereits mehrfach an die Regierung in Berlin gewandt, und auch die amerikanische Botschaft hatte schon mit einer Frage zum Tabakkontingent für die Deutschen Zigarren-Werke bei der Regierung angeklopft.

Neben Ernst Deter, der persönlich Anzeige erstattet und mehrere Beschwerden eingereicht hatte, erhöhte auch der Reichsverband der Deutschen Zigarrenhersteller e. V. den Druck. Die Deutschen Zigarren-Werke seien die einzige bedeutende Fabrik, die sich nicht um das Maschinenverbot kümmere, protestierte der Reichsverband. Hinzu kam, dass der Eigentümer und Direktor Jude war – es ist das erste Mal, dass der Verband dies so explizit als Einwand gegen die Fabrik erwähnte – und mit amerikanischen Maschinen arbeitete. Das Wirtschaftsministerium in Berlin teilte den anderen Ministerien mit, dass der Fall der Deutschen Zigarren-Werke dringend einer Lösung bedürfe.

Das Reichsministerium wurde von zwei Seiten in die Zange genommen: Einerseits forderten die Zigarrenfabrikanten, das prominente NSDAP-Mitglied Ender und ein westfälischer Führer der Deutschen Arbeitsfront Maßnahmen, andererseits drängten amerikanische und niederländische Diplomaten den Minister nachdrücklich, die Deutschen Zigarren-Werke unbehelligt zu lassen.

Das Finanzministerium in Berlin durchschlug den gordischen Knoten. Am 4. Januar 1934 legte es eine Produktionshöchstgrenze für die Deutschen Zigarren-Werke fest. Das Argument von Rottenberg, dass die Fabrik 1932 Insolvenz anmeldete und erst nach Monaten wieder in die Gänge kam und daher 1932 nicht als Referenzjahr herangezogen werden kann, wurde akzeptiert. Dabei wurde auch berücksichtigt, dass das Unternehmen bei einer monatlichen Produktion von 6 Millionen Zigarren kostendeckend arbeitete und erst darüber hinaus einen Gewinn erzielen konnte. Eine Jahresproduktion von 62 Millionen Zigarren hielt das Ministerium für »vertretbar«.

Vielleicht hoffte das Ministerium, es sich so mit keinem zu verderben. Mit 62 Millionen Zigarren, also etwas mehr als 5 Millionen pro Monat, konnte das Unternehmen keinen Gewinn erwirtschaften und kaum kostendeckend arbeiten. Aber der Fortbestand des Unternehmens und damit die 670 wertvollen Arbeitsplätze wurden dadurch vermutlich gesichert. Das Ergebnis des monatelangen Tauziehens: Die zuvor festgelegte Höchstgrenze von 53 Millionen wurde um fast 10 Millionen erhöht.

Gegenoffensive

Kaum war die Entscheidung gefallen, wurde von unerwarteter Seite eine Gegenoffensive gestartet. Kein Geringerer als Robert Ley, der Leiter der Deutschen Arbeitsfront, hielt ein flammendes Plädoyer für den Einsatz von Maschinen. Bei einem Besuch in einer westfälischen Zigarrenfabrik hielt er eine Rede, in der er die Vorstellung, die Maschine sei ein Feind des Menschen, als rückständig bezeichnete. »Wir können uns das Leben heute gar nicht mehr vorstellen ohne die Maschine. Wenn Sie die Maschine zerschlagen, dann kommen Sie letzten Endes wieder auf ein Kulturniveau zurück, das dem Höhlenbewohner gleicht.« Wir wollen, dass sich auch der Arbeiter den Luxus einer Zigarre oder eines Autos leisten kann, sagte er. Der Marxismus habe den Arbeiter in Verzweiflung gestürzt. Wir wollen ihm wieder Hoffnung und Glauben geben. Nicht die Produktion muss gesenkt, sondern der Konsum gesteigert werden, denn genau dadurch entsteht mehr Arbeit. Die Maschine ist dafür unentbehrlich.

Ley widerlegt die Theorie der »Maschinenstürmer«, dass Maschinen automatisch zur Überproduktion führen. Maschinen sorgen gerade für eine ausreichende Produktion, für ein normales Konsumniveau des deutschen Volkes und beenden das Elend unserer Zeit »mit ihren furchtbaren Wunden aus Krieg, Versailles und 14-jähriger marxistisch-liberalistischer Misswirtschaft.« Er versicherte, dass das Maschinenverbot in der Zigarrenindustrie eine Ausnahme bleibe und der Rest der Industrie, einschließlich anderer Zweige der Tabakverarbeitung, davor geschützt werde. Es fehlte nur noch, dass er das Maschinenverbot in der Zigarrenindustrie offen als großen Fehler bezeichnete.

Unser Großvater fasste Leys Worte so auf und schickte ein Exemplar der *Vereinigten Tabakzeitungen*, in dem die Rede von Ley abgedruckt war, an Bürgermeister Denecke. Der Ton seines Begleitschreibens ist triumphierend.

> *Wir bitten Sie höflichst die Zeit zu nehmen und diesen Artikel bis zu Ende zu lesen. Es sind dort Meinungen von bedeutenden Führern des heutigen Deutschlands vertreten über die Verwendung von Maschinen in der Zigarrenindustrie von dem Führer der Arbeitsfront Dr. Ley. Meinungen, welche wir stets vertreten haben und die dem gesunden Verstand Rechnung tragen.*

Eifrig präsentierte er Robert Ley als Autorität, da Leys Meinung mit seiner eigenen übereinstimmte und die Position der Deutschen Zigarren-Werke stärkte. Es schien ihn anscheinend nicht zu kümmern, dass Ley nicht nur als Nazi der ersten Stunde, sondern auch als fanatischer Antisemit bekannt war. Bereits in den späten 1920er- und frühen 1930er-Jahren führte Ley Hasskampagnen gegen jüdische Kaufhäuser und gegen »die jüdische Finanzmacht«, und tobte oft in blinder Wut. Es erscheint uns unwahrscheinlich, dass Isay Rottenberg dies nicht wusste.

Nach der endgültigen Festlegung der Zigarrenproduktion wurde die verkürzte Arbeitszeit aufgehoben, und die Deutschen Zigarren-Werke gingen feierlich zur vollen Arbeitszeit von 48 Stunden pro Woche über. Aber der Konflikt war noch nicht vorbei. Einen Tag, nachdem bekannt geworden war, dass die Deutschen Zigarren-Werke weiter betrieben werden durften, verfasste der Zigarrenfabrikant Ernst Deter eine mehrseitige Beschwerde, die er an den Verbindungsstab der NSDAP in Berlin richtete. Eine Kopie ging an das Reichsfinanzministerium. Das Ministerium zeigte sich nun verärgert, es hatte genug von dem Theater. Deter erhielt eine kurze Antwort mit einer formellen Erklärung des Gesetzes. Gleichzeitig wollte das Ministerium den Störenfried endgültig in die Schranken weisen und bat Dresden zu prüfen, ob Deters »auffallende Kenntnis von Einzelheiten der Firma« eine Verletzung des Steuergeheimnisses bedeute.

Deter setzte jedoch unermüdlich seine Mission fort, die Schließung der Deutschen Zigarren-Werke zu erzwingen. Er verbreitete das Gerücht, dass Rottenberg den Leiter der Zollbehörde bestochen habe. Auch andere Fabrikanten forderten ein Ende der Sonderstellung der Deutschen Zigarren-Werke. Hörte denn das niemals auf?

Die Verteidigung

Beim Durchblättern der Unterlagen fiel unser Blick auf ein achtseitiges maschinengeschriebenes Dokument auf dem Briefpapier der Deutschen Zigarren-Werke. »Darstellung« steht darüber. Es ist eine »zusammenfassende Darstellung über den Aufbau und die Entwicklung der Firma Deutsche Zigarren-Werke, Aktiengesellschaft«. Das Dokument ist auf den 29. Januar 1934 datiert und wurde vermutlich von unserem Großvater verfasst, um sich einmal von Anfang bis Ende gegen alle gegen ihn erhobenen Anschuldigungen zu verteidigen.

Der Text erläutert haargenau die Geschichte der Fabrik und analysiert die Fehler, die Krenter begangen hat und durch die die Fabrik zugrunde zu gehen drohte. Nach dem Konkurs von Krenter gab es, wie er ausführlich betont, keine deutschen Übernahmeinteressenten. Der Name, der von der Handelskammer Chemnitz noch immer angefochten wird, war wohlüberlegt.

> *Durch die Wahl des Namens, die ca. ½ Jahr vor der nationalen Erhebung erfolgte, sollte auch nach aussen zu erkennen gegeben werden, dass das Werk auf deutscher Grundlage geführt werden sollte, zumal auch der ausländische Kapitalbeteiligte, trotz seiner holländischen Staatsangehörigkeit, seit Jahrzehnten besondere Bindungen zum Deutschtum besass.*

Wir bekommen auch einen Einblick in die Personalpolitik. Offenbar musste er sich gegen den Vorwurf wehren, das Unternehmen habe Gegner des NS-Regimes eingestellt und Anhänger der NSDAP abgelehnt. Er schreibt, dass bei der Einstellung von Personal »nur bewiesene Leistungen« zählten.

> *Als kurz nach der Eröffnung des Betriebes von Aussenstehenden Denunziationen einliefen, wonach sehr wichtige Posten, wie Leitung*

der Registratur, Telefonzentrale, Meisterposten usw. Angehörigen der NSDAP anvertraut worden waren, wurden diese Angebereien auf das schärfste zurückgewiesen.

Zu welchem Zeitpunkt dies geschah, ist uns nicht klar. Spricht er vom SA-Überfall im Frühjahr 1933 und sind dies Zugeständnisse, die er machen musste, um die Fabrik behalten zu können? Dass er Nazis in Schlüsselpositionen berufen musste, damit sie über das Unternehmen berichten konnten?

Er malt ein rosiges Bild vom Arbeitsklima und den Arbeitsbedingungen. Es ist angenehm, bei den Deutschen Zigarren-Werken zu arbeiten. Beim Neubeginn nach dem Konkurs wurde die Belegschaft zusammengerufen und ein Mitglied der Geschäftsführung erklärte ihr, dass dieser nur gelingen könne, wenn jeder sein Bestes gebe. Der Redner leugnete das Prinzip des Klassenkampfes und beendete seine Rede unter allgemeinem Beifall mit den Worten: »Wir kennen keine Angestellten und Arbeiter, wir kennen nur Mitarbeiter.«

Was unser Großvater hier präsentiert, passt genau in die Naziideologie, die den marxistischen Klassenkampf verketzerte und stattdessen die harmonische »Volksgemeinschaft« zum Ideal erhob. Merkwürdig ist nur, dass der Neubeginn der Deutschen Zigarren-Werke im Herbst 1932 stattfand, als die Nazis noch nicht an der Macht waren. Waren die Nazis schon damals so dominant, dass sie die Verhältnisse im Unternehmen bestimmten? Eher unwahrscheinlich, denn ihre Gewerkschaft war nicht populär, insbesondere nicht im roten Döbeln. Hatte Isay Rottenberg etwa diese Geschichte erfunden oder hatte er sie zurückdatiert, um zu beweisen, wie deutsch und tugendhaft er sein Unternehmen führte?

Soweit möglich, schreibt er, wurden Löhne über den Tarifen gezahlt. In den kurzen Phasen der Stilllegung wurde das Personal weiter bezahlt und in der Kantine gab es immer gute Mahlzeiten. Die Fabrik ermutigte die Menschen, einem bürgerlichen, unpolitischen Sportverein beizutreten, um das Gemeinschaftsgefühl zu stärken. Zur Förderung der geistigen Entwicklung der Arbeiter verteilte das Unternehmen erzählende Literatur kostenlos oder zu einem niedrigen Preis.

Die Moral wurde wiederhergestellt. Wenn jemand beim Stehlen erwischt wurde, wurde er oder sie nicht entlassen, sondern der Person wurde ins Gewissen geredet und das Ehrenwort abverlangt, es nie wieder zu tun. Um die Versuchung zu mindern, wurden kleine Mengen an Zigarren kostenlos verteilt, die in den Pausen geraucht werden durften, und die Arbeiter konnten Zigarren mit Rabatt kaufen. Nicht zu viel Rabatt und nicht zu viele Zigarren, denn natürlich wurden auch die Interessen der lokalen Händler berücksichtigt. Rottenberg lobte Prämien für Verbesserungsvorschläge der Arbeitsmethoden aus, von denen die besser bezahlten Mitarbeiter ausgeschlossen waren. Dies führte zu einer qualitativen Verbesserung der Arbeitsbedingungen.

Rottenberg wehrte sich gegen die Anschuldigungen, den Markt zu verzerren. Er setzte sich von Anfang an das Ziel, freundschaftliche Beziehungen zu den Ladenbesitzern aufzubauen. Krenters Vorgehensweise gab er sofort auf. Keine grandiosen Werbekampagnen mehr, keine Markenzigarren, keine Lieferungen an Kaufhäuser. Und kein Preisdumping. Die meisten Konkurrenten verhalten sich seiner Meinung nach korrekt, »lediglich eine verschwindend kleine Zahl von Firmen versucht es immer wieder durch Verbreitung der widerspruchvollsten Gerüchte und Verbreitung erweislich unwahrer Tatsachen gegen uns Stimmung zu machen.«

Das Stilllegen der Maschinen in Döbeln würde nicht mehr, sondern weniger Arbeit schaffen, da es in der Stadt und in der übrigen Region keine arbeitslosen Zigarrenroller gibt, schreibt er. Zur Untermauerung seines Standpunktes verwies er auf die jüngste Rede von Dr. Ley. Abschließend zählte er auf, welche ausländischen Gäste die Deutschen Zigarren-Werke besucht hatten, und dass sie einen positiven Eindruck von der Fabrik und von Deutschland gewonnen hätten.

Er hat den Nazis sehr nach dem Mund geredet, unser Großvater. Das Wort »Deutschtum« und der Ausdruck »nationale Erhebung«, codierte Sprache für Hitler als Retter des Vaterlandes! Wie brachte er das nur über die Lippen? Wahrscheinlich hat er es seiner Sekretärin diktiert, während er auf und ab getigert ist, so wie wir dies von ihm nach dem Krieg in seiner Fabrik in Amsterdam kannten. Er war zwar selbst kein Deutscher, aber fast. Er machte keinen Unterschied zwischen leitenden Angestellten und Arbeitern; er führte das Unternehmen wie eine Volksgemeinschaft, wie es die Nazis gerne sahen. Seine Fabrik, ein Vorzeigeunternehmen, konnte als Werbung für das nationalsozialistische Deutschland dienen.

Vielleicht hatte er keine andere Wahl, wenn er sein Geschäft erhalten wollte, aber im Gegensatz zu den deutschen Juden besaß er einen niederländischen Pass. Er war freiwillig in Döbeln. Er konnte weg. Er konnte nach Hause. Er würde nur sein Kapital verlieren. Deutsche Juden konnten übrigens immer noch gehen, und viele taten das auch. Von den 525.000 Juden in Deutschland waren 1933 bereits 37.000 geflohen. Unser Großvater arbeitete jedoch weiter und verdiente Geld unter dem Naziregime.

Die Konfrontation

Drei Wochen, nachdem Isay Rottenberg die Geschichte und die Vorgehensweise seiner Fabrik zu Papier gebracht hatte, saß er im großen Sitzungssaal des Rathauses. Es war der 22. Februar 1934, ein Donnerstag. An dem langen Tisch saßen 13 Männer und Fräulein Ringler, die Stenotypistin, die unser Großvater mitgebracht hatte, damit er später nachweisen konnte, wer was gesagt hatte.

Nach all den Briefen, Notizen, Lobbybesuchen in den Ministerien, Gerüchten, Beschwerden und Anzeigen saßen sich die Kontrahenten nun endlich direkt gegenüber. Ernst Deter, der Nazifabrikant, der Anzeige bei der Gestapo erstattet und Beschwerde um Beschwerde eingereicht hatte, saß nun am selben Tisch wie Isay Rottenberg. Dank des wörtlichen Protokolls, das erhalten geblieben ist, sitzen wir sozusagen in der zweiten Reihe und können unseren Großvater in Aktion erleben.

Bürgermeister Denecke eröffnet die Sitzung. Die Besprechung wurde auf Ersuchen des Wirtschaftsberaters des NSDAP-Gaus Sachsen, Herbert Ender, organisiert, der erst kurz zuvor darauf gedrängt hatte, »den nichtdeutschen Juden Rottenberger« daran zu hindern, »sein schmutziges Handwerk weiter betreiben zu können«. Das Ziel sei es, so Denecke, den Reichsverband Deutscher Zigarrenhersteller e. V. (RDZ) in direkte Verhandlungen mit den Deutschen Zigarren-Werken über die Umstellung der Fabrik auf Handarbeit treten zu lassen.

Die Spannung steigt sofort, als Taubert, der Jurist des RDZ, erklärt, dass er, egal was passiere, »schussbereit« bleibe, um die Maschinen stillzulegen. Von den 190 Unternehmen mit Maschinen in Deutschland seien noch vier übrig. Drei davon hätten jeweils nur eine Maschine im Einsatz, nur die Deutschen Zigarren-Werke verzerrten mit ihren Maschinen den Markt.

Kapitän Saupe, wie er immer angesprochen wurde, Fabrikant und nach seiner Zeit als amtierender Bürgermeister nun Vorsitzender des Stadtrats und Vorstandsmitglied der Handelskammer, fragt sich laut, ob Verhandlungen auf diese Weise überhaupt sinnvoll seien. »Wir wollen ja eben mal sehen, wie die beiden Teile, auf der eine Seite die Handarbeit, auf der anderen Seite die Maschinenfabrik, nun ihre fachlichen Auseinandersetzungen führen können, ob überhaupt eine Möglichkeit besteht, dass man auf einer Basis zusammenkommt, die für immer die Differenzen ausscheidet. Sonst wäre es schade um die Zeit, die hier verbracht wird.«

Das schafft Raum für einen sachlicheren Ton. Rottenberg verteilt ein Dokument mit seiner Stellungnahme und erläutert es.

Wir wollen beweisen, dass eine Umstellung in unserem Falle unmöglich ist, obwohl der Wille dazu bestimmt vorhanden ist. Schon als das Gesetz kam, haben wir uns eingehend mit dieser Frage beschäftigt. Wir haben tagelang an dieser Frage gearbeitet, Kalkulationen aufgestellt, Erkundigungen eingezogen und haben die Unmöglichkeit einer Umstellung auf Hand schon damals eingesehen. Herr Gasch, der sich hier befindet, hat mit Mühe und Not nur 15 Leute in unserem

Betrieb finden können, die einigermassen Zigarren mit der Hand rollen konnten. Wie Herr Gasch mir ausdrücklich erklärt hat, war er mit dem Resultat dieser 15 Leute in keiner Weise zufrieden.

Er betont, dass »unser Betrieb mit keinem anderen Betrieb in Deutschland zu vergleichen ist. [...] Eine Umstellung, wo 80 % bereits als Basis vorhanden sind, ist natürlich viel leichter vorzunehmen, als bei uns, wo wir überhaupt keine Handarbeit haben.« Kurz angebunden, wie ein Uniformierter spricht, stimmt der NSDAP-Kreisleiter Groine ihm zu: »Das ist eine Selbstverständlichkeit und bedarf keiner Erörterung.«

Inzwischen hat Taubert die von Rottenberg zu Papier gebrachten Argumente durchgelesen und meint, es habe keinen Sinn, weiterzuverhandeln. »Schade um die Zeit«, sagt er und steht auf, um zu gehen. Aufs Neue schaltet sich Saupe ein. Er schwadroniert von der NSDAP-Gauleitung, die Ergebnisse verlange, und will schon zum Telefon greifen, um nach Dresden zu telefonieren. Taubert setzt sich wieder hin und die Sitzung wird fortgesetzt.

Rottenberg schlägt vor, die Berechnungen Punkt für Punkt durchzugehen und Fragen dazu zu beantworten. Zuerst sprechen sie über die Verfügbarkeit von ausgebildeten Fachkräften, die bei einer Umstellung auf Handarbeit für die Deutschen Zigarren-Werke arbeiten könnten. Er hat sich bei den Arbeitsämtern in der ganzen Gegend erkundigt und festgestellt, dass nur wenige arbeitslose Fachkräfte zu finden sind. Er fasst seine Erkenntnisse Punkt für Punkt zusammen. In Döbeln stehen zwanzig weibliche und drei männliche Zigarrenroller zur Verfügung. Aus den umliegenden Landkreisen könnten etwa zwölf weibliche und zwölf männliche Arbeitskräfte rekrutiert werden. Wenn mehr benötigt würden, müssten sie von außerhalb Sachsens kommen.

»Herr Deter kann sich vielleicht mit Bezug auf Frankenberg und Umgebung äussern, ob meine Erkundigungen richtig sind.« Deter fühlt sich gezwungen, dies zuzugeben: »Es ist richtig, dass in Frankenberg und Umgebung arbeitslose Facharbeiter nicht vorhanden sind.« Rottenberg fährt fort: »Ich will absichtlich bei jeder von mir vorgelesener Zahl etwas still-

- 18 -

Dr.Apitzsch: Man wird sich erst einmal bei anderen Firmen erkundigen, wie hoch dort die Unkosten sind.

Rottenberg: Der Vergleich würde auch dann nicht aufgehen, weil die Verhältnisse nun einmal anders gelagert sind.

Deter: Ich möchte noch ausdrücklich betonen: Sie können sich ja garnicht vorstellen, was wir für persönliche Angriffe bekommen haben, daß man in der ganzen Sache nichts unternommen habe. Es ist behauptet worden, wir vom Verband schützen Herrn Rottenberg. Mich interessieren die Fabrikate der DZW überhaupt nicht. Es soll kein Konkurrenzmannöver sein, die D.Z.W. kaputt zu machen.

Groine: Es wäre doch gut, daß sie jetzt überzeugt würden, daß die bestrebte Umstellung unter den gegebenen Verhältnissen nicht durchzuführen ist, sodaß sie ihre Verbandsmitglieder aufklären können.

Deter: Das kann ich nicht.

Groine: Auch mir ist wiederholt der Vorwurf gemacht worden, daß ich Herrn Rottenberg schütze.

Rottenberg: Seitdem ich in Döbeln bin, habe ich heute zum ersten Mal Gelegenheit, Herrn Kreisleiter Groine überhaupt zu sehen.

Saupe: Ich hoffe, daß die Herren von der sogenannten Gegenseite jetzt überzeugt sind, daß die Sache tatsächlich nicht so einfach ist.

Deter: Die Schwierigkeiten verkennen wir keinesfalls, weil sie rein finanziell sind.

Saupe: Ich verlange, daß Herr Deter nicht nach Berlin fährt, sondern abwartet, was die Handelskammer tut.

Deter: Gut ich gebe ihnen mein Wort. Ich fahre nicht nach Berlin und werde abwarten.

Saupe: Sehr gut.

Taubert: Herr Saupe, sie brauchen keine Angst zu haben.

Taubert: Hauert hat natürlich die Unkosten auch. Ich gebe zu, die sind dort geringer, weil er nur Zigarillos hat.

Gasch: Bei Zigarren ist es so. Bei uns sind 60 Leute, die sich als Facharbeiter ausgeben. Ich habe mir Mühe gegeben, um das einigermassen Brauchbare herauszusuchen und habe gefunden: 6 Wickelmacher und 8 höchstens 9 Roller und das waren sehr alte Frauen. Sie müssen bedenken, daß hier in Döbeln gar keine Grundlehre vorhanden ist. Genau so ist es jetzt in den anderen Gegenden Sachsens. Ich habe bestimmt Erfahrungen darin und ich habe Herrn Rottenberg auf Ehre und Gewissen beraten.

Rottenberg: (zu Taubert und Deter). Ich möchte noch die Frage der Preisschleuderei mit Ihnen verhandeln. Ich bin bereit, Ihnen eine ganze Anzahl Originalbriefe zu zeigen, die ich hier mitgebracht habe, woraus zu ersehen ist, daß alle unsere Vertreter im Kampfe mit den Kunden genau so stehen, wie die Vertreter der Handindustrie. Unsere Vertreter schreiben uns fortwährend, daß die Konkurrenz viel billiger sei als wir und die Konkurrenz uns in jeder Weise mit billigen Preislagen bei entsprechenden Grössen zuvor ist. Wenn es tatsächlich so wäre, wie die Herren es darstellen, daß wir so unglaublich billig sind, so müßten wir überhaupt keinen Vorrat haben.

- 19 -

Abb. 28 Eine Seite des Stenogramms

stehen, um Herrn Deter, der als Fachmann dieselben ohne weiteres beurteilen kann, Gelegenheit zu geben, sich hierzu zu äussern.« »Stimmt diese Zahl?«, fragt er jedes Mal, oder in einer Variante: »Ist diese zu hoch gegriffen oder zu niedrig?« Wenn Deter gelegentlich mit einer Berechnung nicht einverstanden ist, stimmt Rottenberg Deters Auffassung sofort zu. Ruhig, systematisch und gut vorbereitet – er hat Zahlen und Argumente parat – treibt Rottenberg Deter in die Enge. Gemeinsam kommen sie zum Schluss, dass eine Umstellung die Deutschen Zigarren-Werke mindestens 138.000 Reichsmark kosten würde und dass die Schulden für den nicht abbezahlten Maschinenpark noch hinzukämen. Alles in allem also ein Verlust von 700.000 Reichsmark. Dies würde unwiderruflich den Bankrott der Fabrik bedeuten.

Rottenberg würde gerne umstellen, nichts lieber als das, »schon deshalb, um nicht in ihrer Produktion beschränkt zu bleiben und vor allen Dingen um nicht die ewige Zielscheibe zu bleiben.« Aber leider, wie Deter jetzt wohl einsehen muss, ist das bei diesem Unternehmen einfach nicht möglich.

Deter sieht es nicht ein. Wenn andere Unternehmen ihre Maschinen stilllegen können, dann können es die Deutschen Zigarren-Werke auch. Und abgesehen davon, wenn die Deutschen Zigarren-Werke schließen müssen, werden 60 Millionen Zigarren anderswo in Handarbeit hergestellt, was Arbeit für bis zu tausend Arbeiter bedeutet. Rottenberg entgegnet, dass in diesem Fall bestehende Unternehmen die Produktion übernehmen würden und dass somit keine neuen Arbeitsplätze geschaffen würden.

Der NSDAP-Kreisleiter Groine unterstützt ihn und erklärt mit der Autorität, die ihm sein Amt und seine SS-Uniform verleihen: »Ich kann bestätigen, dass wenn ein Betrieb schliesst, in einer Zeit der Krisis, bestimmt kein neuer entsteht und die demzufolge entstehende Arbeitslosigkeit auch andere Beschäftigte arbeitslos macht. Dass die fehlende Produktion sich dann ohne weiteres auf andere Betriebe verteilt, kann ohne weiteres angenommen werden.«

Saupe und Denecke stimmen ihm zu. Um Rottenberg zu unterstützen, fährt Groine danach noch schwereres Geschütz auf, indem er sich auf den mächtigsten Nazi in Sachsen beruft: »Ich als Kreisleiter sitze hier im Auftrage des Reichsstatthalters Mutschmann, der uns Pflicht macht, dafür zu sorgen, dass mehr eingestellt wird. Er fordert uns auf, dafür zu sorgen, dass mehr Menschen beschäftigt werden. Ich bin verpflichtet, im Interesse der Arbeitsbeschaffung mich dafür einzusetzen, dass ein Weg gefunden wird, dass kein Arbeiter entlassen wird.«

Alfred Schneider, ein Mitglied von Rottenbergs Delegation, pflichtet Groine bei, indem er wiederholt, dass bei einer Umstellung auf Handarbeit 670 Menschen ihren Arbeitsplatz verlieren würden. Er lobt die harmonische Arbeitsatmosphäre bei den Deutschen Zigarren-Werken, an der sich andere Unternehmen seiner Meinung nach ein Beispiel nehmen könnten. »Es liegt uns vor allen Dingen daran, gerade diesen Betrieb zu erhalten, da wir uns kein besseres Zusammenarbeiten vorstellen können; denn es besteht zwischen der Direktion und den Angestellten sowie den Arbeitern das denkbar beste Verhältnis.«

Nachdem alle Argumente aufgebraucht sind, stehen nur noch Taubert und sein Kollege Apitzsch von der Industrie- und Handelskammer Chemnitz auf Deters Seite. Apitzsch lässt sich von all diesen Zahlen und Berechnungen nicht beirren und beharrt auf seinem Standpunkt:

> *Theoretisch können wir das nicht beweisen, es lässt sich nur praktisch nachweisen. Andererseits bedaure ich aber, dass ich das Material, was von der »Gegenseite« vorgelegt wird, nicht schon eher erhalten habe. Man kann aus Zahlenmaterial bei entsprechender Vorbereitung sowohl das als auch jenes machen. Jedenfalls kann ich auch auf Grund der heutigen Besprechung nicht sagen, dass ich davon überzeugt wäre, dass es der Firma DZW unmöglich wäre, die Umstellung vorzunehmen.«*

Der Grund für seinen Widerstand wird wenig später deutlich, als er berichtet, dass die Mitglieder der Handelskammer Maßnahmen fordern. »Die Erregung in den Kreisen der deutschen Zigarrenindustrie darüber, dass eine Firma allein heute noch da ist, die nicht zur Stillegung der Maschinen geschritten ist, ist ausserordentlich groß.«

Deter macht deutlich, dass ihm die Schlussfolgerungen der meisten Anwesenden egal sind, und kündigt an, dass er diese oder nächste Woche nach Berlin reisen wird, um beim Wirtschaftsministerium eine Senkung des Tabakkontingents für die Deutschen Zigarren-Werke zu erreichen. Aber er fühlt sich auch verpflichtet, seine Position zu verteidigen:

> *Sie können sich ja gar nicht vorstellen, was wir für persönliche Angriffe bekommen haben, dass man in der ganzen Sache nichts unternommen habe. Es ist behauptet worden, wir vom Verband schützen Herrn Rottenberg. Mich interessieren die Fabrikate der DZW überhaupt nicht. Es soll kein Konkurrenzmanöver sein, die DZW kaputt zu machen.*

Ganz glaubwürdig klingt das nicht. Kreisleiter Groine fordert Deter auf, seinen Widerstand aufzugeben. Er ist der Meinung, dass Deter nun anerkennen sollte, dass eine Umstellung nicht durchführbar ist, und dass er seine Mitglieder darüber informieren sollte. Die Anschuldigungen müsse er sich nicht zu Herzen nehmen, denn Groine selbst »ist wiederholt der Vorwurf gemacht worden, dass ich Herrn Rottenberg schütze.« Der Elefant im Raum, das Wort »Jude«, fällt nicht.

Seinerseits beeilt sich Rottenberg zu erklären, dass er heute, »seitdem ich in Döbeln bin, [...] zum ersten Mal Gelegenheit [habe], Herrn Kreisleiter Groine überhaupt zu sehen.«

Herr Dr. Apitzsch von der Handelskammer bittet Herrn Rottenberg, eine kurze und klare Verlustrechnung vorzulegen, falls das Unternehmen auf Handarbeit umstellen muss. Auf dieser Grundlage und basierend auf dieser Besprechung wird die Handelskammer eine Stellungnahme formulieren. Dann wendet sich Saupe an Deter: »Ich verlange, dass Herr Deter nicht nach Berlin fährt, sondern abwartet, was die Handelskammer tut.« »Gut, ich gebe Ihnen mein Wort«, kapituliert Deter. »Ich fahre nicht nach Berlin und werde abwarten.«

Sie hatten fast fünf Stunden lang getagt. Unser Großvater konnte zufrieden sein. Nicht nur die Stadtverwaltung, sondern auch führende Nationalsozialisten räumten der Bedeutung von Arbeitsplätzen höchste Priorität ein. Den Zorn in der Zigarrenindustrie zu zähmen, dem Mittelstand entgegenzukommen, einen jüdischen Unternehmer zu vergraulen – all das ist dem höheren Ziel untergeordnet: Arbeit und Brot für die Arbeiter in Döbeln.

9

Arbeit und Brot

Als die Nazis an die Macht kamen, war die Zahl der Arbeitslosen in Deutschland auf sechs Millionen angestiegen – das entsprach einem Drittel der erwerbstätigen Bevölkerung. Auch wenn sie die Demokratie sofort über Bord warfen, mussten sie ihr Regime dennoch legitimieren. Sie taten dies mit dem Versprechen von Arbeit, Einkommen und öffentlicher Ordnung.

1933 wurden sofort die Gelddruckmaschinen angeworfen, um den Aufbau der Infrastruktur zu finanzieren, die Arbeitsplätze für die Arbeiter schaffen sollte und gleichzeitig für den militärischen Aufbau Deutschlands notwendig war. Aus ideologischen, vor allem aber aus praktischen Gründen förderten die Nazis die Rückkehr der Frauen an den Herd. Eine Frau, die heiratete, erhielt vom Staat eine »Mitgift« unter der Bedingung, dass sie ihren Arbeitsplatz aufgab. Ein arbeitsloser Mann konnte dann die Stelle übernehmen. Man versuchte auch, Arbeitgeber dazu zu zwingen, junge Menschen zu entlassen, um sie anschließend in den »freiwilligen Arbeitsdienst« zu übernehmen. Ihre bezahlten Arbeitsplätze konnten dann von Familienoberhäuptern übernommen werden.

Darüber hinaus organisierten die Gemeinden Arbeitsbeschaffungsprogramme. Unter Androhung, Sozialleistungen einzustellen, wurden Arbeitslose gezwungen, Hilfsarbeiten zu niedrigen Stundenlöhnen zu verrichten. In Döbeln mussten Sozialhilfeempfänger beispielsweise bei der Räumung eines Industriegeländes oder bei der Erschließung von Grundstücken helfen.

Eine weitere Maßnahme zur Bekämpfung der Arbeitslosigkeit war die Arbeitszeitverkürzung. Unternehmen, die aufgrund der Krise und des Rohstoffmangels ihre Produktion drosseln mussten, erhielten keine Erlaubnis, Arbeiter zu entlassen. Stattdessen ließen sie die Arbeitnehmer weniger Stunden arbeiten, oft nur halbtags. Dies sehen wir auch bei den Deutschen Zigarren-Werken in der zweiten Hälfte des Jahres 1933, da die Fabrik – in diesem Fall aufgrund des Maschinenverbots – die Produktion senken musste. Die Wirkung all dieser Maßnahmen war beträchtlich. Im Herbst 1933 war das Heer der Arbeitslosen bereits um zwei Millionen geschrumpft.

Die Nazis machten sich jedoch weiterhin Sorgen über die Stimmung unter den Arbeitern. Die Arbeiter stellten fast die Hälfte der erwerbstätigen Bevölkerung, und ihre Unterstützung für das Hitler-Regime war nicht unerheblich. In Sachsen beklagten sich die Arbeiter über die Konkurrenz durch Tschechen, die von Subunternehmern jenseits der Grenze angeworben wurden und zu Niedrigstlöhnen schwarzarbeiteten.

In der ehemals roten Stadt Döbeln wurde die Situation genau beobachtet. Mehr als die Hälfte der Erwerbstätigen waren Arbeiter und in der Industrie beschäftigt. Im Oktober 1933 besprach der stellvertretende Bürgermeister Nitzsche den Stand der Dinge mit dem Arbeitsamtsleiter. Die Zahlen wurden geprüft und sorgfältig analysiert. Zu diesem Zeitpunkt gab es in Döbeln 2.273 Arbeitslose, von denen mehr als 1.500 Sozialleistungen bezogen. Nitzsche stellte fest, dass die Industriebetriebe der Stadt ihre maximale Beschäftigtenzahl erreicht hätten und in absehbarer Zeit nicht mit einer Erweiterung zu rechnen sei. Aber auf dem Land in der Umgebung fehlten 300 Landarbeiter. Wie wäre es, die Frauen, die vom Land in die

Stadt gezogen sind und in den Döbelner Fabriken arbeiten, zurückzuschicken, schlug Nitzsche vor. Der Arbeitsamtsleiter legte einen zusätzlichen Plan vor. Er wies darauf hin, dass zwei Drittel der 600 erwerbstätigen Frauen verheiratet waren und ein kleiner Anstoß in die richtige Richtung sie dazu bewegen könnte, zu kündigen. Ihre Arbeitsplätze und die der Landfrauen mussten von den arbeitslosen Männern übernommen werden.

Die meisten Döbelner Unternehmen hatten bereits zugesagt, nur noch Arbeitslose aus der eigenen Stadt einzustellen. Nur zwei Unternehmen, die nicht dem örtlichen Industrieverband angehörten, mussten dies noch tun. Eines davon: die Deutschen Zigarren-Werke. Sofort wird Isay Rottenberg zu Nitzsche gerufen. Er machte zwei Zusagen: Bei Neueinstellungen würde er vorrangig Arbeitslose aus Döbeln berücksichtigen und bei Entlassungen zuerst auswärtigen Arbeitskräften kündigen.

Feldzug gegen die Arbeitslosigkeit

Vor dem Hintergrund des Baus eines neuen Autobahnabschnitts und vor einem Publikum von zehntausend Anhängern rief Hitler am 21. März 1934 eine zweite »Arbeitsschlacht« aus. Im ganzen Land wurde die Arbeit niedergelegt, um der Rede des Führers zu lauschen. »Wir müssen in diesem vor uns liegenden Jahr den Feldzug gegen die Arbeitslosigkeit mit noch größerem Fanatismus und mit noch größerer Entschlossenheit führen als im vergangenen. Fanget an!«

In Döbeln wurden diese Worte wie ein militärischer Befehl befolgt. Gleich am nächsten Tag berief die Stadtverwaltung eine Sitzung von Naziführern mit den Direktoren der sechs größten Fabriken der Stadt ein, darunter Fritz Saupe, Eigentümer der Industriefilterfabrik, und Isay Rottenberg. Der NSDAP-Kreisleiter Hermann Groine beklagte sich darüber, dass sich zu wenige junge Männer zum freiwilligen Arbeitsdienst meldeten, und forderte von den Fabrikdirektoren eine Liste der bei ihnen beschäftigten jungen Männer bis zum Alter von 25 Jahren. Außerdem sollten sie überprüfen, welche Mädchen und Frauen in ihrem Betrieb aus ländlichen Gebieten stammten. Einige Fabriken, die sich »schuldig« gemacht hatten, Arbeitskräfte von außerhalb anzuwerben, wurden namentlich genannt. Dazu gehörten auch die Deutschen Zigarren-Werke.

Die Kampagne wurde in den Zeitungen und über die Arbeitsämter energisch gestartet. »Mädels! Die deutsche Landwirtschaft braucht Euch! Ihr wisst, welchen grossen Wert der Führer auf die Landwirtschaft legt und wie wichtig sie zum Wiederaufbau Deutschlands ist!« Oder wollen die Mädels etwa, dass der deutsche Bauer sich wieder »landfremde Arbeitskräfte holen muss, die unser deutsches Geld hinaustragen?« Es wurde nicht nur an ihren Patriotismus appelliert, sondern ihnen auch versprochen, dass sie bald eine Stelle auf einem Bauernhof bekommen würden und sich nicht einsam fühlen müssten, da der Bund Deutscher Mädel für Unterhaltung und Gemeinschaftsgefühl sorgen würde.

Auch mit Drohungen versuchten die Behörden, die Landflucht zu stoppen. Arbeitgebern in der Döbelner Bau- und Steinindustrie wurde mitgeteilt, »alle Stellen werden besonders darüber wachen, wer landwirtschaftliche Kräfte einstellt.« Wenn die Arbeitgeber Bedarf an Maurern und Zimmerleuten hatten, mussten sie junge ungelernte Arbeitslose aus Döbeln einstellen und ausbilden. Gegen Zuwiderhandelnde wurden »entsprechende Schritte« eingeleitet.

Die Aufforderungen und Drohungen reichten jedoch nicht aus. Die Unternehmen waren sich ihrer starken Position bewusst. Sehr höflich teilte die örtliche Abteilung des Verbandes Sächsischer Industrieller mit, dass die Döbelner Unternehmen insgesamt 311 junge Männer bis 25 Jahre beschäftigten, von denen aber höchstens 50 durch Arbeitslose über 25 Jahre ersetzt werden könnten, ohne die Produktion zu gefährden. Die Firmen übergaben der Stadt eine Liste mit Namen von Frauen oder Mädchen, die vom Land stammten. Es waren weniger als 20, von denen vier bei den Deutschen Zigarren-Werken arbeiteten.

Einige wurden entlassen, aber anstatt sich ohne Murren beim Arbeitsamt zu melden, ersuchten sie Rechtshilfe bei der Deutschen Arbeitsfront.

Auf gar keinen Fall wollten sie in die noch größere Armut auf dem Land zurückkehren. Alle, Arbeitgeber wie Arbeitnehmer, kamen mit Ausreden. Man hätte erwartet, dass die Behörden Zwang ausüben würden, aber nein, sie beurteilten eine Beschwerde nach der anderen mit einem fast juristischen Blick.

»Meine Eltern haben in Rittmitz eine Gastwirtschaft«, schrieb eine gewisse Hildegard Heinrich an die Stadt. »Seit meiner Schulentlassung bin ich 3 Jahre zu Hause gewesen und habe im Haushalt sowie der Gastwirtschaft meiner Eltern geholfen. Vom 17. Lebensjahr bin ich zur Firma Gebrüder Köberlin, Döbeln, gegangen und bin bis heute dort in der Galvanischen Abteilung beschäftigt. Ich bin also keine Landarbeiterin, da ich noch nicht in der Landwirtschaft gearbeitet habe, bin vielmehr als Industriearbeiterin anzusprechen. Von Abwanderung aus der Landwirtschaft kann nicht gesprochen werden.« Als Argument führte Hildegard noch an, dass ein arbeitsloser Sozialhilfeempfänger zuerst ausgebildet werden müsste, um sie zu ersetzen, und schloss loyal mit »Heil Hitler!«

Am 15. Mai, noch keine zwei Monate nach dem Ausrufen der zweiten »Arbeitsschlacht«, warf der stellvertretende Bürgermeister Nitzsche das Handtuch. Die Stadt habe in den vergangenen Wochen und Monaten alles getan, um junge Männer für den freiwilligen Arbeitsdienst anzuwerben und Mädchen zurück aufs Land zu schicken, sagte er den örtlichen Partei- und Arbeitsschlachtführern. »Der Erfolg ist aus den verschiedensten, im einzelnen besprochenen Gründen leider nicht in dem gewünschten grossen Umfange eingetreten. Es gibt für die Stadtverwaltung zurzeit keine Möglichkeiten für weitere Massnahmen.«

Die Bekämpfung der Arbeitslosigkeit war auf kommunaler Ebene ein zäher Kampf. Für die zweite Arbeitsschlacht wurde kein zusätzliches Geld bereitgestellt, der Zuschuss für lokale Arbeitsbeschaffungsprogramme wurde gekürzt. Alles floss in die Infrastruktur von nationaler Bedeutung und – heimlich – in die Rüstungsindustrie.

Unzufriedenheit

Zwischen März und September 1934 war die deutsche Wirtschaft in große Schwierigkeiten geraten. Die Abwärtsspirale aus sinkenden Exporten, fehlenden Devisen zur Finanzierung von Importen und damit einer zunehmenden Verknappung von Rohstoffen für die Produktion war überall spürbar. Die zivile Industrie hatte Mühe, sich über Wasser zu halten, der Mittelstand sah kaum einen Aufschwung und war verärgert, weil die versprochenen Maßnahmen gegen die Warenhäuser und Einheitspreisgeschäfte ausblieben. Das Leben der Arbeiter war hart und elend. Von Woche zu Woche berichtete die Gestapo über die Stimmung.

»Klagen über mangelnden Kündigungsschütz, über zu niedrige Löhne, zu hohe Mieten und Lebensmittelpreise, Kettenkündigungen, Doppelverdienertum und Fehlen hygienischer Einrichtungen in den Fabriken haben noch nicht nachgelassen. Der Besuch der Gefolgschaftsversammlungen ist stark zurückgegangen«, meldete die sächsische Gestapo dem Wirtschaftsministerium in Dresden. Es gab einen Mangel an Margarine, und die Brotpreise wurden erhöht. »Hunderte von Gerüchten wirtschaftlicher Art sind im Umlauf.«

Gerüchte über eine neue Krise, steigende Preise, in Ungnade gefallene Reichsminister und das Hamstern von Waren deuteten darauf hin, dass sich da etwas zusammenbraute.

Die Gestapo forderte die Polizei auf, zu berichten, was genau gesagt worden ist, wer die Gerüchte verbreitet hat und aus welcher politischen Ecke sie gekommen sind. Die Polizei im Kreis Döbeln hatte sofort etwas an der Angel, denn sie habe »einwandfrei feststellen können, dass ein derartiger Gerüchteverbreiter ein jüdischer Stoffhändler gewesen ist, der angegeben hat, in Leipzig zu wohnen, dort früher ein grosses Geschäft betrieben zu haben, das er infolge der Anfeindungen der jüdischen Rasse nach der nationalen Erhebung habe verkaufen müssen, sodass er jetzt auf den kümmerlichen Wanderhandel angewiesen sei.«

Später im Sommer machte ein Bericht derselben sächsischen Gestapo keinen Hehl daraus, dass die Jubelstimmung über die Regierung der nationalen Erhebung umzuschlagen begann. »Die Stimmung der Arbeiterschaft ist nicht mehr die gleiche wie unmittelbar nach der Machtübernahme. Der weitaus verbreitete Anlass zur Unzufriedenheit ist die Klage über zu geringen Verdienst und entsprechend zu hohe Lebenskosten. Die infolge der verkürzten Arbeitszeit damit verminderten Verdienstsummen machen es schon heute einem grossen Teil der Bevölkerung unmöglich, den Einkauf der notwendigsten Gegenstände des täglichen Lebens zu bestreiten.«

Anhaltende hohe Arbeitslosigkeit, Hungerlöhne für diejenigen, die Arbeit hatten, hohe Lebensmittelpreise, Butter- und Milchmangel und eine Abneigung gegenüber den Nazibonzen, die den feinen Herrn markierten. Es war ein gefährliches Gemisch. Arbeiter »betonen immer wieder, dass wenige Parteiführer der NSDAP zu den Arbeitern hielten«, meldete die Gestapo. »Unzufrieden sind die Arbeiter vor allem über gewisse Zustände in der Deutschen Arbeitsfront.« Gleichzeitig blieb Hitlers Popularität ungebrochen, was in den Wochen- und Monatsberichten der Gestapo immer wieder wie ein Refrain anklang. »Die Arbeiter erklären immer und immer wieder, dass sie voll und ganz hinter dem Führer stehen, denn er sei der gleiche geblieben und habe Verständnis für die Nöte und Sorgen der armen Bevölkerung.«

Kein Wunder also, dass sich die Döbelner Stadtverwaltung und Parteileitung für die Offenhaltung der Deutschen Zigarren-Werke entschied und der antisemitischen Ideologie und den Versprechungen an die Interessengruppen der Zigarrenbranche etwas weniger Bedeutung beimaßen.

Wieder zurück am Verhandlungstisch

Im April 1934, zwei Monate nach der Sitzung im Döbelner Rathaus, die den Konflikt hätte beilegen sollen, kam es erneut zu einer Briefflut gegen die Deutschen Zigarren-Werke.

Zigarrenfabrikanten aus ganz Deutschland protestierten bei den Behörden in Dresden, Berlin und Döbeln, dass die Firma die einzige in ganz Deutschland sei, die noch maschinell Zigarren herstelle und viel zu viele produzieren dürfe. Es ist die bekannte Leier. »Warum wird Rottenberg bevorteilt?«, fragte der Konkurrent Wieprecht & Hauschild aus Gera. »Das kann keine sonstige Firma verlangen und erwarten, geschweige denn eine Firma, bei der angesichts der Verwendung nur amerikanischer Zigarrenmaschinen und eines ausländ. Jüdischen Vorstandes die Bezeichnung ›Deutsche‹-Zigarrenwerke sowieso schon äusserst befremdlich wirkt.«

In einem der Gestapo-Berichte aus Sachsen, von denen nur etwa zehn aus dem Jahr 1934 erhalten sind, stoßen wir wieder auf die Deutschen Zigarren-Werke. »Ungeheure Erbitterung herrscht in der Zigarrenindustrie darüber, dass der jüdischen Zigarrenfabrik Salomon Krenter, jetzt ›Deutsche Zigarrenwerke‹ in Döbeln eine Erhöhung des Kontingents für maschinell hergestellte Zigarren von 51 auf 60 Millionen Stück pro Jahr gewährt worden ist.« Die Gestapo machte einen kleinen Fehler, es war sogar noch ein bisschen schlimmer: Die Deutschen Zigarren-Werke durften 62 Millionen Zigarren produzieren, aber das mit der Erbitterung stimmte.

Während die Zigarrenfabrikanten ihre Kampagne unbeirrt fortsetzten, hatte die Industrie- und Handelskammer Chemnitz, dieselbe, die das Einspruchsverfahren gegen den Namen Deutsche Zigarren-Werke eingeleitet hatte, ihre Meinung geändert. Einen Monat nach der Sitzung im Rathaus gab die Handelskammer der Stadtverwaltung und der NSDAP recht: Die Deutschen Zigarren-Werke könnten den Markt gar nicht verzerren, räumte die Handelskammer nun ein, da das Unternehmen nur für ein Prozent der gesamten Zigarrenproduktion in Deutschland verantwortlich sei. »Auf Grund dieses neueren Erörterungsergebnisse sahen wir uns veranlasst, unseren Antrag auf Herabsetzung des Kontingents zur Erzwingung wenigstens einer Teilstillegung zurückzuziehen und nur dafür zu plädieren, dass eine Erhöhung des zugebilligten Kontingents auf jeden Fall unterbleiben muss.« Die Handelskammer bat darum, diesen Sinneswandel streng vertraulich zu behandeln, um das Verhältnis zu den eigenen Mitgliedern nicht zu belasten.

Bürgermeister Denecke hatte genug von der alten Litanei. Zigarrenfabrikanten, die sich erneut mit einem kollektiven Protest an alle möglichen Behörden wandten, sagte er unverblümt die Wahrheit: »Das Reichswirtschaftsministerium hat es nach unserer Kenntnis abgelehnt, noch irgend etwas gegen die Firma Deutsche Zigarren-Werke zu unternehmen. Wir bitten, sich dem zu fügen und nicht durch immer wiederholte Angriffe, die nichts Neues bringen, den Wirtschaftsfrieden zu gefährden.«

Die Behauptung, die Stadt schütze die Fabrik, weil die Gebäude Mieteinnahmen bringen, wies Denecke entschieden zurück. »Uns liegt vielmehr lediglich daran, den 670 in der Firma beschäftigten Arbeitern ihren Arbeitsplatz zu erhalten.«

Die sächsischen Zigarrenfabrikanten weigerten sich, nachzugeben. Die Handelskammer wurde mit einer Flut von wütenden Briefen überschüttet, ließ sich aber nicht mehr umstimmen. Sie ließ noch eine Untersuchung wegen angeblichen Preisdumpings durch die Deutschen Zigarren-Werke durchführen, die jedoch nichts Unzulässiges ans Licht gebracht hat, sodass die Angelegenheit für sie erledigt war.

Eine weitere Sitzung sollte den seit einem Jahr andauernden Streit um die Zigarrenfabrik endgültig beenden. Der Termin dafür war Freitag, der 20. Juli, der Ort des Geschehens der Sitzungssaal des Döbelner Rathauses, die Anfangszeit 14.30 Uhr, so lesen wir in dem ausgearbeiteten 18-seitigen Stenogramm. Bürgermeister Denecke war wieder dabei, ebenso Fritz Saupe, ein weiterer Wirtschaftsberater der NSDAP, und die Industrie- und Handelskammer war diesmal notabene mit drei Personen vertreten. Der NSDAP-Kreisleiter Groine war versetzt und durch Rudolf Behr ersetzt worden, der als mächtigster Mann in der Runde – er wird im Stenogramm als Erster genannt – kontrollierte, ob das Treffen im Sinne der Partei verlief. Der Fabrikant Ernst Deter war nicht anwesend, dafür aber ein anderer Vertreter der Konkurrenz, und Emil Stockmann, selbst ein Zigarrenfabrikant aus Döbeln, der sich vehement gegen die Errichtung von Krenters Fabrik gewehrt hatte. Rottenberg kam mit seinem Rechtsberater Arndt Oehmichen, dem Betriebsleiter Georg Berns und einem weiteren Mitarbeiter. Fräulein Hucek von den Deutschen Zigarren-Werken stenografierte.

Ziel sei es, so Handelskammer-Vizepräsident Halber, dass die Runde anschließend gemeinsam die Zigarrenfabrik besichtigt und dass die Konkurrenten aus der Branche an Ort und Stelle konkrete Vorschläge machen, »was an dem Betrieb nach ihrer Meinung auszusetzen ist und wie man hier den Betrieb gleich oder allmählich umstellen könnte.«

Bevor es so weit war, ergriff Emil Stockmann das Wort und wetterte gegen den unlauteren Wettbewerb der Deutschen Zigarren-Werke. Die Fabrik könne ihre Zigarren billiger auf den Markt bringen, rechnete er mit Zahlenreihen vor, da könne kein gewöhnlicher Fabrikant mithalten. In dramatischen Worten schilderte er die verhängnisvolle Rolle der Deutschen Zigarren-Werke und ihres Vorgängers Krenter. »Mit dem Tage, an dem die Krenterwerke bestanden, ist der Ruin in der Zigarren-Industrie losgegangen«, behauptete Stockmann.

> *Es begann ein Kampf auf Tod und Leben. Kleine und mittlere Betriebe erlagen. Nach meinen Informationen sind in den 6 Jahren, kleine Betriebe mit eingerechnet, 5000 Betriebe zugrunde gegangen, alle ein Opfer der Krenter-Werke, die sicher weiter bestanden hätten, wenn die Maschinen nicht nach Deutschland gekommen wären.*

Stockmann erinnerte sich daran, wie angenehm es vor 40 Jahren war. »Damals bestanden in Döbeln 35 Zigarren-Fabriken. Junge Leute kamen in den Betrieb und lernten das Zigarren machen.« Als sich die Metallindustrie entwickelte, verließen die Arbeiter die Zigarrenindustrie, weil sie in der Metallindustrie mehr verdienten. Aber das könne wieder rückgängig gemacht werden, glaubte er. Bei so vielen Arbeitslosen sollte die Stadt ihnen die Möglichkeit geben, den Beruf des Zigarrenmachers zu erlernen. »Dann würde sich die Stadt Döbeln gewiss wieder zur blühenden Zigarrenindustrie-Stadt entwickeln.« Niemand ging auf die von Nostalgie durchzogenen Aussichten von Emil Stockmann ein. Dann machte er noch Vorschläge, wie die Deutschen Zigarren-Werke mehr Mitarbeiter beschäftigen könnten und stellte dem Eigentümer Fragen zu seinen Maschinen und wie er diese denn finanziere.

Isay Rottenberg verbat sich dies. Er schnauzte Stockmann an, dass dieser ihm nicht sagen müsse, wie er sein Unternehmen zu führen habe. »Herr Stockmann, das geht Sie gar nichts an. Ich frage Sie auch nicht, was bei Ihnen zu Hause gekocht wird.«

Das Abschalten der Maschinen vergrößere nur das Heer der Arbeitslosen, sagte er.

> *Es ist nur eine Fantasie von Ihnen, dass hierdurch eine grosse Anzahl Einstellungen vorgenommen werden kann. Was soll denn mit den Leuten, die bei uns bereits beschäftigt sind, geschehen? Werden Sie dann diesen Menschen Arbeit geben und sich verpflichten, ihnen eine ewige Beschäftigung zu geben? Wollen Sie denn diesen Leuten Arbeit geben und wollen Sie sich verpflichten, dieselben dauernd zu beschäftigen? Angenommen, Ihr Wunsch würde erfüllt werden, d. h., der Betrieb zerschlagen und die 650 Leute sind arbeitslos geworden; ich brauche Ihnen den Zorn dieser Arbeitslosen wohl nicht zu schildern. [...] Was ist aber heutzutage wichtiger, dass 670 Leute zusätzlich, oder dass etwa 72.000 Leute unserer Branche einige winzige Minuten länger arbeiten? Ich glaube, im Sinne der Reichsregierung ist das erstere wichtiger.*

Für diese Worte erntete er von fast allen Anwesenden Beifall. Dadurch ermutigt, fügt er an Stockmann gerichtet hinzu: »Ein Betrieb einfach zerschlagen, nur weil Sie es wünschen, Herr Stockmann, ist Unfug. Es ist nichts anderes wie Konkurrenzneid.« Dann ging er zum totalen Angriff über. Als Ausländer habe er mehr für die Stadt und die Arbeitslosen getan als der Deutsche Stockmann, der damals die Krenter-Werke ebenfalls hätte übernehmen können, aber »ungeheure« Forderungen gestellt habe.

Als die Firma Krenter Zigarren-Werke G.m.b.H. vor etwa 2 Jahren die Tore dieses Betriebes geschlossen hatte, kam ein Freund zu mir und hat mich für diesen Betrieb interessiert. Nach langen Verhandlungen mit dem Reichsfiskus, mit der Gemeinde, mit den Amerikanern usw. habe ich es gewagt, diesen neuen Betrieb zu gründen. Es war ein grosses Risiko, denn keiner hatte den Mut zu diesem Schritt. Soweit mir bekannt, ist die Gemeinde auch an Herrn Stockmann mit einem Angebot herangetreten, die Arbeitslosen aus den früheren Krenter-Werken in diesem Werk weiter zu beschäftigen. Die Forderungen, die Herr Stockmann an die Gemeinde stellte, waren ungeheuer. Ich möchte dieselben an dieser Stelle nicht weitergeben. Eine andere Firma in Sachsen wollte dieses Werk in Betrieb nehmen, nur wenn die Gemeinde eine Million Mark Zuschuss geben würde. Ich dagegen habe keinerlei Zuschuss von der Gemeinde verlangt, im Gegenteil, ich habe mich mit der Gemeinde gegen Zahlung eines Pachtzinses geeinigt. In der Zeit der Devisen-Anordnungen, wo viele Leute ihr Geld ins Ausland gebracht haben, habe ich mein Geld aus dem Ausland nach Deutschland gebracht und den Betrieb langsam aber sicher aufgebaut. Ich habe bestimmt das Meinige getan. Zwei Jahre lang sind hier etwa 650 Leute beschäftigt. Schon diese Tatsache allein müsste einen jeden, der es mit den Arbeitslosen ehrlich meint, dankbar stimmen. Bisher hat unsere Firma noch nicht einen Pfennig verdient, im Gegenteil, wir arbeiten unter den grössten Schwierigkeiten, um den Betrieb zu erhalten. Das ist Uneigennützigkeit, aber was Sie tun, Herr Stockmann, ist Eigennutz. Es ist ausschliesslich Konkurrenzneid. Mir ist eine Äusserung des Herrn Stockmann bekannt, wonach er wört-

lich gesagt haben soll: »Ich werde nicht ruhen und rasten, bis dieser Betrieb vernichtet ist.«

Stockmann wollte das nicht auf sich sitzen lassen und verlangte von Rottenberg sofort zu erfahren, wer das gesagt habe. Doch Saupe trat für Rottenberg ein und erinnerte an den gegen die Deutschen Zigarren-Werke geführten Kampf: »Es ist mit Mitteln gearbeitet worden, die nicht fair, und mit Angaben, die nicht wahr sind.« Die Gauleitung habe genug davon, sagte Saupe, und wolle, dass der Streit beendet werde.

Überzeugt von seinem Sieg und gestärkt durch die Kommentare der Anwesenden, verlangte Rottenberg eine Garantie dafür, dass die Widerstände und Schikanen endgültig aufhörten.

Ich bitte Sie nun ein für allemal, meine Herren Präsidenten, unseren Betrieb in Schutz zu nehmen, falls morgen irgendwoher wieder ein neuer Unzufriedener kommt. Beinahe alle hier anwesenden Herren haben es satt, sich mit einer Angelegenheit auf diese Weise fortwährend beschäftigen zu müssen und ich habe den Schaden. Es ist wirklich Zeit, dass dieser Unfug jetzt aufhört.

Kurz davor hatte Rottenberg einen Monolog gehalten, in dem er seinem Herzen Luft gemacht hatte:

Der Kampf, der bisher gegen unsere Firma geführt worden ist, war gewaltig, ob er weiter fortgesetzt wird, ich glaube es nicht. Ich werde aber bestimmt jetzt nicht mehr in der Stellung der Verteidigung bleiben, sondern ich werde in die Stellung des Angriffs gehen, denn es artet aus. Man arbeitet mit Lügen und Unwahrheiten, wofür ich die Beweise führen kann. Nachdem man versucht hat, die Firma zu treffen und dies nicht erreichen konnte, hat man es mit mir versucht. Meinen Kopf wollte man haben. Man hat mich persönlich bei der Geheimen Staatspolizei und sonstigen Behörden angeschwärzt. Der Staatsanwalt in Freiberg hat die Sache wegen Durchsichtigkeit niedergeschlagen. Soweit ist man gegangen. An sich spielt meine Person bei dieser Angelegenheit gar keine Rolle. Vergessen Sie mich, den Juden Rottenberg. Sie starren sich blind an mich und vergessen dabei Ihre eigenen 670 Volksgenossen. Wenn es sein muss, kann ich morgen von hier weggehen, aber ich glaube nicht, dass es gut sein wird, wenn ich gehe. Betrachten Sie den Betrieb als solchen. Ist es nicht eine Sünde, einen solchen Betrieb vernichten zu wollen? Wenn Sie tatsächlich das so oft missbrauchte Wort »Gemeinnutz geht vor Eigennutz« bekennen wollen, dann begehen Sie ein Unrecht gegenüber Ihren eigenen Volksgenossen. Persönlich sage ich Ihnen das!

Unser Großvater wusste also von Ernst Deters Anzeige bei der Gestapo! Die Gestapo hatte die Anzeige offenbar an die Justizbehörden weitergeleitet, wo der Fall dann als bedeutungslos beziehungsweise nicht strafbar eingestellt wurde. Wie dies vonstattenging und wer für ihn in die Bresche sprang, konnten wir nicht in Erfahrung bringen. Vielleicht war es Bürgermeister Denecke, der die Anzeige als hinterhältigen Schachzug eines neidischen Konkurrenten abtat.

Die Anzeige hatte unseren Großvater nicht eingeschüchtert; im Gegenteil bestärkte sie ihn in seiner Überzeugung, dass die Nazis ihn brauchten. Jeder konnte alles Mögliche über ihn behaupten und ihn anschwärzen, aber das spielte keine Rolle, denn er genoss Schutz.

An diesem Tisch mit Konkurrenten und Naziverwaltungsbeamten wagte er es als Jude, die Deutschen zu ermahnen, sich um ihre »eigenen Volksgenossen« zu kümmern. Das kann man kaum anders als unverschämt, ja provozierend nennen – eine große Chuzpe, würden wir zu Hause sagen. Er ist der Einzige, der das Wort »Jude« in den Mund nimmt; die anderen würden sich lieber die Zunge abbeißen, als in seiner Gegenwart etwas über seine »Rasse« zu sagen. Und dieser Jude wagte es, ihnen in der Höhle des Löwen die Leviten zu lesen. Zugleich deckte er etwas Unaussprechliches auf: Wenn es ihnen passte, arbeiteten überzeugte Nazis mit einem Juden zusammen. Und umgekehrt übrigens auch.

Winterhilfe

Als wir das erste Mal nach Döbeln aufbrachen, wussten wir nur, dass unser Großvater eine Zigarrenfabrik geleitet hatte und dass er inhaftiert und enteignet worden war. Jetzt sehen wir, wie er mit den Nazis an einem Tisch saß und ihre Hilfe gegen seine Konkurrenten in Anspruch nahm.

Mit dem Historiker Christian Kurzweg sind wir weiterhin in Kontakt. Eines Tages schickt er uns eine E-Mail mit der Information, dass der Inhaber der Deutschen Zigarren-Werke zwischen November 1934 und März 1935 Geld für die Winterhilfe gegeben hatte, mit anderen Worten: Er hatte Beiträge an Hitlers Fonds für bedürftige deutsche Volksgenossen gespendet. Kurzweg fand den Hinweis in der Exilzeitschrift *Sopade* der deutschen Sozialdemokraten in Prag. Laut dem Bericht aus dem Jahr 1935 lief das Unternehmen wieder gut, nachdem das Wirtschaftsministerium ein Empfehlungsschreiben verfasst hatte.

Es wird auch ein Betrag für die Winterhilfe genannt: 15.000 Reichsmark im Monat, was in etwa der wöchentlichen Lohnsumme entspricht, die unser Großvater an seine 670 Mitarbeiter zahlte. Keine symbolische Summe also, sondern ein erheblicher Beitrag zur Armenhilfe des NS-Regimes. Kurzweg äußert sich noch mit Vorbehalt. »Die Berichte aus Deutschland beruhen auf Mitteilungen, die den Vorstand der SPD im Exil in Prag erreichten. Nicht alles muss exakt mit den Fakten übereinstimmen, aber im Kern könnte es richtig sein.«

Am nächsten Morgen wacht Hella mit Magenschmerzen auf. Auf was haben wir uns da bloß eingelassen? Wollen wir das überhaupt alles wissen? Augenblicklich spuken düstere Szenarien in ihrem Kopf herum.

Vielleicht stimmte es nicht, Kurzweg sagte schließlich, es *muss* nicht wahr sein. Können wir dies nicht weglassen oder als unwichtiges Detail heimlich verbergen? Ich, Hella, beginne nach einer Möglichkeit zu suchen, Opas Namen – und unseren – rein zu halten. Es überwältigt mich. Ich bin Journalistin und war schon immer darauf aus, Fakten zu ermitteln. Wenn ich Dinge unter den Teppich kehren würde, nur weil sie mich zufällig persönlich unangenehm berühren, dann wäre ich keinen Pfifferling wert. Dann lieber gleich das ganze Projekt aufgeben. Nein, das will ich nicht, das wäre auch feige.

Ich schlage das Stichwort »Winterhilfe« im *Lexikon Nationalsozialismus* nach: Unterstützung von »wirklich hilfsbedürftigen Volksgenossen«. In der näheren Erläuterung steht: »Nur rassisch wertvolle, erbgesunde Familien werden von der Nationalsozialistischen Volkswohlfahrt unterstützt.«

Am selben Tag gestehe ich Sandra, dass ich fassungslos bin und nicht weiß, was ich tun soll. Sandra reagiert viel nüchterner. Natürlich musste er taktieren. »Das werden wir recherchieren«, sagt sie.

Es ist natürlich angenehm, dass Sandra so reagiert. Ich beruhige mich ein wenig und sehe beim nochmaligen Lesen, dass im Bericht über die Winterhilfe auch erwähnt wird, dass Opa politische Gegner der Nazis, »Marxisten«, wieder eingestellt haben soll. Aber ein paar Tage später ist das verflixte Gefühl wieder da, als ich mir noch einmal die »Darstellung«, in der er seine Fabrik verteidigt, anschaue und Ausdrücke und Sätze sehe, die mir gegen den Strich gehen.

Möchte ich Opa den kalten Blicken der Außenwelt aussetzen? Er wurde vielleicht nach und nach von diesen fiesen Nazis dazu gezwungen. Die »Darstellung« wurde schließlich geschrieben, nachdem er bei der Gestapo angezeigt worden war. Aber wie weit ist er gegangen?

Als wir nach Döbeln fuhren, hatte ich ein relativ jugendliches, schönes Foto von ihm als Hintergrundbild auf meinem Handy eingestellt. Ich kann es nicht mehr mit Stolz und Freude anschauen. Aber ich entferne es auch nicht.

10

Ins Joch spannen

Auf der Schießwiese befindet sich eine quadratische Bühne, über der drei Fahnen mit einem Hakenkreuz hängen. Auf dem unscharfen Foto im *Döbelner Anzeiger* ist gerade noch zu erkennen, dass auf dem Podest und darum herum Soldaten Standarten mit Reichsadler und Hakenkreuz halten. Die Schießwiese, der Exerzierplatz, der seit Jahr und Tag der in der Stadt stationierten Garnison diente, wurde nun häufig für Massenveranstaltungen der Nazis genutzt.

Am Dienstag, dem 31. Juli 1934, war die Schießwiese Schauplatz der »grösste[n] und machtvollste[n] Massenveranstaltung, die Döbeln je sah.« Mindestens 50.000 Arbeiter aus Döbeln und Umgebung waren dorthin geströmt oder – was wahrscheinlicher ist – getrieben worden, um Robert Ley zuzuhören, dem Vorsitzenden der Deutschen Arbeitsfront, die die alten Gewerkschaften zerschlagen hatte und nun in allen Betrieben Vertreter hatte, die den Arbeitern die Idee der sozialen Unterstützung vermitteln und gleichzeitig das politische Verhalten der Arbeiter im Auge behalten sollten.

Die mittlere Fahne trägt das Symbol der Deutschen Arbeitsfront, ein stilisiertes Zahnrad mit einem Hakenkreuz in der Mitte. Neben Robert Ley hatten sich die örtlichen Nazimachthaber aufgestellt, Männer, mit denen Isay Rottenberg noch vor Kurzem im Rathaus gesessen und die er durch seine Fabrik geführt hatte. Der 29-jährige Rudolf Behr, kurz zuvor zum Kreisleiter der NSDAP ernannt, war der bedeutendste unter ihnen. Mit seiner Hitlerjugend-Frisur sieht er aus wie der Prototyp eines Nazis. Er schaut frech aus den Augen, mit einem Blick, der sagt: »Komm doch her, ich mach dich fertig.« Neben ihm ist sein Vorgänger Hermann Groine, der drei Monate zuvor in ein nahegelegenes Städtchen versetzt worden war, und neben diesem wiederum Bürgermeister Herbert Denecke.

Abb. 29 Rudolf Behr

Die Deutsche Arbeitsfront war unbeliebt, wie aus Gestapo-Berichten hervorgeht. Das Einziehen von Mitgliedsbeiträgen stieß auf Protest. Die Gestapo berichtete sogar, dass die Arbeiter wegliefen, wenn in den Betrieben wieder einmal eine hochtrabende Rede von Robert Ley vorgelesen wurde.

Da stand Ley also vor einer Menge Arbeiter, die ihm misstrauten, ihn hassten oder verabscheuten. Es war Ley, der ihre Gewerkschaften verboten und ihnen das Streikrecht genommen hatte. Würde Ley mit seinem dicken Bauch, seinem luxuriösen Lebensstil und seiner Trunksucht ihre Interessen vertreten? Mussten sie Ley gehorchen, der seinen Nazifreunden gut bezahlte Posten bei der Arbeitsfront verschaffte?

Am nächsten Tag wurde die Rede nahezu wörtlich in der Zeitung abgedruckt; sie zeigt, wie Ley die Arbeiter ins Joch spannen will. Zunächst wirkt es, als würde er einen Gottesdienst leiten. Er erinnert daran, wie tief

Deutschland durch den »Schandvertrag« von Versailles gedemütigt wurde. Die Deutschen glaubten, dass das Blut ihrer Söhne umsonst vergossen worden war. Aber dann kam plötzlich jemand und sagte: »Jawohl, ich glaube an Deutschland!« »Es ist ein Wunder, dass der Verstand nicht zu fassen vermag, wie dieser Mann aus dem Volke aufstand und predigte und immer wieder predigte, zäh und verbissen: ›Volk kehre zurück, denke und handele vernünftig!‹« Gewöhnlich Menschen schlossen sich der Bewegung an, keine Berufspolitiker, erklärte er seinem Publikum, die Nationalsozialisten kämpften »um den Glauben an Deutschland, an Dich!«

Die Erlösung, die der Nationalsozialismus den Arbeitern bringt, ist mit Schmerz verbunden. Niemand verstehe besser als er selbst, sagt Ley, wie schrecklich es für die Arbeiter war, dass die von ihnen mit so viel Liebe aufgebauten Gewerkschaften vor einem Jahr zerschlagen wurden. Seine Empathie reicht tief: »Es war doch Eure zweite Heimat geworden, weil die Nation Euch vergessen hatte. Wir konnten aber nicht anders. Millionen werden damals gesagt haben: die Nationalsozialisten wollen uns doch verraten, sie sind doch Kapitalistenknechte. Aber wir konnten dieses Bollwerk des Marxismus nicht länger dulden, wir mussten es zerschlagen, damit Ihr Arbeiter frei wurdet!«, versichert er ihnen.

Die Deutsche Arbeitsfront, die an die Stelle der Gewerkschaftsbewegung trat, baue eine Gemeinschaft von Arbeitern, Angestellten und Unternehmern auf, sie schaffe Harmonie anstelle von Klassenkampf. Marxisten – der Ausdruck, mit dem die Nazis Sozialdemokraten und Kommunisten in einen Topf warfen – ja, auch Marxisten seien herzlich willkommen. Aber für diejenigen, die den Nationalsozialismus ablehnen, gibt es in Deutschland keinen Platz, leitet Robert Ley seinen Angriff ein. »Der Führer betrachtet alles als ein grosses Erziehungswerk. Das hat er kürzlich mit der Tat bewiesen, als er in einem in der Weltgeschichte einzig dastehenden Akt seine höchsten Mitarbeiter erschiessen liess, weil sie ihn und das Volk verraten hatten.«

Deutliche Worte. Das Massaker, bei dem Hitler den Befehl erteilt hatte, die Spitze der SA standrechtlich zu erschießen – die sogenannte Nacht der langen Messer, auch bekannt als Röhm-Putsch – ist noch frisch in Erinnerung, es liegt erst einen Monat zurück. Kalte Schauer müssen durch die Menge gegangen sein. Sehr geschickt dreht Ley dann den Lauf seines Gewehrs ein wenig zur Seite: Früher habe die Obrigkeit den kleinen Mann gepackt und die großen Jungs laufen lassen, »heute verzeiht man dem Kleinen, aber der Grosse wird vernichtet, wenn er die Treue bricht.«

Mit einem Lobgesang auf den Führer, den das Volk liebt, »wie ein Kind seine Mutter«, endet Ley wieder fromm. »Deutschlands Macht gründet sich nicht auf Kanonen und Maschinengewehre, sie gründet sich darauf, dass 65 Millionen Herzen schlagen im Glauben und Vertrauen zum Führer Adolf Hitler! Das ist Deutschlands Macht! Heil Hitler! Heil Deutschland!«

Die Gruppe der 17

Es gab immer noch Deutsche, die trotz Zwang, Terror und Einschüchterung nicht nach der Pfeife der Nazis tanzten. Als der betagte Präsident Hindenburg am 2. August 1934, zwei Tage nach der »größten und machtvollsten Massenveranstaltung, die Döbeln je sah«, starb, übernahm Hitler dessen Amt und vereinte Kanzleramt und Präsidentschaft. Sein Titel lautete fortan »Führer und Reichskanzler«. Eine nachträgliche Volksabstimmung billigte diesen letzten Machtgriff, mit dem die totale Herrschaft in die Hände eines Mannes gelegt wurde. Und dennoch gab es in Döbeln unter den 17.000 abgegebenen Stimmen (98,2 %) 1.507 Bürger, die sich trauten, dagegen zu stimmen, und 361, die ihre Stimmzettel ungültig machten. Dies war in ganz Deutschland nicht anders: Zehn Prozent kreuzten bei der Frage, ob man mit Hitler als Alleinherrscher einverstanden sei, »Nein« an, und über drei Prozent stimmten ungültig.

Sobald sie an die Macht kamen, eröffneten die Nazis die Jagd auf linke Gegner. In Döbeln verhafteten sie aktive Sozialdemokraten und Kommunisten, darunter auch abgesetzte Ratsmitglieder, und verfrachteten sie in ein überstürzt eingerichtetes Internierungslager in der Nähe, 20 Kilome-

Abb. 30 Die NSDAP feiert den 1. Mai in Döbeln auf dem Platz vor dem Rathaus

ter von Döbeln entfernt. Das Lager Hainichen war ein Sportkomplex und diente der Region Döbeln drei Monate lang als Lager-, Folter- und Verhörstätte für politische Häftlinge. Am Ende waren dort 300 linke Gegner inhaftiert. Im Juni 1933 wurden sie in andere sächsische Internierungslager überführt, nach Colditz – später als Gefängnis für alliierte Kriegsgefangene bekannt – und Sachsenburg. Unter ihnen befanden sich auch 17 Döbelner Kommunisten, die des Hochverrats beschuldigt wurden.

In der Deutschen Nationalbibliothek in Leipzig, wo wir Zeitungs- und Zeitschriftenartikel angefordert haben, kann eine Datenbank zum Nationalsozialismus abgefragt werden. Wenn wir einige Namen von Döbelner Nazis eintippen, kommt nicht viel zum Vorschein, aber mit dem Suchbegriff »Döbeln« sind wir erfolgreich: mehr als 40 Treffer. Dabei handelt es sich um gescannte Kopien von Originaldokumenten aus Dutzenden verschiedener deutscher Archive, die direkt am Computerbildschirm gelesen werden können. Kurioserweise ist darin auch das Urteil im Strafverfahren gegen Marinus van der Lubbe und seine vier Mitangeklagten im Fall des Reichstagsbrandes vom 27. Februar 1933 enthalten. Was hat denn Döbeln damit zu tun?

Das Urteil umfasst 97 Seiten, ein Bezug zu Döbeln ist nicht erkennbar, bis schließlich auf Seite 88 der Name Döbeln an dritter Stelle in einer Aufzählung von sieben deutschen Orten auftaucht, in denen ein bewaffneter kommunistischer Aufstand vorbereitet worden sein soll. Die Nazis behaupteten lügnerisch, der Reichstagsbrand sei das Signal für die Kommunisten gewesen, unmittelbar nach der Ernennung Hitlers zum Reichskanzler überall Anschläge zu verüben und einen Bürgerkrieg anzuzetteln. Die für den 5. März angesetzten Reichstagswahlen würden nicht stattfinden und so würde den Nazis gewaltsam die Regierungsgewalt verwehrt. Der Beweis für die Verschwörung sind Aussagen von Kommunisten, die nach dem Brand verhaftet wurden.

Einer von ihnen war Franz Drechsel, ein Mitglied der Gruppe der 17 aus Döbeln. Die Anklage gegen diese Beschuldigten war zu diesem Zeitpunkt noch nicht einmal fertiggestellt, aber Franz Drechsels Aussage wurde bereits im September 1933 im Prozess gegen van der Lubbe als Beweismittel vorgelegt. Selbst wenn man davon ausginge, dass van der Lubbe das Feuer wirklich im Auftrag der KPD gelegt hatte, ist das Beweismaterial dürftig. »In Döbeln hat gegen Ende Februar 1933 der Zeuge Drechsel auf Veranlassung der örtlichen Parteileitung die Frage der Bewaffnung im Hinblick auf die verschärfte politische Situation erörtert.« Das ist alles, was über die Vorbereitungen des Aufstands und Bürgerkriegs in Döbeln erwähnt wird. Auch zu den anderen 6 genannten Orten liefert das Urteil kaum konkrete Details.

Wer waren Franz Drechsel und seine Mitangeklagten? In Döbeln selbst kennt niemand ihre Hintergründe oder ihr Schicksal. In der Chronik von Döbeln in der NS-Zeit, die der Heimatfreund Jürgen Dettmer aus den Berichten des vollständig erhaltenen *Döbelner Anzeigers* sorgfältig zusammengestellt hat, ist den 17 Kommunisten zweimal ein Satz gewidmet: Einmal, als sie 1933 verhaftet wurden, und einmal, als sie am 19. September 1934 in Berlin das Urteil vernahmen. Im März 1933 wurden vier Verdächtige verhaftet, in den folgenden Monaten 13 weitere.

Dank der Leipziger Datenbank erfahren wir viel mehr. Die Anklage und das Urteil sind erhalten geblieben. So spärlich und teilweise verfälscht die Dokumente auch sind, geben sie doch einen Einblick in den Widerstand gegen den Nationalsozialismus in Döbeln und zeigen, welche Art von Menschen daran beteiligt war.

Franz Drechsel wurde in Döbeln geboren und war zum Zeitpunkt seiner Verhaftung 40 Jahre alt. Ursprünglich war er Lederverarbeiter. Im Ersten Weltkrieg kämpfte er an der Ost- und Westfront. Danach arbeitete er auf dem Bau, wurde aber 1928 arbeitslos. Seitdem versuchte er, als Hausierer Geld zu verdienen. 1929 wurde er Mitglied der KPD, zwei Jahre später schloss er sich dem Kampfbund gegen den Faschismus an. Dieser wurde nach dem Verbot des paramilitärischen Rotfrontkämpferbundes gegründet und war eine Organisation, die im Prinzip unbewaffnet, legal und offen gegen die Nazis kämpfte, aber zahlenmäßig keine Chance gegen sie hatte und außer Kommunisten niemanden anwerben konnte.

Aus dem Urteil erfahren wir, dass in Döbeln zwei Kampfbundgruppen mit jeweils 20 bis 30 Mitgliedern aktiv waren. Sie trafen sich ein- bis zweimal pro Woche unter der Leitung von Franz Drechsel im Parteiraum, um die Mitglieder im Kampf gegen politische Gegner zu schulen. Sie übten das Ausschwärmen in Reihen, das Errichten von Barrikaden, das Suchen von Deckung und den Nahkampf. Ja, es wurde als militärisches Training bezeichnet, aber es war kaum der Rede wert, sagten die Angeklagten. »Humbug« nannte es einer von ihnen.

Die Angeklagten waren alle Arbeiter, mit Ausnahme des Hauptangeklagten Robert Wölfel, eines ehemaligen Metzgers, der seit einigen Jahren ein eigenes Transportunternehmen besaß. Viele von ihnen wurden Ende der 1920er-Jahre infolge der Krise arbeitslos. Erst dann traten sie der KPD bei und wurden in der Partei und den ihr angeschlossenen Organisationen aktiv. Bei ihren Zusammenkünften, so das Urteil, sei darüber gesprochen worden, »Dinge und Stoffe zu beschaffen, die man in politischen Kampf verwenden könnte«, unter anderem »Pulver, Gift, Säuren, Sprengkapseln und Glühbirnen.«

Der Fall gegen die 17 Kommunisten basierte auf dem Fund einer großen Menge Zyankali. Der Hauptangeklagte, Robert Wölfel, wurde im März 1933 wieder einmal verhaftet, diesmal nicht wegen politischer Aktivitäten, sondern wegen Benzindiebstahls. Als er in der Zelle in Döbeln eingesperrt war, hatte er Angst, dass bei einer Hausdurchsuchung sein Zyankali-Vorrat entdeckt werden könnte und er dann als Drahtzieher von Attentaten abgestempelt würde. Deshalb erzählte er der Polizei von sich aus, dass er zu Hause zur Vernichtung von Mäusen und Ratten Zyankali habe. So steht es zumindest im Urteil, aber vielleicht war auch Folter notwendig, bevor Wölfel das Zyankali »von sich aus« erwähnte.

Bei einer Hausdurchsuchung wurde eine Zuckerdose aus Zinn gefunden, in der sich »6 – 8 weiße eiförmige Stücke Zyankali in Grösse von kleinen Hühnereiern« befanden. Das Gift war, wie die Angeklagten laut Urteil zugaben, im Herbst 1932 von dem dort beschäftigten Kurt Birkner aus der Silberwarenfabrik Köberlin in Döbeln gestohlen worden. Wölfel hatte ihn um Zyankali gebeten, weil er das Gift brauchte, um Ungeziefer im Parteilokal zu vernichten. Unmittelbar nach dem Reichstagsbrand versteckte Wölfel das Gift bei einem Mitangeklagten, weil er vor einer Hausdurchsuchung gewarnt worden war. Als die Luft wieder rein zu sein schien, holte er die Dose zurück.

Die Staatsanwaltschaft und das Gericht glauben nicht, dass das Gift für Mäuse und Ratten bestimmt war. Sie gehen davon aus, dass diese Worte eine übertragene Bedeutung haben: Nazis. Die sechs beschlagnahmten »Eier« wogen notabene 120 Gramm. Damit, sagte der als Sachverständiger hinzugezogene Döbelner Apotheker Hardt, könne man 100 bis 200 Menschen töten. Zumindest sind das die Zahlen, die der Staatsanwalt in seiner Anklageschrift nennt. Das Gericht stützte sich in seinem Urteil auf denselben Apotheker, stellte aber fest, dass das Gift ausreiche, um mindestens 400 Menschen zu töten. Das Vorhandensein des Giftes und ihre Aktivitäten als Kommunisten waren für das Gericht Beweis genug für die mörderischen Absichten der Angeklagten.

»Desgleichen ist in der Hauptverhandlung nicht festgestellt worden«, räumte das Gericht ein, »ob ein fester Plan über die Verwendung des Giftes gefasst worden ist.« Wölfel gab bei seiner Vernehmung durch die Döbelner Polizei an, dass das Gift dazu bestimmt gewesen sei, den von den Nazis neu eingesetzten Bürgermeister Fritz Saupe, den Polizeipräsidenten Roenneke und andere Polizei- und Justizbeamte in Döbeln ums Leben zu bringen. Wölfel hat diese Aussage später widerrufen. Ein Bauernknecht, der eine Strafe absaß, sagte aus, er habe kurz vor den Reichstagswahlen am 5. März in der Gaststätte, in der sich die Kommunisten zu treffen pflegten, gehört, dass es leicht sei, an Zyankali aus der Silberwarenfabrik Köberlin heranzukommen, und dass auch schon bestimmte Personen ins Visier genommen worden seien, wobei der Name Saupe gefallen sei. Es soll ein Zettel mit Namen herumgereicht worden sein.

Im Urteil ist die Rede von Plänen für Anschläge mit Gift, aber auch für den Diebstahl von Sprengstoff aus einem Steinbruch in der Nähe von Döbeln, für den Diebstahl und Kauf von Revolvern und von der Beschaffung von Glühbirnen, die mit Säure gefüllt werden sollten, um sie als Wurfgeschosse zu verwenden. Es blieb bei den Plänen, denn sie sind alle gescheitert. Eine Erkundungstour mit dem Fahrrad zum Steinbruch wurde abgeblasen, sechs von jemandem angebotene Revolver erwiesen sich als nicht vorhanden, Glühbirnen und Säure wurden nie angeschafft.

Neben dem Zyankali wurden auch ein Vervielfältigungsapparat und einige Flugblätter beschlagnahmt. Am 1. März 1933 verbreitete die Gruppe ein Flugblatt, in dem sie bestritt, dass die Kommunisten hinter dem Reichstagsbrand steckten. Über van der Lubbe heißt es darin: »Der Täter, der angibt, ein Kommunist zu sein, ist kein Kommunist, sondern ein gekauftes Subjekt, der im Auftrage der herrschenden Klasse diese Aufgabe durchzuführen hatte.« Die Kommunisten warnten davor, dass der Brand dazu missbraucht werde, die KPD noch vor den Reichstagswahlen zu verbieten, und riefen dazu auf »zu kämpfen, nicht nachzulassen in der Organisierung des Massenkampfes gegen die Pläne der Bourgeoisie«, ohne jedoch konkrete Angaben über die Art dieses Widerstands zu machen. Ein zweites Flugblatt vom 3. März ruft dazu auf, wählen zu gehen und Hitler auf diese Weise zu besiegen. »Arbeiter! Gebt Hitler keine Ruh. Nieder mit Hitler! Wählt KPD. Liste 3.«

Alles in allem erweckt das Urteil nicht den Eindruck, als seien die Döbelner Kommunisten im Begriff gewesen, gut geplante Anschläge zu verüben oder einen bewaffneten Aufstand entfesseln zu wollen. Aber genau dafür standen sie vor Gericht.

Vielleicht haben die Richter das auch eingesehen. Angesichts der Tatsache, dass diese Kommunisten wegen Vorbereitung zum Hochverrat verurteilt wurden, sind die Strafen mild. Sie variieren von einem bis zu drei Jahren abzüglich der Untersuchungshaft. Nur der Hauptangeklagte, Robert Wölfel, erhielt eine hohe Strafe: Zehn Jahre Zuchthaus plus zehn Jahre Führungsaufsicht. Nach Ansicht der Richter war Wölfel ein radikaler Kommunist, der glaubte, dass die KPD nur mit Gewalt an die Macht kommen könne, und der mit 18 früheren Verurteilungen ein unverbesserlicher Krimineller war. Aus der Liste der bisherigen Strafen geht hervor, dass Wölfel einmal als junger Mann im Alter von 21 Jahren (inzwischen war er 44 Jahre alt) einen schweren Fehler gemacht hatte: Er hatte einen Straßenraub begangen, für den er zu fünf Jahren Gefängnis verurteilt wurde. Ab 1920 wurde er unzählige Male wegen Beleidigung oder politischer Taten wie Plakatieren verhaftet und zu Geld- oder kurzen Haftstrafen verurteilt. Unverbesserlich, gewiss, aber kriminell?

Ein Angeklagter wurde freigesprochen, gegen einen anderen wurde das Strafverfahren eingestellt. Innerhalb der politisierten Rechtsprechung des nationalsozialistischen Staates scheint es sich dabei um Überbleibsel eines Rechtsbewusstseins gehandelt zu haben. Im Fall des Reichstagsbrandes, der als abschreckender Schauprozess gedacht war, hatten die Richter drei der vier Hauptverdächtigen mangels Beweisen freigesprochen und nur Marinus van der Lubbe für schuldig befunden. Hitler war mit diesem Urteil äußerst unzufrieden und rief einen »Volksgerichtshof« für politische Gegner ins Leben, der ihm solche Überraschungen zukünftig ersparen sollte.

Bei dem freigesprochenen Döbelner Angeklagten handelt es sich um Erich Bökelmann, dem vorgeworfen worden war, als Leiter des kommunistischen Schützenvereins illegale Schießübungen organisiert zu haben. Das Gericht war davon überzeugt, dass das Training »hochverräterischen Zwecken« diente, aber weil Bökelmann behauptete, eine polizeiliche Genehmigung für das Training erhalten zu haben und es keine Beweise für das Gegenteil gab, wurde er freigesprochen. Ob hinter diesem Freispruch doch noch etwas anderes steckte, zum Beispiel, dass er Genossen verpfiffen hatte, geht aus den Unterlagen nicht hervor.

Noch bemerkenswerter ist die Einstellung des Verfahrens gegen Kurt Birkner. Er ist der Mann, der in Wölfels Auftrag das Zyankali aus der Fabrik gestohlen hatte. Laut Gericht wusste Birkner ganz genau, wofür Wölfel das Gift verwenden wollte. Da er seine Straftat jedoch vor dem 1. Dezember 1932 begangen hatte, fiel er unter das Amnestiegesetz, das am 20. Dezember desselben Jahres verabschiedet worden war.

Wieso das? Es scheint um ein Amnestiegesetz zu gehen, das in den letzten Tagen der Weimarer Republik verabschiedet wurde. Die KPD, SPD und NSDAP wollten Ende 1932 gleichermaßen ihre eigenen Anhänger und Kämpfer in einer auf einen Bürgerkrieg zusteuernden Situation vor Verfolgung oder Bestrafung wegen politischer Aktionen oder Gewalt schützen. Nach einem Tauziehen darum, wer unter die Amnestie fallen sollte, legten sie gemeinsam ein Gesetz vor, das angenommen wurde. Man könnte denken, dass die Nazis, sobald sie an der Macht waren, sich nicht mehr darum scheren würden. Doch dem war nicht so. In den Jahren 1933 und 1934 wurde dieses Gesetz weiterhin angewendet, und davon profitierte der Zyankalidieb aus Döbeln, Kurt Birkner.

Doch noch eine kleine Rente

Das Einhalten von Vereinbarungen oder menschliche Nachsicht waren nicht die üblichen Verhaltensweisen der Nazis gegenüber ihren Gegnern. Dies musste Bürgermeister Theodor Kunzemann nach seiner Absetzung am 9. März 1933 feststellen. Der Mann, der seinen Platz eingenommen hatte, Kapitänleutnant Fritz Saupe, ließ sich nicht von den Gefühlen ihrer ziemlich harmonischen Vergangenheit leiten.

Saupe teilte Kunzemann mit, dass er sein Gehalt für die Monate April, Mai und Juni noch erhalten würde, danach aber keinen Pfennig mehr. Kunzemann war zu diesem Zeitpunkt 58 Jahre alt und wusste, dass er mit seiner politisch belasteten Vergangenheit keine Arbeit mehr finden würde. Einst war er Schlosser, später arbeitete er für die Metallarbeitergewerkschaft. Ab 1920 arbeitete er für die Stadt Döbeln, zunächst als besoldeter Stadtrat, ab 1927 als Bürgermeister.

In seiner Personalakte, die auf dem Dachboden des Stadtarchivs liegt, lesen wir, wie er zunächst höflich, dann aber immer verzweifelter für seine Sache eintrat. In einem ersten handgeschriebenen Brief (er hatte ja keine Sekretärin mehr) erinnert er daran, dass er am 9. März nicht entlassen, sondern beurlaubt worden sei und dass ein Entlassungsverfahren gar nicht stattgefunden habe.

Saupe ignorierte dies und behauptete, dass auf Kunzemann eine andere Regel angewendet werden müsse, nämlich dass er laut seiner Personalakte Beamter geworden sei, ohne die »für seine Laufbahn vorgeschriebene oder übliche Vorbildung oder sonstige Eignung zu besitzen«.

Kunzemann suchte nach Argumenten, die bei den Nazis Anklang finden könnten: Er sei nie Kommunist gewesen, er habe im Krieg 1914–1918 gekämpft, er habe sich als Stadtrat und Bürgermeister nicht politisch engagiert und sein Verhältnis zur Heeresgarnison sei ausgezeichnet. Was er auch schrieb, es half nichts. Im Herbst war seine Lage bereits so prekär geworden, dass er die Gemeinde um Sozialhilfe anflehte. Auf Anfrage bestätigte der Bürgermeister des Ortes, in dem Kunzemann inzwischen wohnte, in einem Brief an die Stadt Döbeln, dass Kunzemann keine Anstellung habe. Man sehe ihn den ganzen Tag in seinem Garten graben, er lebe zurückgezogen und esse und trinke nicht außer Haus. »Es scheint ihm finanziell schlecht zu gehen«, steht zu allem Überfluss noch da.

Am Tag vor Weihnachten 1933 reagierte Saupes Nachfolger, Herbert Denecke, auf die flehentliche Bitte. Er klang weniger rachsüchtig, aber eine Rente sei leider nicht möglich. Zur Unterstützung erhielt Kunzemann eine einmalige Summe von 300 Reichsmark, ein Drittel seines früheren Monatsgehalts.

Die Akte enthält einen weiteren langen Schriftwechsel mit Briefen, in denen Kunzemann – vergeblich – um Versicherungsgeld und Erwerbsunfähigkeitsrente bittet. In einem Plädoyer für Kunzemann zitierte ein angeheiratetes Familienmitglied Hitler selbst, der ja für seine Volksgenossen das Motto gebraucht: »Keiner soll hungern und frieren!« Doch auch dies vermochte die Herzen der Behörden nicht zu rühren. Im Jahre 1937 waren immer noch Anträge des armen Kunzemann anhängig, der auf seinem Anspruch auf Leistungen beharrte. Der NSDAP-Kreisleiter Rudolf Behr, der Mann mit der Hitlerjugend-Frisur, schrieb kurz angebunden: »Ich kann mich nicht für eine Unterstützung an den früheren 1. Bürgermeister Kunzemann aussprechen. Ein Beschluss des Oberbürgermeisters und eine etwaige Zustimmung der Ratsherren würde meine Billigung nicht finden.« Dann folgten vier Jahre ohne Kontakt.

Doch plötzlich, am 19. Dezember 1941, schrieb Deneckes Nachfolger:

> *Sehr geehrter Herr Kunzemann! Mit tiefer Trauer hat mich die Nachricht erfüllt, dass Ihr lieber Sohn Hans im Kampfe um Deutschlands Freiheit seine Treue zu Führer, Vaterland und Heimat mit dem Heldentode besiegelt und für uns sein Leben geopfert hat. Es ist mir ein inneres Bedürfnis, Ihnen in Ihrem grossen Kummer wenigstens einen Teil Ihrer finanziellen Sorgen abzunehmen.*

Ab Januar 1942 erhielt Kunzemann eine kleine Rente von 200 Reichsmark pro Monat. Anlässlich des Weihnachtsfestes wurde ihm noch zusätzlich 250 Mark zugesteckt; dafür hatte sich der Bürgermeister persönlich eingesetzt, schrieb dieser selbstgefällig.

Dank des Todes seines Sohnes in Russland konnte Kunzemann von dieser Gunst fast drei Jahre lang profitieren. Dann starb er nach einem langen Leidensweg, wie die Familie in der Traueranzeige bekannt gab.

11

Schwert und Blitz

Nach dem Sieg über seine Konkurrenten konnte Isay Rottenbergs Zigarrenfabrik ohne allzu große Behinderungen laufen. Doch einfach war es noch immer nicht. Wie das Finanzministerium vorhergesehen hatte, konnten die Deutschen Zigarren-Werke bei einer maximalen Produktion von 5 Millionen Zigarren pro Monat keinen Gewinn erzielen. Rottenberg versuchte, bei den Fixkosten zu sparen und bat den Stadtrat um eine niedrigere Miete. Der Bürgermeister stimmte dem im Januar 1935 zu. Er gewährte den Deutschen Zigarren-Werken einen Nachlass von 500 Reichsmark, ein Viertel des Mietbetrags, der sogar rückwirkend ab November 1933 gelten sollte.

Im Rechtsstreit um den Namen Deutsche Zigarren-Werke hat die Fabrik einen kleinen Sieg errungen. In Berlin urteilte die Handelskammer, dass der Firmenname aus ihrer Sicht kein Problem darstellt. Es ist ein großes Unternehmen (Werke, im Plural) mit mehr als 600 Mitarbeitern und Vertriebsabteilungen in Berlin, Essen, Hamburg, Leipzig und Dresden sowie Exporten nach Norwegen und auf die niederländischen Westindischen Inseln. Berlin äußerte sich nicht zur Beanstandung der Bezeichnung »Deutsche«.

Mit dieser Aussage in der Hand bat Rechtsanwalt Arndt Oehmichen die Handelskammer in Chemnitz, ihre Beschwerde gegen die Namensführung zurückzuziehen. Schließlich sei die Arbeit von »Hunderten von Volksgenossen« gefährdet, wenn der Name geändert werden müsse, behauptete er mit erheblicher Übertreibung. Oehmichen unterzeichnete seinen Brief mit »Heil Hitler«.

Aus den Briefen, die Oehmichen für die Deutschen Zigarren-Werke schrieb, geht ein vorbehaltloses Engagement hervor. Er war bei schwierigen Besprechungen immer dabei und begleitete Rottenberg zu den Zollbehörden und den Ministerien in Dresden und Berlin. Er unterstützte Isay Rottenberg nach besten Kräften, und dieser vertraute ihm. Oehmichen hatte kein Problem damit, »Heil Hitler« als Gruß zu verwenden, aber das sagt nichts über seine tatsächliche Gesinnung aus. Es machte ihm nichts aus, für einen jüdischen Geschäftsmann zu arbeiten, also war es vielleicht umso klüger, seine Loyalität gegenüber den Nazis zu bekunden.

Wir bekommen eine Ahnung, warum die Wahl unseres Großvaters auf ihn gefallen war, als wir auf Rechnungen stoßen, die Oehmichen der Gemeinde geschickt hatte. Es handelt sich um Abrechnungen für die Beratung des städtischen Verwalters der insolventen Krenter Werke. Oehmichen hatte bei der Stadtverwaltung einen guten Ruf. Dann ist er der richtige Mann, wird sich Isay Rottenberg gedacht haben, um zwischen meiner Fabrik und der Stadt zu vermitteln.

Monate später lesen wir in einer Akte, die unseren Großvater zitiert, dass Arndt Oehmichen Mitglied der NSDAP war. Schmerzlich betroffen sucht Hella nach mildernden Umständen. 1932, als Opa ihn engagierte, war Oehmichen wohl noch kein Parteimitglied, er wurde es erst 1934 oder 1935, als sie bereits eine ausgezeichnete Arbeitsbeziehung aufgebaut hatten und Opa nicht mehr auf ihn verzichten konnte. Sandra betrachtet das Ganze wie immer aus größerer Distanz. Halb scherzend sagt sie zu Hella: »Opa fand das praktisch, einen NSDAPler, der seine Interessen vertrat.«

Abb. 31 Heimatfest in Döbeln, 1935. Festumzug des Turnvereins

Braunhemden

Wir müssen noch einen weiteren Schock verdauen. In Dresden befindet sich das Archiv des ostdeutschen Ministeriums für Staatssicherheit in Sachsen, das die NS-Zeit betrifft. Hier sind auch Akten zu Einzelpersonen eingelagert. Wir müssen um Erlaubnis bitten, um Dokumente einsehen zu dürfen. Der Akte Oehmichen enthält einen Beschluss der Entnazifizierungskommission in Döbeln, datiert auf den 20. April 1948. In dem von ihm selbst ausgefüllten Fragebogen erklärt Oehmichen, am 1. Mai 1933 der NSDAP beigetreten zu sein. Er war damals 29 Jahre alt und seit einem Jahr Anwalt. Es stellt sich heraus, dass er sich 1933 auch der SA angeschlossen und – was ausdrücklich als erschwerender Umstand genannt wird – die entsprechende Uniform getragen hatte. Die Arbeit, die er für die SA geleistet hatte, wird erwähnt. Er war der Rechtsberater der Standarte 139, des in Döbeln stationierten SA-Regiments, das durch die Stadt marschierte und das *Horst-Wessel-Lied* sang: »Die Fahne hoch!/Die Reihen fest geschlossen! SA marschiert/ Mit ruhig festem Schritt.« Für Isay Rottenberg kann es kein Geheimnis gewesen sein, dass Oehmichen Mitglied der SA war. Er muss Oehmichen gesehen haben und auch neben ihm gegangen sein und gesessen haben in seinem braunen Anzug, mit Stiefeln und einer Armbinde mit Hakenkreuz.

»Herr Dr. Oehmichen hat sich aktiv für die nationalsozialistische Gewaltsherrschaft eingesetzt und hat diese gestärkt und gefördert«, lautet das Urteil der Entnazifizierungskommission. Als Strafe darf er nicht mehr in einer Position arbeiten, in der er Personal einstellen oder entlassen oder Arbeitsbedingungen festlegen kann. Es ist eine milde Strafe: Offenbar kann ihm nichts Schwerwiegenderes angelastet werden.

Die Männer, mit denen unser Großvater zu tun hatte, waren nicht eindeutig zu fassen; ihre Vorstellungen und ihr Verhalten passten nicht immer zusammen. Denecke trug eine SA-Uniform, wirkte aber in der Praxis wie ein gewöhnlicher ziviler Verwalter, der nicht davor zurückschreckte, den jüdischen Unternehmer Rottenberg gegen seine deutschen Konkurrenten zu verteidigen. Oehmichen war Rechtsberater eines Juden und trug auch ein Braunhemd. Saupe war ein Schurke und unterstützte unseren jüdischen Großvater. Es überrascht uns. Wie der Alltag in einer durchschnittlichen Kleinstadt aussah, kann man sich nicht vorstellen, auch wenn man noch so viel über die Nazis gelesen hat. Die Nazis sind nicht plötzlich besser, als wir dachten, aber was wir sehen, sind Nazis, die pragmatisch verwalten und für die der wirtschaftliche Nutzen wichtiger ist als die Ideologie.

Auch unseren Großvater lernen wir als einen Mann kennen, der seinen Kurs korrigierte, wenn sich die Umstände änderten. Man kann ihn nicht verdächtigen, ein Sympathisant der Nazis gewesen zu sein, aber er saß doch mit ihnen am Tisch und spendete für die Winterhilfe. Diese Winterhilfe steckt Hella immer noch wie eine Gräte im Hals. Wer in den Niederlanden während der Besatzung an die Winterhilfe spendete, war ein Kollaborateur. »Nog geen knoop van mijn gulp voor de Winterhulp« – was so viel bedeutet wie »Nicht einen Knopf von meiner Hose für die Winterhilfe« – wurde auf Plakate geschmiert. Zweifellos war die Winterhilfe von Isay Rottenberg – von November 1934 bis März 1935 – erzwungen. Zumindest wäre das Verweigern eine Tat gewesen, die ihn teuer zu stehen gekommen wäre. Er hatte wahrscheinlich keine andere Wahl, wenn er seine Fabrik behalten wollte. So wird es wohl gewesen sein. Oder etwa nicht? War er so besessen von dieser verdammten Fabrik, dass er freiwillig Geld spendete, um die Nazis günstig zu stimmen? Ich lese Avraham Barkais Buch *From Boycott to Annihilation*, in dem die Arisierung jüdischer Unternehmen ab 1933 rekonstruiert wird. Auf Seite 95 stoße ich auf eine Passage, die mein Herz höherschlagen lässt. Bis zum Winter 1935, schreibt Barkai, beteiligten sich Juden an der deutschen Winterhilfe, sowohl als Spender als auch als Empfänger. Erst nach den Nürnberger Rassengesetzen wurden Juden ausgeschlossen.

Was für eine Erleichterung! Andere Juden spendeten ebenfalls an die Winterhilfe, und die Hilfe kam nicht ausschließlich reinen Ariern zugute. Gerettet durch einen einzigen Satz in einem Buch. Das Foto von Opa hatte ich von meinem Handy entfernt. Ich mache es nicht rückgängig, weil ich nicht weiß, was ich noch entdecken werde, aber ich kann wieder ohne zwiespältige Gefühle an ihn denken.

Im Stadtarchiv Döbeln gibt es nicht viele Unterlagen über die Deutschen Zigarren-Werke aus dem Jahr 1935. Alles scheint seinen gewohnten Lauf genommen zu haben. Es gibt ein paar Dokumente über eine Devisenprüfung im Juni, die auf Schwierigkeiten hindeuten – hatten die Deutschen Zigarren-Werke gegen die Devisenvorschriften verstoßen? –, ansonsten aber keine Korrespondenz, Notizen oder Sitzungen wie im Vorjahr. Im September ein kurzes Schreiben der Fabrik an die Stadtverwaltung mit der trockenen Mitteilung, dass mit Fritz Dannemann, einem »in unserer Branche bekannten und erfahrenen Tabakfachmann«, ein neuer Direktor gefunden worden sei.

Zu diesem Zeitpunkt saß Isay Rottenberg bereits im Gefängnis. Sieben nervenaufreibende Monate waren seiner Verhaftung vorausgegangen.

Von der Deutschen Bank entführt

Am 14. Januar 1935 betrat ein Vertreter der Deutschen Bank zusammen mit zwei weiteren Männern das Büro von Isay Rottenberg. Was danach geschah, können wir fast aus dem Munde unseres Großvaters wiedergeben, obwohl aus dieser Zeit kein einziger Brief von ihm erhalten geblieben ist. Wir finden seinen Bericht in den Aufzeichnungen des niederländischen Konsuls in Dresden, Johan Steenbergen, der Isay Rottenberg am 10. Oktober desselben Jahres im Dresdner Gefängnis besuchte.

Rottenberg erzählte ihm, so notierte Steenbergen, dass der Mitarbeiter aus der Rechtsabteilung der Deutschen Bank, Dr. Hans-Joachim Veith, zusammen mit zwei Privatdetektiven in seinem Büro erschienen sei und ihm mit einer Verhaftung gedroht habe. »Rottenberg habe nur verhandeln wollen, wenn sein Rechtsanwalt, Dr. Oehmichen, herbeigezogen würde«, schreibt Steenbergen. Er fährt fort:

> *Dr. Oehmichen, der der NSDAP angehört, ist stets Rechtsberater der DZW und Rottenbergs gewesen und hat deren Interessen stets gewissenhaft wahrgenommen. Er wurde von Rottenberg seines korrekten Verhaltens wegen gelobt. Dr. Oehmichen hat dann auch gegen das unerhörte Auftreten der Deutschen Bank protestiert, worauf ihn Dr. Veith zur Seite nahm, um ihm darzulegen, dass er doch den Juden Rottenberg nicht in Schutz nehmen solle und an seine national-sozialistische Gesinnung appellierte. Die Verhandlungen hätten den ganzen Tag angedauert. Dann sei Rottenberg im Auto mit nach Dresden geschleppt und unter dauernder Bewachung der Detektive im Hotel Bristol untergebracht worden. Unter dem Druck der Verhältnisse und um der angedrohten Verhaftung zu entgehen, habe Rottenberg zugestimmt, dass die Aktien der DZW als Sicherheit für die Deutsche Bank hinterlegt würden, jedoch unter der ausdrücklichen Bedingung, dass keine personellen Veränderungen stattfinden dürften, und im besonderen, dass er (Rottenberg) die Leitung der DZW behalten müsse.*

Als wir mit unseren Nachforschungen begannen, fiel uns als Erstes ein, dass es im Auswärtigen Amt eine Akte über die Gefangenschaft unseres Großvaters geben müsste. Auf der Tonbandaufnahme, die wir von den Reden bei der Beerdigung von Sandras Vater Edwin haben, erzählt unsere Tante Tini, wie sich Konsul Steenbergen für ihren Vater eingesetzt hatte. Ein ehemaliger Diplomat, den Sandra kannte, war bereit, zu helfen und Nachforschungen anzustellen. Aber Monate später war noch immer nichts aufgetaucht.

Ein Mitarbeiter des Auswärtigen Amtes machte uns wenig Hoffnung. »In den Inventarlisten der Vorkriegsabteilungsarchive ist jedenfalls nichts zu finden. Für noch eventuell verbleibende Spuren müssten die alten ursprünglichen Archivzugänge genutzt werden, eine relativ komplizierte Aufgabe für jemanden, der das Verwaltungssystem der Vorkriegszeit nicht kennt«, schrieb er. Er versprach, es im Nationalarchiv zu versuchen. »Dann kann ich zumindest überprüfen, ob es überhaupt Unterlagen über euren Großvater und seine Verhaftung gegeben hat. Aber bedenkt, dass selbst ein positives Ergebnis keine Garantie dafür ist, dass wir diese Dokumente auch tatsächlich ans Tageslicht bringen können. In den meisten Archiven des Auswärtigen Amtes aus der Vorkriegszeit wurde vieles wahllos vernichtet, vor allem um die Zeit des deutschen Einmarsches in die Niederlande 1940. Und auch die Besatzer waren nicht untätig.«

Einige Tage vor unserer ersten Reise nach Döbeln gingen wir selbst ins Nationalarchiv, weil uns die Sache keine Ruhe ließ und wir uns vergewissern wollten, dass die Akte wirklich nicht da war. Die von uns angeforderten Inventarnummern enthielten tatsächlich nichts, was unseren Großvater betraf. Aber wir konnten uns mit der Niederlage nicht abfinden und prüften auf dem Weg zum Ausgang noch einmal den Archivindex. Noch ein paar Kartons, die mit Niederländern in ausländischer Gefangenschaft zu tun hatten, wirklich die allerletzten, forderten wir an. Zehn Minuten später hielten wir die Pappmappe mit der gesamten diplomatischen Korrespondenz über die Gefangenschaft unseres Großvaters in den Händen. Noch am selben Nachmittag erhielten wir eine E-Mail von einer

Mitarbeiterin des Auswärtigen Amtes. Sie teilte uns mit, dass die Akte gefunden wurde und schickte uns sogar Fotos der Dokumente. Zufälle gibt's!

Überfall

Dank der Akte im Nationalarchiv und des Materials der Deutschen Bank im Staatsarchiv Dresden können wir uns ein Bild von dem Überfall auf die Zigarrenfabrik und deren Übernahme sowie von den Intrigen im Vorfeld machen.

Nachdem er aus Döbeln weggeführt und im Hotel Bristol in Dresden eingesperrt worden war, musste Isay Rottenberg seinen Reisepass abgeben, um zu verhindern, dass er Reißaus nimmt. Er durfte die Stadt nicht verlassen und bat deshalb seinen Rechtsberater Oehmichen, die Löhne an das Fabrikpersonal auszuzahlen. Danach ernannte er den Betriebsleiter der Deutschen Zigarren-Werke, den Ingenieur Georg Berns, »den er wegen seiner Tüchtigkeit« schätze, zum Kodirektor.

Dass er ein gutes Verhältnis zu Georg Berns hatte, ist überraschenderweise in Amsterdam belegt. In einem Fotoalbum von Tante Tini finden wir eine Geburtsanzeige von Sylvia Margret Berns, 17. März 1935, mit einer Adresse in Döbeln. Der Text auf der Karte ist in Englisch verfasst, Berns' Frau war keine Deutsche. Es ist das einzige Überbleibsel von der Kommunikation zwischen Döbeln und Amsterdam im Familiennachlass und der einzige Hinweis darauf, dass Isay Rottenberg überhaupt etwas mit Döbeln zu tun hatte.

In der Darstellung von Konsul Steenbergen klingt es so, als habe Rottenberg es unter den gegebenen Umständen für ratsam gehalten, jemanden an seiner Seite zu haben; es scheint, als habe er selbst noch die Fäden in der Hand gehabt und Berns aus freien Stücken eingestellt. Wahrscheinlich war Isay Rottenberg zu stolz, um zuzugeben, dass er keine Wahl hatte. Aus anderen Dokumenten geht sonnenklar hervor, dass die Deutsche Bank unverzüglich versucht hatte, den Eigentümer und Direktor aufs Abstellgleis zu schieben.

Bereits am 14. Januar wollte die Bank Isay Rottenberg in Schuldhaft nehmen lassen, weil die Fabrik angeblich noch hohe Schulden bei der Deutschen Bank aus der Zeit Krenters hatte. Rottenberg wurde vorgeworfen, bei der Übernahme der Fabrik Insolvenzbetrug begangen zu haben, um Krenter zu helfen, seine Schulden loszuwerden. Bei diesem Treffen wedelte Veith mit einem Antrag auf Schuldhaft vor Gericht. Irgendwo im hinteren Teil der Gefängnisakte finden wir die Vereinbarung, die unter dieser Androhung am 14. Januar in Döbeln nach einem Tag harter Verhandlungen geschlossen wurde.

Unterzeichnet ist das Dokument von Isay Rottenberg, seinem Juristen Oehmichen, Dr. Veith, einem gewissen Franz Barczel (einer der beiden Detektive?) und Hans Schubert, einem Notar aus Dresden, der zu diesem Anlass in die Fabrik nach Döbeln gekommen war. Der Text zeigt deutlich, wie gut die Angelegenheit vorbereitet worden war.

Wenn Rottenberg oder die Fabrik 60.000 Reichsmark Sicherheit bezahlten, durfte er auf freiem Fuß bleiben. Darüber hinaus musste Rottenberg seine Aktien an Veith abtreten und ihm sein Stimmrecht übertragen, das er erst zurückerhält, wenn der Fall zu seinen Gunsten entschieden wird. Rottenberg konnte 10 von 100 Aktienurkunden vorweisen, die anderen 90 waren von Vincenz Silvan außerhalb Deutschlands sicher verwahrt worden. In der Vereinbarung wurde festgelegt, dass Silvan dafür sorgt, dass diese 90 Aktien umgehend nach Berlin geliefert werden. Fortan musste sich Rottenberg seine Weisungsbefugnis mit dem Ingenieur Berns teilen, oder, falls dieser aufhören sollte, mit einer anderen von der Deutschen Bank ernannten Person. Genau, Berns wurde von keinem Geringeren als Dr. Veith eingesetzt. Vertrauen ist gut, aber totale Kontrolle ist besser, muss Veith gedacht haben. Denn abgesehen von den Aktien und Ingenieur Berns nahm die Deutsche Bank die Fabrik auch mit einem eigenen Buchprüfer in die Zange, »der das Recht [hat], die Betriebsräume und sonstige Geschäftsräume der Deutschen Zigarren-Werke jederzeit zu betreten und sich von der Ordnungsmässigkeit der Geschäftsführung durch Einsicht in sämtliche Bücher und sonstige Unterlagen zu unterrichten.« Die einzige Zusage, die Isay Rottenberg ausbedingen konnte, war, dass es keine personellen Veränderungen geben wird. Die Formulierung dieses Versprechens ist jedoch äußerst vage.

Noch keine zwei Wochen später lagen die Eigentumspapiere in den Händen der Deutschen Bank. Ein Berliner Notar, ein gewisser Dr. Konrad von Kries, eilte zur Hauptgeschäftsstelle der Bank in Berlin. Dort traf er Dr. Veith, der alle 100 Aktien der Deutschen Zigarren-Werke im Gesamtwert von 100.000 Reichsmark auf den Tisch legte, woraufhin der Notar die Deutsche Bank in Berlin zur alleinigen Eigentümerin der Fabrik erklärte. Auf der Urkunde, in der dies festgehalten ist, sehen wir das preußische Wappen: ein furchterregender Adler mit einem Schwert in der rechten Klaue und zwei Blitzen in der linken. Mitten auf seiner Brust ein Hakenkreuz und über ihm ein Banner, das seine Arbeit absegnet: Gott mit uns. Schwert und Blitz, Rottenberg war gewarnt, aber er weigerte sich, das Menetekel zu sehen. Immer noch.

Intrigen

Wie kam es, dass Isay Rottenberg in diesen Fall verwickelt wurde? Die einfache Antwort lautet: Es war Deutschland im Jahr 1935, was denn sonst? Es waren zwei Jahre seit der Machtergreifung der Nazis vergangen, und es war schon unwahrscheinlich, dass ein russischer Jude mit einem niederländischen Pass eine Fabrik in Deutschland besaß und leitete und von der Naziverwaltung im Kampf gegen die Konkurrenz unterstützt wurde. Irgendwann musste es schiefgehen. Und dieser Moment war nun gekommen.

Obwohl dies im Großen und Ganzen stimmte, stellten wir fest, dass das Spiel komplexer und hinterhältiger war. Ja natürlich, die Deutsche Bank wollte sich den Besitz aneignen, aber auch Dr. Isidor Kronstein, der ehemalige Unternehmensberater von Salomon Krenter, spielte eine zwielichtige Rolle. Und Krenter selbst höchstwahrscheinlich auch.

Als Isay Rottenberg gerade erst in Dresden inhaftiert worden war, schrieb seine Frau Lena einen Brief an Konsul Steenbergen und teilte ihm mit, was sie wusste. Zunächst preist sie die Fabrik als ein gut gehendes Unternehmen an, in dem es etwas zu holen gab. »In Amsterdam, wo mein Mann große Partien Tabak einkaufte, genoss die Fabrik ein hohes Ansehen, und es war in Tabakkreisen bekannt, dass die DZW gut geführt wurden und nicht nur für Deutschland, sondern auch für andere Länder als Vorbild galt.«

Sie nennt »einen gewissen Dr. Kronstein« als den Mann, der die Deutsche Bank auf die Idee gebracht habe. Anfang 1935 konnte er die Bank »dazu bewegen, auf seinen Vorschlag einzugehen, nämlich einen Zivilprozess gegen die DZW mit der Bezichtigung anzustrengen, die DZW seien nur eine Fortsetzung der Krenter Werke, sodass die Aktien der DZW rechtlich den Gläubigern von Krenter gehören würden.« Die Deutsche Bank, fügt sie zur Verdeutlichung hinzu, war Krenters Hauptgläubigerin. Inzwischen sei bekannt geworden, schreibt sie weiter, dass Kronstein 45 Prozent des Nettogewinns aus einem gewonnenen Prozess erhalten würde.

Einen Monat später erhellte Isay Rottenberg in dem Gespräch, das er mit Konsul Steenbergen im Gefängnis führte, die Rolle von Salomon Krenter. Für das Unternehmertalent von Salomon Krenter, der die Fabrik in Konkurs gehen ließ, zeigte er wenig Anerkennung. Krenter war ein Abenteurer, ein »Hasardeur«, wie er ihn nannte, der sein Geld für Werbung, Direktoren und zu viel Personal ausgab. Dank »seiner Tatkraft und seinem Sparsinn« ist es ihm, Rottenberg, gelungen, die Deutschen Zigarren-Werke wieder rentabel zu machen. Als Krenter bemerkte, dass die Fabrik wieder lief, versuchten er und Kronstein, sich einen Teil des Gewinns unter den Nagel zu reißen. »Beide Personen seien schlecht beleumundet und notorische Betrüger«, lautet Rottenbergs Fazit. »Dr. Kronstein habe es fertiggebracht, die Deutsche Bank für seinen Plan zu interessieren, so dass diese gegen Rottenberg die Zivilklage eingereicht hätte und ihn beschuldigte, Krenter Beihilfe geleistet zu haben, Aktiven zum Nachteil der Konkursgläubigen verschoben zu haben.« Die beiden sollen vereinbart haben, dass Kronstein seine Ausbeute mit Krenter teilt. Krenter selbst war aus Deutschland geflohen und befand sich anscheinend in Jugoslawien.

Die Akte des Auswärtigen Amtes wirft ein wenig Licht auf die Geschäftsbeziehung zwischen Rottenberg und Krenter. Für den Kauf der Zigarrenfabrik hatte Isay Rottenberg im Jahr 1932 nicht genügend Kapital zur Verfügung, erzählte er Konsul Steenbergen.

Krenter wollte ihm die Fabrik überlassen und half ihm bei der Finanzierung. Rottenberg lieh sich 4.500 Reichsmark von Vincenz Silvan und 8.000 Reichsmark von einem Herrn Lewin, dem Besitzer der Bergmann Zigarettenfabriken in Dresden. Den größten Kredit, 42.000 Reichsmark, nahm er über Krenter bei dessen Geschäftspartner Salim Nouri, einem Tabakhändler in Bulgarien, auf. Mit dem geliehenen Geld kaufte Rottenberg eine Partie Zigarren, die der deutsche Zoll beschlagnahmt hatte, weil Krenter Steuerschulden hatte. Er verkaufte diese Partie mit hohem Gewinn und konnte mit dem Ertrag die Anteile der Krenter-Werke kaufen, die Deutschen Zigarren-Werke gründen und einen Neuanfang machen.

Kronstein und die Deutsche Bank behaupteten, Krenter habe nicht das Geld von Nouri an Rottenberg verliehen, sondern aus seinem Unternehmen abgezweigt, das kurz vor dem Bankrott stand oder bereits pleite war. Damit habe Krenter die Gläubiger geschädigt und eine Straftat begangen. Sie behaupteten, dass Rottenberg mit Krenter unter einer Deckte steckte, um die Fabrik ohne Schulden weiterführen zu können. Er sei an dem Betrug mitschuldig.

Wie der Kauf der Fabrik genau finanziert wurde, können wir nicht ermitteln. Klar ist jedoch, dass unser Großvater nicht über das nötige Kapital verfügte. Mit Müh' und Not – mit Krediten von Bekannten und Unbekannten – kratzte er Geld zusammen, mit dem er dann die beschlagnahmte Partie Krenter-Zigarren von den Zollbehörden kaufte und durch ihren Weiterverkauf einen großen Gewinn erzielte, sodass er die Kredite ganz oder teilweise zurückzahlen konnte. Das war riskant, vor allem der Kredit über Krenter, aber zu diesem Zeitpunkt hatte er keinen Grund,

Krenter zu misstrauen. Er wollte die Fabrik so gerne, dass er das Risiko in Kauf nahm; Risiken gehören schließlich zum Unternehmertum.

Von dem Moment an, als Hans-Joachim Veith in seinem Büro in Döbeln auftauchte, musste Isay Rottenberg versuchen, seinen Namen reinzuwaschen. Er durfte auf freiem Fuß bleiben, aber der Zivilprozess der Deutschen Bank gegen ihn wurde eingeleitet und musste von ihm vorbereitet werden. Wie wir ihn kennen, hat er keine Sekunde den Kopf hängen lassen. Er erstellte eine Übersicht, sammelte Fakten, studierte die rechtlichen Aspekte und versuchte, Zeugen zu finden.

Und diese Schuldenangelegenheit war nicht die einzige, die seine Aufmerksamkeit in Anspruch nahm. Wenig später wurde er zudem mit einer Devisenuntersuchung des sächsischen Finanzministeriums konfrontiert. Ins Rollen gebracht wurde die Angelegenheit durch Konkurrenten der Deutschen Zigarren-Werke, die ihren Willen bei der Umstellung der Fabrik auf Handarbeit nicht durchsetzen konnten und nun andere Wege suchten, um die Deutschen Zigarren-Werke zu untergraben. Sie verleumdeten die Fabrik erneut bei den Behörden. »Von Konkurrenzseite wurden wir wiederholt darauf aufmerksam gemacht, dass die Verhältnisse der Deutschen Zigarren-Werke für den Aussenstehenden völlig undurchsichtig sind«, schreibt die Döbelner Filiale der Reichsbank an das sächsische Finanzministerium. Rottenberg würde Gehälter an den Tabakeinkäufer Vincenz Silvan in den Niederlanden überweisen und damit gegen Devisenbestimmungen verstoßen.

In Deutschland gab es seit Jahren Devisenbeschränkungen. Alle, die – durch Export oder Verdienste im Ausland – Fremdwährungen erhielten, mussten diese auf ein separates Konto einzahlen. Und wer Fremdwährungen für Importe oder Zahlungen benötigte, musste dafür eine Genehmigung einholen.

Im April 1935 betraten Inspektoren die Fabrik, um die Buchhaltung zu überprüfen. Sie stellten fest, dass Rottenberg tatsächlich Beträge an Silvan überwiesen hatte. Rottenberg wurde auch verdächtigt, Geld auf das Konto seines Schwiegervaters Abraham Ptasznik überwiesen zu haben.

Alles lief schief. Die Fabrik wurde Isay Rottenberg weggenommen, zumindest bis der Richter zu seinen Gunsten entscheiden würde. Da schnüffelten Fremde von der Steuerbehörde und von der Deutschen Bank herum und suchten nach Unregelmäßigkeiten oder strafbaren Handlungen.

Rottenberg wollte sich über das Verhalten von Dr. Veith beschweren, aber es gelang ihm nicht, zu dessen Vorgesetzten durchzudringen. Veith und Kronstein bildeten ein festes Tandem, denn wann immer Rottenberg Veith in Berlin seine Aufwartung machte, war auch Kronstein im Raum.

Ein kleiner Lichtblick

Es gab einen kleinen Lichtblick: Der Name Deutsche Zigarren-Werke wurde genehmigt. Drei Jahre nach der Beschwerde wies das Gericht in Döbeln die Einwände der Handelskammer Chemnitz zurück und genehmigte den Namen. Das Gericht widmete der Bezeichnung »Deutsche« im Firmennamen seitenlange Abhandlungen, ergänzt durch aktuelle Gerichtsurteile zu der Frage, wer sich als deutsch bezeichnen darf. Als der Firmenname im Jahr 1932 eingetragen wurde, sei die Bezeichnung »deutsch« oft nicht mehr als ein »dekoratives« Adjektiv gewesen oder habe für den Export ins Ausland darauf hingewiesen, dass ein Unternehmen in Deutschland ansässig sei, erinnerte das Gericht. Nach der nationalen Erhebung habe »deutsch« einen höheren Stellenwert erlangt und es sei richtig, dass an die Verwendung dieser Bezeichnung nun höhere Anforderungen gestellt würden. Aber die Eintragung der Deutschen Zigarren-Werke sei ursprünglich nicht irreführend gewesen, befand das Gericht.

Was außerdem schwerer wog: Der Eigentümer der Deutschen Zigarren-Werke war zwar ein Ausländer und sogar ein Nichtarier, aber in jüngster Zeit gab es neue Tatsachen, die der Fabrik unverkennbar einen deutschen Charakter verliehen. Der Ingenieur Georg Berns aus Döbeln wurde in die Geschäftsleitung aufgenommen. »Weiterhin ist dem nicht-arischen

Vorstandsmitglied Rottenberg nicht mehr die Alleinvertretung der Firma möglich«, stellte das Gericht fest. Darüber hinaus fiel der Einwand weg, dass Rottenberg der alleinige Eigentümer war. Jetzt war vielmehr die Deutsche Bank in Berlin die Eigentümerin. »Vielmehr« war das Wort, dass das Gericht mit feinem Gespür für die Umstände verwendete: Es stand noch nicht ganz fest, ob die Bank die Eigentümerin der Deutschen Zigarren-Werke war.

Sowohl Kronstein als auch Rottenberg versuchten, Zeugen zu finden, die ihre Version des Fabrikkaufs unterstützten. Eine Zeugenvernehmung vor Gericht, die am 7. August stattfand, fiel zugunsten von Isay Rottenberg aus. Von diesem Moment an gab es allen Grund zum Optimismus, schrieb unsere Großmutter an Konsul Steenbergen:

> *Bald entwickelte sich jedoch diese Angelegenheit zugunsten meines Mannes, sodass der Richter, der diese Sache unter sich hatte, die Gegenpartei wissen liess, dass ihre Beweisführung nicht stichhaltig wäre und dass aus nichts hervorginge, dass ihre Ansprüche auf die Aktien der DZW gerechtfertigt wären. Schließlich wurde die Vernehmung der Hauptzeugen in dieser Angelegenheit auf den 17. August festgesetzt, wonach mit großer Sicherheit auf ein Urteil zugunsten meines Mannes gerechnet werden konnte.*

Isay Rottenberg ging davon aus, dass die Fabrik bald wieder in seinen Händen sein würde. Es war zwar Deutschland, wo der Antisemitismus zur Staatsideologie erhoben worden war, aber damit hatte diese Angelegenheit nichts zu tun, muss er sich gedacht haben. Es war ein Konflikt mit einem Haufen (sogar jüdischer) Betrüger, die sich die Deutsche Bank als großen Bruder ins Boot geholt hatten. Die Richter konnten doch nicht die überzeugenden Zeugenaussagen ignorieren?

Rottenbergs Bilanzbuchhalter, Arthur Theermann, berichtete Konsul Steenbergen später, dass er fünf Tage vor der Verhaftung mit Rottenberg von Dresden nach Döbeln gefahren sei und dieser der Gerichtsverhandlung zuversichtlich entgegengesehen habe.

Doch es sollte nicht dazu kommen. Am Dienstag, dem 13. August 1935, vier Tage vor den wichtigen Vernehmungen, verhaftete die Polizei unseren Großvater. An diesem Morgen lag er krank im Bett in einem Zimmer des Westminster-Hotels in Dresden, in dem er sich zu diesem Zeitpunkt aufhielt. Er hatte Fieber, aber sie nahmen ihn trotzdem mit. Wenig später saß er in einer Zelle des berüchtigten Dresdner Gefängnisses am Münchner Platz.

Am selben Tag wurde eine außerordentliche Aktionärsversammlung der Deutschen Zigarren-Werke von Dr. Veith einberufen, der die Versammlung im Namen der Deutschen Bank als neuer Eigentümerin leitete. Es gab vier Tagesordnungspunkte: 1. Entlassung von Isay Rottenberg als Direktor. 2. Ersetzung der drei Aufsichtsratsmitglieder. 3. Sofortige Kündigung des Vertrags mit dem Tabakeinkäufer Vincenz Silvan. 4. Durchführung einer Rechnungsprüfung über die Gründung und Betriebsführung unter der Leitung von Rottenberg. Die Beschlüsse wurden einstimmig angenommen. Dies ist nicht verwunderlich, da mögliche Gegenstimmen ausgeschaltet wurden.

Die Arisierung war gründlich vorbereitet worden.

12

Münchner Platz

Tini war 1935 zwölf Jahre alt. Das Verschwinden ihres Vaters muss sie tief geprägt haben. Ihre Stimme klingt emotional, als sie sich bei der Beerdigung ihres Bruders Edwin im Jahr 1997 daran erinnert. »Plötzlich war Vater verschwunden, und wir wussten nicht wohin, wie und weshalb. Wir rechneten nicht mehr damit, dass er noch am Leben war.« Als wir kurz nach der Veröffentlichung des Aufrufs der Claims Conference uns das Tonband mit der Rede anhörten, hörten wir Orte und Namen, die uns auf die richtige Spur brachten. Dank der Aufnahme kannten wir den Namen des Konsuls, der sich für unseren Großvater eingesetzt hatte.

> *Das Auswärtige Amt wurde eingeschaltet und dieses beauftragte Konsul Steenbergen in Dresden, Nachforschungen über den niederländischen Staatsbürger Isay Rottenberg anzustellen. Nach geraumer Zeit, ich weiß nicht mehr wie lange, fand man ihn in einem Gefängnis in Dresden, todkrank, mit Nierensteinen, ohne ärztliche Hilfe in einer feuchten Zelle.*

In Tinis Erinnerung verbrachte die Familie Wochen, wenn nicht Monate, in Ungewissheit über Isays Schicksal. Aber als wir schließlich die Akte des Auswärtigen Amtes vor uns hatten, wurde uns klar, dass das nicht stimmen konnte. Das erste Dokument in der Mappe ist ein Brief unseres Urgroßvaters Abraham Ptasznik. Es machte uns fassungslos. Der einzige Brief von ihm, den wir je zu Gesicht bekamen, war eine Abschiedskarte, die er aus dem Waggon werfen konnte, als der Zug das niederländische Durchgangslager Westerbork verließ und er und unsere Urgroßmutter, beide um die 80 Jahre alt, nach Sobibor deportiert wurden.

Sein Brief ist an das Auswärtige Amt in Den Haag gerichtet und auf den 18. August 1935 datiert, fünf Tage nach Isays Verhaftung. »Sehr geehrte Herren«, schreibt er in einem fein säuberlich getippten Brief in förmlichem Niederländisch.

Am Donnerstag der vergangenen Woche wurde ich von dritter Seite aus Berlin darüber in Kenntnis gesetzt, dass mein Schwiegersohn Isay Rottenberg, ein niederländischer Staatsbürger, am 13. dieses Monats in Döbeln in Sachsen unerwartet verhaftet und in das Gefängnis in Dresden an der Münchenerstraße verbracht wurde.

Bis auf zwei kleine Details – Isay wurde in Dresden verhaftet und zum Münchner Platz gebracht – sind die Informationen korrekt.

Ptasznik berichtet dem Ministerium, dass Rottenberg seit Juni 1932 kaufmännischer Direktor der Deutschen Zigarren-Werke sei und dass dort »etwa 700 Arbeiter beschäftigt sind«. Er betont, dass Rottenberg und seine Familie die Verhaftung nicht hätten kommen sehen. »Trotz der seit 1933 in Deutschland herrschenden antijüdischen Regierung gelang es Rottenberg, der selbst Jude ist, das Unternehmen in gutem Einvernehmen mit der Belegschaft und den örtlichen Behörden fortzuführen.«

In Amsterdam ist die Familie darüber informiert, dass Isay krank ist, denn Ptasznik drängt darauf, dass der niederländische Konsul ihn persönlich in der Zelle besucht, um zu sehen, wie es um seine Gesundheit bestellt ist. Er bittet darum, »unverzüglich« diplomatische Schritte einzuleiten, »da ein Aufschub der Familie des Opfers womöglich irreparables Leid zufügen könnte.«

Ptasznik will seiner Tochter Lena die schlechten Nachrichten ersparen. Er glaubt, dass sie diese nicht verkraften würde. »Aufgrund gesundheitlicher Gründe ist Frau Rottenberg vorläufig über das Vorgefallene im Unklaren gelassen worden, weshalb ich Sie höflichst ersuche, sich in dieser Angelegenheit ausschließlich mit mir in Verbindung zu setzen.« Dies könnte der Grund sein, weshalb Tini glaubte, dass die Familie nicht wusste, wo Isay war. Das kann nicht sehr lange gedauert haben, denn am 2. September bat Abraham Asscher, Diamantenhändler und Mitglied des Provinzparlaments, an den sich die Familie gewandt hatte, um einen Termin für Tinis Mutter und ihren Onkel Jos Ptasznik beim Generalsekretär des Auswärtigen Amtes. Aber vielleicht hielt Lena ihrerseits die Gefangenschaft vor ihren Kindern geheim. An Geheimnissen und Verschwiegenheit hat es der Familie Rottenberg noch nie gemangelt.

Die Ptaszniks unternahmen noch mehr. Sie engagierten Anwälte in Dresden und Amsterdam und trugen in hohem Tempo Zeugnisse zusammen. Sie mussten die Nazis davon überzeugen, dass Isay Rottenberg kein in ihren Augen unzuverlässiger polnischer oder russischer Jude war, sondern ein ehrenhafter Bürger mit niederländischer Staatsbürgerschaft, der noch nie straffällig geworden war und bei seinen Geschäftspartnern einen guten Ruf genoss. Natürlich ging es dabei weniger um die Fakten – für die Nazis war er nun einmal ein jüdischer Betrüger, da half auch kein Zeugnis – als vielmehr um den Eindruck, den die Familie erwecken wollte, dass Isay Rottenberg in den Niederlanden über Beziehungen zu hochrangigen Kreisen verfügte und dass seine Verhaftung die Beziehung zwischen Deutschland und den Niederlanden belasten würde.

Ende August waren bereits neun Zeugnisse von Amsterdamer Behörden in Dresden eingetroffen, darunter die des Hauptpolizeipräsidenten, des Oberstaatsanwalts, eines Stadtrats, den Direktoren des Marktwesens und des Warenprüfdienstes. Später folgte noch eine »Petition« mit einem

Plädoyer für die Freilassung Rottenbergs, die von dem prominenten Sozialdemokraten und Gründer der Gewerkschaftsbewegung Henri Polak, der damals der Ersten Kammer des niederländischen Parlaments angehörte, einigen anderen Parlamentsmitgliedern und mehreren bekannten Universitätsprofessoren unterzeichnet worden war. Zu den einflussreichen Männern, die sich der Petition anschlossen, gehörten Abraham Asscher und Professor David Cohen, führende Persönlichkeiten der jüdischen Gemeinschaft in Amsterdam, die später während der Besatzung die berüchtigte Rolle der Vorsitzenden des Judenrats innehatten. Die Gruppe schrieb: »Es ist die feste Überzeugung der Unterzeichneten, die Herrn Rottenberg nicht nur als tüchtigen Geschäftsmann, sondern auch als ehrlichen und rechtschaffenen Menschen kennengelernt haben, dass Herr Rottenberg sich keiner Handlung schuldig gemacht hat, die die von den deutschen Behörden getroffenen Maßnahmen rechtfertigen könnte.«

Unsere Vorstellung, dass die Ptaszniks und Rottenbergs als osteuropäisch-jüdische Einwanderer isoliert lebten, war offensichtlich falsch. Nicht nur, dass sie perfekt Niederländisch sprachen und ihre Kinder gute Schulen besuchten, zu unserer Überraschung schienen sie auch beeindruckend gut vernetzt zu sein.

Honig und Essig

Das Gefängnis am Münchner Platz steht heute noch. Es ist eine düstere Festung mit einem Turm, hinter dem sich ein riesiger Komplex verbirgt. Die Festung selbst, die früher die Büros und Verhandlungssäle des Gerichts beherbergte, wird heute von der Technischen Universität Dresden genutzt. Fröhlich plaudernde Studierende gehen die breite Treppe hinauf und hinunter, doch die düstere Geschichte ist nicht heimlich verschwunden. Im Untergeschoss befindet sich ein Museum, das der Erinnerung an die Gefangenen gewidmet ist, die hier inhaftiert, verhört und hingerichtet wurden. Dahinter, getrennt vom Hauptgebäude, befindet sich das Gefängnis,

Abb. 32 Ehemaliger Justizkomplex Münchner Platz mit Gerichtsgebäude und Gefängnis

das in Form eines Kreuzes erbaut wurde. Im Innenhof steht ein Denkmal, eine Skulpturengruppe von Frauen und Männern, die Widerstand, Verzweiflung, Trost und Machtlosigkeit zum Ausdruck bringen. Es ist ein schauerlicher Ort. Der Münchner Platz war einer der Orte, wo im Dritten Reich Todesurteile vollstreckt wurden. In der Festung wurde das Urteil gefällt und im Innenhof mit der Guillotine das Urteil vollstreckt. Die Stelle, an der sie stand, ist markiert. Nach 1945 blieb die Guillotine in Betrieb, nun für die ostdeutschen Machthaber. 1956 fiel das Beil zum letzten Mal. Insgesamt wurden hier etwa 1.300 Gefangene enthauptet.

Von dem Moment an, als er von der Verhaftung erfuhr, kümmerte sich Johan Steenbergen intensiv um Isay Rottenberg. Er besuchte ihn in seiner Zelle, machte sich ausführliche Notizen über ihre Gespräche und setzte sich unermüdlich für seine Freilassung ein. Beim ersten Besuch äußerte sich der Gefangene »bitterlich« über den Gefängnisarzt, wollte jedoch keine Beschwerde einreichen und auch nicht auf die Krankenstation verlegt werden. Er bat um ein weicheres Bett und ein tägliches Sitzbad. Eine Woche später, als sich nichts verbessert hatte, wandte sich der Konsul selbst an den Gefängnisarzt. Der Arzt fand, Rottenberg stelle sich an, der

Inhaftierte sei »überempfindlich«. Der Konsul schlug vor, dass die zusätzlichen Kosten für die Betreuung von Rottenbergs niederländischen Freunden übernommen werden könnten, aber der Arzt war unerbittlich, er könne Ausländer nicht bevorzugen.

Steenbergen holte nun Peitsche und Zuckerbrot aus seinem Diplomatenkoffer. »Wissen Sie, neulich habe ich mit dem obersten Chef in Sachsen, Reichsstatthalter Mutschmann, gesprochen«, begann Steenbergen. Der Reichsstatthalter pflichtete ihm bei, dass die wirtschaftlichen Beziehungen zu den Niederlanden von großer Bedeutung seien. Nun, so hatte Steenbergen ihn offenbar unter Bezugnahme auf den Fall Rottenberg gewarnt, dann solle er seine Beziehungen zu den Niederlanden besser »nicht trüben«. »In Holland neigte man zu der Meinung, dass Rottenberg schlecht behandelt würde, und ich möchte dem gern auf Grund seiner Zusage entgegentreten können.« Er selbst, heuchelte Steenbergen, sei der Meinung, dass die Behandlung in deutschen Gefängnissen »vorbildlich« sei und er würde gerne die Menschen, die das anders sehen, davon überzeugen. Es würde einen guten Eindruck machen, wenn der Arzt der Bitte Rottenbergs nachkommen würde. Der Arzt konnte Steenbergen gar nicht schnell genug zustimmen. Noch am selben Tag erhielt Isay Rottenberg eine weichere Matratze und ein Bad. All dies wurde von Johan Steenbergen treuherzig und zufrieden berichtet.

An die niederländische Botschaft in Berlin schrieb Steenbergen, er sei nicht in der Lage, die komplexen Sachverhalte zu beurteilen, wegen derer Rottenberg inhaftiert worden sei. Die Zeugnisse über Rottenberg seien vorteilhaft, aber er wolle eine neutralere Person zurate ziehen, um zu erfahren, mit wem er es zu tun habe. Deshalb kontaktierte er Arthur Theermann, den Buchhalter der Deutschen Zigarren-Werke, der weder von Rottenberg selbst noch von der Familie als Referenz genannt worden war.

Theermann äußerte sich lobend über Rottenberg. Der Erfolg der Deutschen Zigarren-Werke sei seinem »guten Geschäftssinn und unermüdlichen Fleiß« zu verdanken. Rottenberg habe das Unternehmen auf die bestmögliche Weise weitergeführt, sagte Theermann, gefolgt von einem zweifelhaften Kompliment: »Er wäre auch seitens Parteileuten günstig beurteilt worden. Noch kürzlich habe er mit einem Parteigenossen gesprochen, der Rottenberg lobte.« Theermann, der selbst Mitglied der NSDAP war, kritisierte sogar die Justiz. Er wunderte sich, dass Rottenberg plötzlich aufgrund der Aussagen eines »unzuverlässigen Mannes« verhaftet worden war.

Isay Rottenberg war es verboten, mit Dritten über sein Strafverfahren zu sprechen; er durfte Steenbergen nur über den Zivilprozess informieren. Bei einem der Besuche kann er Steenbergen dennoch mitteilen, dass seine Verhaftung auf einer eidesstattlichen Erklärung von Dr. I. Kronstein beruhe, der für die Deutsche Bank ein Memorandum erstellt habe. Salomon Krenter sei eigens aus Jugoslawien nach Wien gereist, um belastende Aussagen gegen Rottenberg zu machen. Rottenberg wies darauf hin, dass Krenter mit seiner Zeugenaussage zum Insolvenzbetrug auch mit dem Finger auf sich selbst zeige und er deshalb das Gericht um seine Auslieferung bitte.

Er konnte gerade noch sagen, dass die Deutsche Bank einen eigenen Vertreter zum Aufsichtsratsmitglied der Zigarrenfabrik ernannt hatte und dass alle jüdischen Mitarbeiter, einschließlich ihm selbst, entlassen wurden. Dann brachte ihn der anwesende Justizsekretär zum Schweigen.

Arisierung

Obwohl es in dem Zivil- und dem Strafverfahren scheinbar um einen geschäftlichen Streit zwischen dem alten und dem neuen Besitzer der Zigarrenfabrik ging, war die Deutsche Bank der Dritte im Bunde, der sich freute und eine Arisierungsaktion durchführte. Davon war irgendwann auch Steenbergen überzeugt. Er schrieb:

> *Das Vorgehen der Deutschen Bank, die bereits eine neue Direktion und neue Aufsichtsratsmitglieder eingesetzt hatte, war zumindest*

sehr voreilig, meines Erachtens sogar leichtsinnig und gefährlich. Hier besteht die Gefahr, dass, wenn auch nicht niederländisches Kapital, so doch das Kapital eines in Deutschland lebenden Niederländers verloren geht. Dass diese Maßnahmen durch die Verhaftung Rottenbergs unterstützt werden, wirft ein merkwürdiges Licht auf die derzeit herrschenden Zustände und lässt die Befürchtung aufkommen, dass hier der Wunsch besteht, einen niederländischen Nichtarier aus der Leitung eines großen Unternehmens zu entfernen.

Gesetzliche Maßnahmen zur Enteignung jüdischer Unternehmen in Deutschland wurden erst am 12. November 1938, zwei Tage nach den Novemberpogromen, erlassen. Doch zu diesem Zeitpunkt waren bereits 70 bis 80 Prozent der jüdischen Firmen nicht mehr in jüdischer Hand, so schätzt der Historiker Avraham Barkai in *From Boycott to Annihilation*. Die Arisierungsgesetze bildeten den Abschluss einer jahrelangen Politik der wirtschaftlichen Ausgrenzung und Ausplünderung der Juden.

Dies begann bereits 1933 mit dem Boykott jüdischer Geschäfte am Samstag, dem 1. April. Dieser hatte, wie wir bereits gesehen haben, an sich wenig Wirkung. Trotz der Hasspropaganda mieden normale Bürger jüdische Geschäfte und Kaufhäuser kaum oder gar nicht. Döbeln war keine Ausnahme. Bereits zwei Wochen zuvor war staatlichen Stellen, darunter auch den Kommunen, verboten worden, Aufträge an jüdische Unternehmen zu vergeben. Beamten wurde dringend davon »abgeraten«, weiterhin bei Juden einzukaufen. In Döbeln geschah dies am 13. März, zeitgleich mit der Verordnung für die kommunalen Dienstleistungen.

Die ersten Opfer des neuen Regimes waren die jüdischen Beamten, die im April 1933 per Gesetzesmaßnahme entlassen wurden. Kurz darauf übte die Nationalsozialistische Betriebszellenorganisation (NSBO) Druck auf die Unternehmen aus, sich ihrer jüdischen Arbeitnehmer zu entledigen. Jüdische Organisationen und Arbeitgeber zogen vor Gericht. Vergeblich. Selbst große jüdische Konzerne mussten sich oft den Forderungen der NSBO beugen. Die Deutschen Zigarren-Werke kamen darum herum. Wie viele Juden Isay Rottenberg beschäftigte, wissen wir nicht. Der Tabakeinkäufer Vincenz Silvan war einer von ihnen, aber es müssen noch mehr gewesen sein, bis die Fabrik beschlagnahmt und sogar Rottenberg hinausgeworfen wurde. Daraufhin flogen sie alle raus.

Lange Zeit herrschte die Meinung vor, die Nazis hätten zwischen 1934 und 1938 die wirtschaftlichen Interessen jüdischer Unternehmen über ihre antisemitischen Ideen gestellt. Aber auch in diesen Jahren gab es systematische Arisierungen. Unternehmen wurden in zivil- oder strafrechtliche Gerichtsverfahren verwickelt. Die jüdischen Eigentümer erhielten oft Hilfe von nichtjüdischen Kollegen aus der Branche, die teilweise über ihre Beziehungen zu den Nazis die Probleme lösen konnten. Manchmal war es wirklich ernst gemeint, manchmal nur ein Weg, um in ein Unternehmen einzudringen und Teilhaber zu werden. Jedenfalls gelang es jüdischen Unternehmern nur selten, sich die Steuer-, Devisen- oder Justizbehörden vom Leibe zu halten. In der nächsten Phase stellte sich heraus, dass auch die nichtjüdischen Kollegen nichts mehr ausrichten konnten, woraufhin schnell ein Ausweg durch ein Übernahmeangebot gefunden wurde.

Wenn es nicht die Regierung war, dann waren es die Branche und die Banken, die jüdischen Unternehmen das Leben schwer machten. Branchenverbände ließen jüdische Firmen nicht mehr zu oder führten Kampagnen gegen sie. Die Banken kündigten Kredite und Hypotheken aus den geringsten Anlässen. Am Ende vom Lied machte die Methode keinen Unterschied. In finanzieller Notlage hatten die Eigentümer schließlich keine andere Wahl, als ihr Unternehmen für einen Apfel und ein Ei zu verkaufen.

Im Jahr 1932 gab es in Deutschland mehr als 100.000 jüdische Firmen und Einmannbetriebe, beziffert Barkai. Es handelte sich um 55.000 Geschäfte, 8.000 Großhandels- und Exportbetriebe, 8.000 Fabriken, 9.000 Handwerksbetriebe, 12.000 Freiberufler und 10.000 andere Unternehmen. Im Herbst 1935 waren bereits 20 bis 25 Prozent davon liquidiert oder in arischen Händen. Ein Viertel der deutschen Juden war zu diesem Zeitpunkt bereits verarmt und auf Sozialhilfe angewiesen.

Im Allgemeinen hielten große Unternehmen länger durch, weil sie Arbeitsplätze schufen, durch Exporte Devisen einbrachten und für das Image Deutschlands im Ausland nützlich waren. In diese Kategorie fielen auch die Deutschen Zigarren-Werke. Da Isay Rottenberg Ausländer war, schien er zunächst nicht zum direkten Ziel der antijüdischen Maßnahmen zu werden. Aber das war ein Irrtum. Auch die Deutschen Zigarren-Werke standen am 1. April 1933 auf der Boykottliste jüdischer Unternehmen, und auch dort führte die SA eine Razzia durch. Von Anfang an machten die Konkurrenten in der Zigarrenbranche Stimmung gegen Großvater als jüdischen Unternehmer. In ihrem Brief an Steenbergen nach Isays Verhaftung schreibt unsere Großmutter, dass die Zigarrenfabrikanten »es nicht versäumt haben, den Zigarrenhandel durch Anzeigen und Artikel in Fachzeitschriften und durch Rundschreiben darüber zu informieren, dass die Deutschen Zigarren-Werke ein jüdisches Unternehmen sind.«

Dass die Deutschen Zigarren-Werke relativ früh enteignet wurden, ist vermutlich ein Fall von »Gelegenheit macht Diebe«. Als Komplize von Salomon Krenter setzte Isidor Kronstein die Maschinerie in Gang. Aus den Worten Steenbergens über unseren Großvater geht klar hervor, dass die Razzia bei den Deutschen Zigarren-Werken die Zustimmung der Spitze der Deutschen Bank hatte.

Monate vor seiner Verhaftung versuchte Rottenberg mithilfe seines Dresdener Bankiers Kurt Arnhold ein Treffen mit den höchsten Stellen der Deutschen Bank in Berlin zu arrangieren. Er versuchte es bei mehreren Direktoren, wurde aber nirgends empfangen und immer wieder an Veith verwiesen, den Mann, den Kronstein eingeschaltet hatte, um Rottenberg die Aktien abzunehmen.

Es scheint, dass Isay Rottenberg nicht glauben konnte, dass eine so solide Institution sich von Betrügern ins Schlepptau nehmen ließ. Er muss es für die Tat eines Untergebenen gehalten haben, der sich selbst einen Vorteil verschaffen wollte. Sobald die Führung einmal Wind davon bekäme, dann ... Das muss ein böses Erwachen in der Zelle gewesen sein.

Eine unerwartete Einsicht

Beim Aufdröseln dieser Geschichte tauchte immer wieder die Frage auf: Warum blieb unser Großvater in Deutschland, nachdem Hitler an die Macht gekommen war? War es Stolz oder Übermut, wurde er von rein geschäftlichen Überlegungen geleitet? Reichte unsere Vorstellungskraft nicht aus, weil wir zu sehr mit unserem heutigen Wissen urteilten?

Zufälligerweise ist viel über die jüdische Bankiersfamilie Arnhold aus Dresden bekannt, deren Firma die Hausbank von Krenter und später der Deutschen Zigarren-Werke war. Obwohl die Stellung der Arnholds als deutsche Juden eine andere war als die von Isay Rottenberg, sind die Ähnlichkeiten frappierend. Die Geschichte der Familie Arnhold, auf die wir erst spät bei unseren Recherchen stießen, gab uns das Gefühl, unseren Großvater vielleicht durch die falsche Brille zu betrachten.

Die Arnholds waren eine privilegierte Familie. Ihre 1864 gegründete Bank überdauerte die turbulente Weimarer Republik und gehörte Anfang der 1930er-Jahre zu den führenden Privatbanken in Deutschland. Der Gründer Georg hatte vier Söhne, die – charakteristisch für die Assimilation der deutschen Juden – Namen erhielten, die nicht deutscher klingen konnten: Adolf, Heinrich, Kurt und Hans. Kurt kämpfte im Ersten Weltkrieg und wurde für seine Tapferkeit mit dem Eisernen Kreuz ausgezeichnet.

Im Gegensatz zu vielen anderen sozial Aufgestiegenen ließen sie sich nicht taufen. Sie waren nicht mehr religiös, aber als wohlhabende Wohltäter und Verwalter jüdischer Organisationen in wichtigen Funktionen in der jüdischen Gemeinschaft engagiert. Sie haben sich durch die Förderung von Sport, Wissenschaft und Kultur um die deutsche Gesellschaft verdient gemacht. Das neue Freibad in Dresden wurde nach seinem Geldgeber Georg Arnhold benannt. Das war im Jahr 1926, als die Zukunft noch rosig aussah. Sie fühlten sich sowohl als Deutsche als auch als Juden und sahen darin keinen Widerspruch.

Vor dem wachsenden Antisemitismus verschlossen sie nicht die Augen. Adolf war Vorstandsmitglied des Vereins zur Abwehr des Antisemitismus, und Heinrich schrieb einen Aufsatz mit dem Titel *Die jüdische Frage*.

Hitlers Machtergreifung und der Boykott jüdischer Geschäfte am 1. April 1933 schockierten sie, doch als die NS-Führung aus Sorge um ihr Image im Ausland und um ihre Wirtschaftsbeziehungen die nationalsozialistische Revolution zügelte, beruhigten sie sich mit dem Gedanken, dass es nicht so schlimm kommen würde.

Die Realität war ernüchternd, denn schon 1933 musste sich die Bank mit Einschüchterungsversuchen auseinandersetzen. Der sächsische Reichsstatthalter Mutschmann, ein Antisemit durch und durch, hatte ein Auge auf die Gebrüder Arnhold geworfen. Indirekt ließ er verlauten, dass er persönlich die Eigentümer der Bank zum Verlassen des Landes zwingen werde. Ende des Jahres schied der älteste Bruder, Adolf Arnhold, als Geschäftsführer aus. An seine Stelle trat ein arischer Bankier, um die Bank zu schützen. Die erhoffte Wirkung blieb aus: Wenige Monate später beschuldigte die Justizbehörde die Gebrüder Arnhold, fünf Jahre zuvor, kurz vor der Übernahme durch die AEG, die Bücher des Sachsenwerks, einer großen Transformatorenfabrik, gefälscht zu haben. Die AEG habe daher in ein insolventes Unternehmen investiert. Heinrich Arnhold wurde einen ganzen Tag lang in die Mangel genommen, seine beiden Brüder Adolf und Kurt wurden ebenfalls stundenlang verhört.

Die Historikerin Simone Lässig durfte die Memoiren und Tagebücher von Familienmitgliedern einsehen und kennt daher deren Reaktionen. Heinrich, ein ausgebildeter Jurist, war schockiert über die falsche Anschuldigung, erwartete aber sehnsüchtig den Prozess, in dem er Recht bekommen und den Ruf der Bank wiederherstellen würde. Er dachte also immer noch in Kategorien eines Rechtsstaats, sein Vertrauen in ehrliche deutsche Beamte war ungebrochen. Lässig bemerkt, dass Heinrich Arnhold keineswegs eine Ausnahme war. Die deutschen Juden hatten nicht vergessen, dass das aufgeklärte Beamtentum ihre Emanzipation am Ende des 19. Jahrhunderts vorangetrieben hatte. Die Arnholds konnten einfach nicht

Abb. 33 Kurt Arnhold, porträtiert von Otto Dix, 1927

glauben, dass das hervorragende preußische Rechtssystem quasi von einem Tag auf den anderen zu einem Instrument Hitlers geworden war.

Der Prozess gegen die Gebrüder Arnhold wurde verschoben und hing wie ein Damoklesschwert über ihnen. Der Name der Bank wurde durch die strafrechtliche Verfolgung geschädigt. 30 deutsche Unternehmen haben die Bankiers unmittelbar nach den Vorwürfen aus ihren Aufsichtsräten entfernt. Beleidigungen und Demütigungen blieben ihnen nicht erspart. Als im Sommer 1935 an öffentlichen Orten in Dresden Schilder mit der Aufschrift »Für Juden verboten« auftauchten, wurden diese auch an Schwimmbädern angebracht. In einem höflichen Brief an den Stadtrat bat Kurt Arnhold darum, den Namen seines Vaters nicht mehr mit dem Freibad in Verbindung zu bringen, da dessen ursprünglicher Zweck, »der Dresdner Jugend zum Wohle und der Gesamtheit zum Segen« zu dienen, nicht mehr gewährleistet sei. Zwei Tage später wurde das Schwimmbad umbenannt.

In der Zwischenzeit wurde eine neue Untersuchung in einem unbedeutenden Fall eingeleitet. Die Bank soll bei einem Geschäft mit einem bulgarischen Tabakhändler gegen Devisenbestimmungen verstoßen haben. Es handelte sich um 9.000 Reichsmark, ein angesichts des Millionenumsatzes der Bank zu vernachlässigender Betrag. Bei einer Verurteilung würde die Bank jedoch ihre Devisengenehmigung verlieren. Und dann wäre das Unternehmen leichte Beute für einen nichtjüdischen und nicht verurteilten Konkurrenten.

Heinrich überlebte diese Strapazen nicht. Im Oktober 1935 starb er im Alter von 50 Jahren an einer Hirnblutung. Die Dresdner Bank ließ kein Gras über die Sache wachsen und machte sofort ein Übernahmeangebot. Die Arnholds konnten dem Druck nicht mehr standhalten und verkauften ihren Hauptsitz in Dresden. Dennoch gaben sie Deutschland nicht auf. An ihrer Berliner Niederlassung hielten sie fest. In Berlin konnten Mutschmanns Fänge sie nicht erreichen und sie befanden sich in der Nähe des Reichsbankpräsidenten Hjalmar Schacht, Hitlers wichtigstem Wirtschaftsberater. Schacht hatte den Ruf, ein Fachmann zu sein und die Ideologie anderen zu überlassen. Die Arnholds kannten ihn persönlich, er ging früher sogar bei ihnen ein und aus, und in deutsch-jüdischen Kreisen erzählte man sich von seiner »schützenden Hand«.

Bis 1936 wurde in der Familie kaum über das Thema Emigration gesprochen. Aus Brasilien blickte Adolf Arnhold 1940 zurück. »Zwar hätte mich die Lektüre des Hitlerischen Buches belehren und mir vor Augen führen können, was alles den Juden noch bevorstehen würde. Dem stand aber einmal die unveränderte Behandlung, die unsereins genoss, zum anderen der Umstand entgegen, dass von den vielen Punkten des nationalsozialistischen Programms kaum einer erfüllt worden war.«

Heinrichs Tod, schreibt Simone Lässig, illustriert dieses Paradox. Zahlreiche nichtjüdische Kollegen, Freunde und Bekannte bekundeten ihre Anteilnahme und stimmten in Nachrufen Lobeshymnen auf den herausragenden Bankier an, wobei seine jüdische Herkunft geflissentlich verschwiegen wurde.

Die Arnholds glaubten oder hofften wider besseres Wissen, dass der Nationalsozialismus ein oberflächliches und vorübergehendes Phänomen sein würde, ein reißender Fluss, der eines Tages aber wieder versiegte, und dass darunter das Bett ihrer geliebten und vertrauten deutschen Gesellschaft lag.

Die Arnholds schickten ihre Kinder vorsorglich zum Studium ins Ausland, blieben aber, zunächst, um ihre Berliner Filiale zu retten und später, als sie auch diese aufgeben mussten, um zu versuchen, die Firma zu einem anständigen Preis zu verkaufen. Während der Verhandlungen – erneut hatte sich die Dresdner Bank gemeldet – wurde Kurt Arnhold verhaftet. Als er gegen Kaution freigelassen wurde, floh er noch am selben Tag ohne Pass über die Grenze in die Niederlande. Im Parkhotel in Amsterdam angekommen, schrieb er auf dem Briefpapier des Hotels seinen Fluchtbericht nieder. »Das früher sprichwörtliche Arnhold'sche Glück hatte mich wohl ein Jahr im Stich gelassen, dafür war es mir bei diesem Wagnis [seiner Flucht] doppelt treu – dass es um Freiheit und Leben ging, darüber waren wir uns sehr klar.« Kurt Arnhold schrieb diese Worte Ende November 1938 nach den Novemberpogromen, als auch er endlich einsehen musste, dass für Juden in Deutschland kein Platz mehr war.

Isay Rottenberg mag ein russischer Jude gewesen sein, der in den Niederlanden lebte, aber seine Einstellung und Mentalität ähnelten auffallend denen der Arnholds, die assimilierte deutsche Juden waren. Bei näherer Betrachtung ist das gar nicht so überraschend. Nicht Jiddisch, nicht Polnisch, nicht Russisch war die Sprache, die bei ihm zu Hause gesprochen wurde, sondern Deutsch, wie wir bei der Recherche zu seiner Vergangenheit herausfanden. Als junger Mann hatte er das antisemitische russische Reich gegen Berlin eingetauscht, wo er sich entfalten und zum Geschäftsmann entwickeln konnte. In Berlin besuchte er das Theater und verschlang deutsche Literatur. Er liebte die Kultur, die Höflichkeit und die tüchtige Arbeitsmoral. Bevor er 1918 in Amsterdam seine Familie gründete, hatte er mit einer kurzen Unterbrechung etwa zehn Jahre in Berlin gelebt. Hätte seine Frau zugestimmt, wäre er vielleicht lieber dort geblieben. Er dachte, er kenne Deutschland in- und auswendig. Als er 1932 als Fabrikant nach Deutschland zurückkehrte, kam er »nach Hause«. Wenn wir das Puzzle so zusammensetzen, passt es viel besser.

Wie die Arnholds war auch Isay Rottenberg davon überzeugt, dass man, wenn man in Deutschland zu Unrecht beschuldigt wurde, zu seinem Recht kommen konnte. Glaubte er das immer noch, nachdem die mächtige Deutsche Bank ihn verhaften ließ, ihm seine Fabrik wegnahm, ihn entließ und ein zweites Verfahren wegen Betrugs einleitete?

Ehrenwort

Am Münchner Platz wurde Isay Rottenberg jeden Tag verhört. Hin und wieder erhielt er Besuch von seinem deutschen Anwalt und von Konsul Steenbergen. Sein niederländischer Anwalt, der Volljurist E. de Vlugt, kam einmal nach Dresden. Der Konsul sah, dass Rottenberg als Jude in der Klemme steckte, darauf wies auch die Anklageschrift hin, hoffte aber auf eine »unparteiische Lösung«, da »in diesem Fall dieser Nichtarier Niederländer ist«.

Ende September stellte Steenbergen einen Antrag auf Entlassung aus der Untersuchungshaft. Er wandte sich direkt an das Gericht und wählte bewusst nicht den politischen Umweg über die sächsische Staatskanzlei, da »Reichsstatthalter Mutschmann eine sehr ungünstige Haltung gegenüber Nichtariern einnimmt«.

Gegen Zahlung einer Kaution von 75.000 Reichsmark – gut 44.000 Gulden, was einer heutigen Kaufkraft von mehr als 400.000 Euro entspräche – könne Rottenberg aus der Untersuchungshaft entlassen werden, entschied das Gericht. Diesen Betrag konnte die Familie unmöglich aufbringen. Eine Bankgarantie von 15.000 Reichsmark war das Maximum, das Schwiegervater Ptasznik geben konnte. Isay Rottenberg selbst verfügte zwar über mehr Vermögen in Deutschland als die Deutschen Zigarren-Werke, so lässt sich aus der Gefängnisakte schließen, aber auch dieses wurde von der Deutschen Bank mit einer zweiten Forderung beschlagnahmt.

Steenbergen lief sich die Füße wund, um Rottenberg aus der Zelle zu holen. Er legte nicht nur schriftlich Beschwerde gegen die hohe Kaution ein, sondern setzte sich auch persönlich beim Gerichtspräsidenten Dr. Franke für die Sache ein. Seine Taktik, mit der er schon beim Gefängnisarzt Erfolg gehabt hatte, war eine Mischung aus Arschkriecherei und Drohung mit einem Imageschaden für Deutschland. Er selbst werde die Verhaftung geheim halten, aber die Wahrscheinlichkeit, dass die niederländische Presse davon Wind bekäme, sei erheblich, behauptete er gegenüber Franke. Sein Versuch, die Kaution herabzusetzen, schien bei Franke jedoch nicht zu fruchten. Daraufhin macht der Konsul einen anderen Vorschlag: Rottenberg solle auf sein Ehrenwort erklären, dass er nicht aus Deutschland fliehen werde, und wenn er es doch tue, so falle sein ganzes Vermögen an Deutschland und werde für wohltätige Zwecke ausgegeben. Steenbergen schlug sogar vor, wofür das Geld verwendet werden sollte: für die Winterhilfe.

Wenige Tage später wurde die Beschwerde gegen die hohe Kaution abgewiesen. Das Gericht erkannte an, dass die belastenden Aussagen von zwei Zeugen, Kronstein und Krenter, gemacht worden waren, die möglicherweise nicht ganz vertrauenswürdig waren. Krenter, dessen Skrupellosigkeit hinlänglich bekannt gewesen sei, schrieb der Gerichtspräsident Franke unverblümt, sei ein Insolvenzbetrug durchaus zuzutrauen, sodass eine Mittäterschaft Rottenbergs an einem solchen Verbrechen auch unter Berücksichtigung anderer Zeugenaussagen sehr wahrscheinlich sei.

Mit Bedauern schrieb Steenbergen am 22. November an die Botschaft in Berlin: »Der Fall Rottenberg hat nunmehr ein Stadium erreicht, in dem das Konsulat vorerst nicht mehr viel ausrichten kann.« Der Konsul fühlte sichtlich mit unserem Großvater mit. Ob er eine Straftat begangen habe, könne er nicht beurteilen, aber wenn es stimme, was »bedeutende Amsterdamer Bürger, die Rottenberg näher kennen« geschrieben hätten, dann sei er zu einem Verbrechen nicht fähig gewesen. Sollte der Richter schließlich seine Unschuld als erwiesen erachten, »dann werden die sehr nachteiligen Folgen der Untersuchungshaft nicht ausbleiben, da die Fabrik, die Rottenberg mit so viel Hingabe zum Blühen gebracht hat, nun nicht mehr unter seiner Aufsicht steht.«

Steenbergen war ein Name, an den sich unsere Tante, etwa 60 Jahre später, in ihrer Rede bei Edwins Beerdigung scheinbar mühelos erinnerte. Es muss also zu Hause häufig über ihn gesprochen worden sein. Wir können uns vorstellen, dass sich unser Großvater und Steenbergen gut verstanden haben. Sie hatten viel gemeinsam: Beide waren Fabrikanten und etwa gleich alt. Johan Steenbergen war ein tatkräftiger Mann. Er wuchs in Mep-

Abb. 34 Johan Steenbergen und seine Frau Elisabeth Nussbaum in ihrem Haus in Dresden, 1930er-Jahre

pel, im Nordosten der Niederlande, über dem Stoffladen seines Vaters auf. Seine Mutter war Deutsche. Als sein Vater jung starb, musste Johan das Geschäft weiterführen.

Er war jedoch mehr an der Fotografie interessiert. Im Alter von 18 Jahren eröffnete er neben seiner Arbeit im Laden sein eigenes Geschäft für fotografische Produkte und Chemikalien. Sein Vormund schickte ihn nach Dresden, um das Schneiderhandwerk zu erlernen. Stattdessen spezialisierte sich Johan auf die Fototechnik, meldete im Alter von 24 Jahren ein Patent an und gründete 1912 die Ihagee Kamerawerk in Dresden. Es wurde ein erfolgreiches und großes Unternehmen. Die Fabrik stellte zahlreiche Kameramodelle her und exportierte sie in die ganze Welt. Der Durchbruch zum Weltruhm stand noch bevor. Dieser kam in den 1930er-Jahren mit der Erfindung der ersten Kleinbild-Spiegelreflexkamera, der Exakta. »Die Exakta!«, rufen Kameraliebhaber, wenn der Name der Kamera fällt, und dann folgen begeisterte Geschichten über das kompakte Modell und die großartige Mechanik.

Steenbergen lotste seine Fabrik durch den Ersten Weltkrieg, die Hyperinflation und die Wirtschaftskrise und gab sein Unternehmen auch nach der Machtübernahme der Nazis nicht auf. In seiner Biografie gibt es ein Gruppenfoto der Mitarbeiter im Innenhof mit Johan Steenbergen in der Mitte. Die Gruppe steht hinter einem mannshohen Porträt Hitlers in Uniform, einem Hakenkreuz und zwei Lautsprechern. Das Foto ist undatiert, die verlegene Bildunterschrift lautet: »Ein Zeitbild«.

1929 hatte Steenbergen auf Wunsch der niederländischen Botschaft in Berlin die Aufgabe des Honorarkonsuls in Dresden übernommen. Er hatte gezögert, weil er mit seiner Fabrik genug zu tun hatte, aber der Status und die Ehre einer konsularischen Funktion reizten ihn, weil er sich davon Zugang zu höheren Kreisen versprach, das glaubt zumindest sein Biograf.

Bis 1931 blieb Steenbergen Junggeselle, dann heiratete er Elisabeth Nussbaum, eine gleichaltrige Jüdin, die in San Francisco geboren, aber in Bonn aufgewachsen war. Sie zog zu ihm nach Dresden. Durch sie kam er persönlich mit dem Antisemitismus in Deutschland in Berührung und konnte sich leicht mit Juden wie Isay Rottenberg identifizieren. Sein Biograf erwähnt, dass er sich immer weniger traute, Elisabeth Nussbaum allein zu Hause zu lassen. Um sich und seine Frau zu schützen, trug er immer die Einladung eines hochrangigen Nazis bei sich, die ihm irgendwann einmal persönlich zugeschickt worden war. Nach den Erzählungen der Familie Steenbergen handelte es sich dabei um einen Brief des SS-Führers Heinrich Himmler.

Mitten im Krieg, nachdem er selbst mit seiner Frau nach Amerika ins Exil gegangen war, blickte Steenbergen auf seine Jahre im nationalsozialistischen Deutschland zurück. Ohne seinen Namen zu erwähnen, verwies er auf sein Engagement für unseren Großvater und einen anderen jüdischen Niederländer, der nicht überlebt hatte. Er schrieb:

Dasselbe Reich gab sich den Anschein von Moral, als es vor dem Krieg zwei jüdische Landsleute, für die ich die größte Achtung hatte und die als Fabriksdirektoren im Bereich des Konsulats lebten, unter dem Vorwand der betrügerischen Geschäftsführung und des Insolvenzbetrugs inhaftierte und später aus Deutschland vertrieb. Einer von ihnen wird nicht mehr anklagen können, wenn die Nazis demnächst zur Rechenschaft gezogen werden, weil er im Vernichtungslager Mauthausen den Tod fand.

Doch kehren wir ins Jahr 1935 zurück und zu Steenbergens Bemühungen, Isay Rottenberg aus der Untersuchungshaft zu befreien. Der Konsul drohte den deutschen Behörden wiederholt mit negativer Berichterstattung über den Fall Rottenberg. In seinen Briefen an seine Vorgesetzten in Berlin und Den Haag riet er jedoch dringend davon ab. Im Dezember 1935 verlor unsere Großmutter die Geduld und sie kündigte an, die Presse einschalten zu wollen. Steenbergen war aufs Entschiedenste dagegen.

Ich halte es für falsch, das Strafverfahren in die Öffentlichkeit zu bringen, solange noch keine Entscheidungen gefallen sind. Das Konsulat kann natürlich auch nicht von sich aus bei Veröffentlichungen mitwirken, für die es keine überzeugenden Beweise gibt und die darüber hinaus nur dazu führen würden, die öffentliche Meinung zum Nachteil der deutsch-niederländischen Handelsbeziehungen zu beeinflussen.

Am 1. Februar 1936 meldete Steenbergen plötzlich, dass Isay Rottenberg aus der Untersuchungshaft entlassen worden sei und für einige Wochen nach Hause gehen dürfe. Er musste sich wieder am 27. Februar in Dresden melden. Aus welchen Gründen unser Großvater das Gefängnis verlassen und sogar nach Amsterdam reisen durfte, geht aus den Unterlagen nicht hervor. Wurden neue Zeugen vernommen? Wollte man den Fall loswerden?

Isay Rottenberg war überglücklich, dass er frei war. Davon zeugt ein Dankesbrief, den er am 21. Februar an den Generalsekretär des Auswärtigen Amtes in Amsterdam geschrieben hat:

Zweifellos auch dank der zahlreichen Schritte, die Sie Ihrerseits unternommen haben, haben die deutschen Behörden zugestimmt, mich für die Dauer der weiteren Ermittlungen in dem gegen mich eingeleiteten Strafverfahren aus der Untersuchungshaft zu entlassen, und dass ich gleichzeitig auch die Erlaubnis erhalten habe, meine Familie in Amsterdam kurz zu besuchen. Es ist mir ein Bedürfnis, Ihnen persönlich und auch Ihrem Ministerium meinen innigen Dank für Ihre Bemühungen in dieser Angelegenheit auszusprechen. [...] Es ist mir unmöglich, Worte zu finden, die meinen Dank für die persönliche und herzliche Zuwendung ausdrücken könnten, die mir seitens Herrn Steenbergen zuteilwurde. Seine starke und herzliche Unterstützung hat es mir möglich gemacht, diese düstere Zeit zu überstehen.

Während Isay Rottenberg wieder mit seiner Familie vereint war und sich von den Strapazen erholte, zog Steenbergen Bilanz. Er gab dem Ministerium zu verstehen, dass es dem Gericht nicht ungelegen kommen würde, wenn Rottenberg sein Versprechen brechen und nicht nach Deutschland zurückkehren würde, »weil damit eine sehr schwierige Rechtsfrage vom Tisch wäre«. Obwohl der Verdacht überhaupt noch nicht bewiesen war, waren die Vorzeichen ungünstig, meinte Steenbergen. »Die Lage des Herrn R. ist meines Erachtens deshalb schwierig, weil er als Nichtarier unter den gegenwärtigen Umständen aufgrund der Rassenfrage bereits a priori als minderwertig und unzuverlässig angesehen wird.« Van de Vlugt, Rottenbergs niederländischer Anwalt, solle den Fall noch einmal gründlich prüfen, empfahl er.

Unser Großvater schlug den Rat in den Wind. Er war im Recht und würde Recht bekommen. Am 27. Februar meldete er sich pünktlich in Dresden.

13

Unerschrocken

Eines Abends sind wir bei unserem Cousin Sacha. Wir sehen uns die Erinnerungen seiner Mutter, unserer Tante Tini, an, die sie 1996 oder 1997 für Steven Spielbergs Visual History Archive auf Video festhalten ließ. Sie war damals 73 Jahre alt und immer noch eine Schönheit. Sie überlegt sich ihre Antworten sorgfältig und spricht in wohlklingenden, vollständigen Sätzen. Es ist nicht nur vertraut, ihre Stimme und Intonation, ihre Gestik zu sehen und zu hören, sondern auch bewegend, weil sie lebhaft und detailliert über die Familie vor dem Krieg erzählt. Worüber wir von unseren Vätern kaum etwas gehört haben und worüber Opa schwieg.

Wir wissen inzwischen viel mehr über unseren Großvater und seine Biografie. Die Ausländermeldebehörde, die Karte im Personenstandsbuch, die Heiratsurkunde und die Handelskammer liefern uns Daten und Jahreszahlen, die wir nie geordnet bekommen hatten. Aus dem Stadtarchiv Döbeln und der Gefängnisakte im Nationalarchiv zeigt er sich in einer Weise, wie wir, die Enkelkinder, ihn nicht kannten.

Tinis Worte verleihen der Geschichte Farbe. Manchmal bringt sie die Reihenfolge und die Jahreszahlen durcheinander, sodass wir nicht wissen, wie genau sie sich an alles erinnert, aber sie erzählt viele Dinge, über die wir erstaunt sind, weil niemand jemals etwas darüber gesagt hat.

Laut Tini entschied ihre Mutter 1935, nachdem Isay inhaftiert worden war, in die Noorder Amstellaan, die heutige Churchilllaan, umzuziehen, weil es ungewiss war, ob Isay jemals wieder freigelassen werden würde und ob sie das große Haus am Valeriusplein halten könne. Lena habe dies ohne Rücksprache mit Isay getan, und er sei darüber verärgert gewesen. Das Jahr stimmt nicht. Sie zogen, wie aus den Unterlagen des Stadtarchivs Amsterdam hervorgeht, im Juni 1934 um, als unser Großvater auf freiem Fuß war und noch überhaupt keine Verhaftung drohte.

Wir haben uns gefragt, warum sie damals aus einem fünfstöckigen Eigenheim in eine Mietwohnung gezogen sind: Brachten die Deutschen Zigarren-Werke zu wenig Geld ein, gab es Schulden? Oder war es Isay aufgrund der deutschen Devisenbestimmungen nicht möglich, seine Familie zu ernähren oder regelmäßig mit Geld zu versorgen?

Tinis Bericht gibt darauf keine Antwort, aber er wirft ein Licht auf Isays ursprünglichen Plan. Als er die Fabrik in Döbeln übernahm, wollte er, dass die Familie mit ihm nach Deutschland kam und bei ihm lebte. Unsere Großmutter war davon nicht begeistert. »Wir sind niederländische Juden!«, sagte sie laut Tini, und sie hatte recht, wenn man bedenkt, was sich 1932 in Deutschland abspielte. Dies bestätigt einmal mehr unsere Vermutung, dass sich unser Großvater in Deutschland wohler fühlte als in den Niederlanden und dass er so sehr auf den Erfolg seines deutschen Unternehmens bedacht war, dass er die Augen vor den politischen Umständen verschloss.

Isay fand sich damit ab, dass unsere Großmutter nicht dazu bereit war umzuziehen und begann zu pendeln, das heißt, er kam von Zeit zu Zeit nach Hause nach Amsterdam. Die Ungewissheit seines Abenteuers wurde für Lena zu viel, und deshalb zog sie in eine kleinere Wohnung.

Über die deutsche Zeit unseres Großvaters wussten wir, wie gesagt, so gut wie nichts. Aber eine Geschichte erzählte man sich bei Hella zu Hause, und zwar, dass Alfred, das älteste der drei Kinder, von der Schule genommen wurde, als er in die 6. Klasse des Gymnasiums gekommen wäre, also

Abb. 35 V. l. n. r. Edwin, Tini und Alfred, 1939

kurz vor dem Abschluss. Alfred selbst hat nie ein Wort darüber verloren; die Geschichte wurde immer von Hellas Mutter erzählt: »Opa war in Deutschland in Gefangenschaft, Alfred musste Geld verdienen. Er arbeitete für 25 Gulden im Monat im Kaufhaus De Bijenkorf.« Der Ton, der dabei angeschlagen wurde, war der der Empörung. Die Familie hätte ihrer Meinung nach genug Geld gehabt, um auszuhelfen, aber nein, Alfred wurde von der Schule genommen. Hellas Mutter, die die Rottenbergs erst nach dem Krieg kennenlernte, war darüber immer noch verärgert. Ein Abitur, ein Studium oder eine Ausbildung am Konservatorium, um seine Begabung am Klavier zu fördern, waren Alfred nicht vergönnt, denn wenige Jahre später brach der Krieg aus.

Alfred von der Schule zu nehmen, war vermutlich eine Direktive von Abraham Ptasznik, der sich nach Isays Verhaftung um die Familie seiner

Tochter kümmerte. »Du bist der Älteste, wir wissen nicht, wie es weitergeht, du musst lernen, für die Familie zu sorgen.« So etwas wird er wohl gesagt haben.

Opa Ptasznik, so erinnert sich Tini, kam jede Woche in die Noorder Amstellaan und gab seiner Tochter 25 Gulden Haushaltsgeld, was heute einer Kaufkraft von etwa 250 Euro entspricht. »Jede Woche!«, sagt Tini, gekränkt von der Demütigung, die ihre Mutter dabei offensichtlich empfand. Er hätte das Geld doch auch einmal im Monat bringen können?

»Damals war es in den Niederlanden eine große Schande, wenn jemand im Gefängnis saß«, sagt Tini in der Spielberg-Aufnahme. »Es war ein Schandfleck für die Familie [...] also sprach man mit niemandem darüber, selbst in unserem Fall nicht.« Theo Franken, der jüngste Cousin von Alfred, Edwin und Tini, erinnert sich noch gut an die Atmosphäre der Geheimniskrämerei bei den Ptaszniks. Über Isays Gefangenschaft wurde nur geflüstert. Meistens auf Polnisch, der Sprache, die Opa und Oma Ptasznik mit ihren ältesten Töchtern sprachen. Dann konnten die Kinder es nicht verstehen. »Über Onkel Szaja wurde vor den Kindern nicht gesprochen«, sagt Theo. »Ich wusste, dass es ein düsteres Geheimnis gab. Dass er nicht des Diebstahls oder Mordes beschuldigt wurde, so viel war mir klar.« Es wird wohl ein Gesprächsthema gewesen sein, stellen wir uns vor, an den Freitagabenden, wenn die Kinder und Enkelkinder wie jede Woche zu Opa und Oma Ptasznik kamen, um Schabbat zu feiern und lecker zu naschen. Dann wurden die aktuellsten Neuigkeiten über Familie, Geschäfte, Kultur und Politik ausgetauscht. Und dann, in einer Ecke, wird man sich leise auf Polnisch über Isay unterhalten haben.

Bürgermeister Denecke entlassen

Isay Rottenberg nutzte die ersten zwei Wochen nach seiner Entlassung, um Dinge zu recherchieren. Er blieb nur etwa zehn Tage bei seiner Familie in Amsterdam, bevor er zurück nach Dresden reiste. In Döbeln hatte er nichts mehr zu suchen, er durfte die Fabrik nicht einmal mehr betreten.

Die Stadtverwaltung wurde von der Justiz und der NSDAP über die Festnahme von Isay Rottenberg informiert. Stadtrat Otto Röher durfte die Anzeige der Deutschen Bank im Parteibüro in Döbeln einsehen. Daraus schloss er, dass es nach der Übernahme durch Rottenberg zu einem Konflikt über die Anteile zwischen Krenter und Rottenberg gekommen sei. Auch der Jude Kronstein spielte eine Rolle, notierte er. In seinen Notizen schwingen Verärgerung und Verachtung mit: Nicht nur Krenter, sondern auch Rottenberg entpuppte sich als Betrüger.

Vom Gericht in Dresden kam ein dringendes Schreiben. Wer von den Beamten oder Polizisten in Döbeln könnte in dem Strafverfahren gegen Rottenberg aussagen? Wer wusste, wie die Übernahme abgelaufen war? Stadtrat Röher und der Direktor der Stadtbank, Curt Reuther, meldeten sich. Der Name des Bürgermeisters Denecke, der sich intensiv mit dem Schicksal der Deutschen Zigarren-Werke beschäftigt hatte und immer mit Isay Rottenberg in Kontakt stand, fehlte.

Er war, wie wir aus den Protokollen des Stadtrats entnehmen, plötzlich von der Bildfläche verschwunden. Wir konnten nicht rekonstruieren, was genau vorgefallen war. Aber dass ein Streit zwischen Herbert Denecke und dem unverschämten Döbelner NSDAP-Parteichef Rudolf Behr der Grund war, steht fest. Einen Hinweis darauf fanden wir zufällig in Leipzig in der Datenbank zum Nationalsozialismus. Hier tauchte als einer der Treffer für Döbeln eine Aussage von Walter Haensch auf, einem Mann, der 1946 in Nürnberg wegen Kriegsverbrechen, die er als Leiter einer SS-Einsatzgruppe in der Ukraine begangen hatte, vor Gericht stand.

Während seines Prozesses sagte Haensch, dass er am liebsten in zivilen Positionen gearbeitet habe und dies auch weiterhin gerne getan hätte. Als

Beweis dafür führte er seinen Aufenthalt in Döbeln im Jahr 1935 an, wo er eine Stelle bei der Stadtverwaltung hatte. Er wurde dort in einen Konflikt zwischen Bürgermeister Denecke und NSDAP-Kreisleiter Behr verwickelt und daraufhin zum Sicherheitsdienst versetzt. Gegen seinen Willen, sagte Haensch in Nürnberg. Wäre es nach ihm gegangen, wäre er in Döbeln geblieben und nicht in der Ukraine an der Spitze einer SS-Einsatzgruppe gelandet. Aber das nur nebenbei.

Von Bedeutung ist, dass Behr aus dem Streit mit Denecke als Sieger hervorging und dass die Nazis Deneckes Verhalten als illoyal gegenüber der Parteilinie werteten. Daraufhin schickte der Stadtrat von Döbeln ihn weg. Mit dem Verfahren gegen Rottenberg hatte das nichts zu tun. Deneckes Schicksal war davon unabhängig.

Selbst wenn Bürgermeister Denecke noch fest im Sattel gesessen hätte, hätte er vermutlich keinen Einfluss mehr nehmen können. Sich für die Fabrik mit einem jüdischen Direktor einzusetzen, war eine Sache, aber einen Juden, gegen den die Deutsche Bank und die Justiz ein Verfahren eingeleitet hatten, persönlich zu schützen, dafür hatte Denecke zu wenig Macht.

Nach seinem erzwungenen Abgang aus Döbeln, der offenbar bereits im April 1935 stattfand, war Deneckes Verwaltungslaufbahn beendet. Im Oktober desselben Jahres erhielt er eine Verwarnung von einem NSDAP-Parteigericht. Sein Ruf war jedoch nicht so sehr beschädigt, dass man ihn beiseiteschob. Er blieb Mitglied der NSDAP und durfte in seinen alten Beruf des Strafrichters zurückkehren. Er stieg sogar auf und wurde 1940 zum Präsidenten des Landgerichts in Freiberg ernannt, wo es auch ein »Sondergericht« gab, das Urteile bei politischen Delikten fällte.

Als Rottenberg zurück in Dresden war, bat er Steenbergen um Hilfe. Neben dem Strafverfahren wegen Insolvenzbetrugs wurde ein zweites Strafverfahren gegen ihn eröffnet: Es ging hierbei um die Verletzung von Devisenbestimmungen. Laut Staatsanwaltschaft hätte er keine Zahlungen an den Tabakeinkäufer Vincenz Silvan in den Niederlanden tätigen dürfen, ohne eine Sondergenehmigung einzuholen. Rottenberg verteidigte sich damit, dass Silvan nicht geflohen sei, sondern sich vorübergehend im Ausland aufhalte und daher nach deutschem Recht als inländischer Devisenempfänger gelte.

Steenbergen ging auf den Staatsanwalt zu und erörterte mit ihm ausführlich den Fall. Er verließ das Gespräch mit dem Eindruck, dass sich alles zum Guten wenden würde. Der Staatsanwalt räumte ein, dass es keine große Sache sei und er vielleicht nur eine Geldbuße verhängen werde. Ein paar Tage später ging Steenbergen in die Devisenstelle des sächsischen Finanzministeriums, um auch den Ankläger zu bearbeiten. Es gelang ihm nicht, den Beamten, der ihn – wie Steenbergen betonte – in SA-Uniform empfing, dazu zu bewegen, die Anzeige zurückzuziehen. Der Konsul ließ nicht locker und legte einen schriftlichen Vergleichsvorschlag vor, in dem er die Bedeutung der deutsch-niederländischen Wirtschaftsbeziehungen als Trumpf ausspielte. Wenn dieses kleine Devisenverfahren zurückgezogen oder beigelegt wird, vermeiden Sie das Risiko, die öffentliche Meinung in den Niederlanden negativ zu beeinflussen, schrieb er.

Seine Intervention zeigte Wirkung: Einen Monat später, am 28. April 1936, wurde das Devisenverfahren gegen Isay Rottenberg eingestellt. Ende gut, alles gut. Oder etwa doch nicht?

Bei der weiteren Suche in den Dokumenten stießen wir wieder auf das Devisenverfahren. Derselbe Staatsanwalt, der den Fall im April 1936 geschlossen hatte, nahm ihn sechs Monate später wieder auf. Er ersuchte den Untersuchungsrichter, das Ermittlungsverfahren wegen Insolvenzbetrugs auf Devisenbetrug auszudehnen. Und da auf die beiden zusammengeführten Verfahren eine höhere Strafe steht, empfahl er, Rottenberg bis zu seinem Prozess in Untersuchungshaft zu nehmen, um ihn an der Flucht zu hindern.

Wo sich Isay Rottenberg zu diesem Zeitpunkt aufhielt, wissen wir nicht. Er hatte sein Ziel, rehabilitiert zu werden und die Deutsche Bank zur Rechenschaft zu ziehen, noch nicht aufgegeben. Steenbergen notierte, dass Rottenberg nach seiner Entlassung aus der Untersuchungshaft »sehr optimistisch und voller Zuversicht auf einen günstigen Ausgang seines Strafverfahrens« gewesen sei.

Unser Großvater begründete diese Zuversicht damit, dass er aus der Haft entlassen wurde, nachdem er sechs Monate lang fast täglich verhört worden war. Er sei unschuldig und sie hätten keine Beweise, schlussfolgerte er, immer noch hartnäckig in der Annahme, dass die deutsche Justiz das Gesetz und die Verfahrensregeln wie bisher ordnungsgemäß anwenden würde. Ignorierte er die Realität? Während er inhaftiert war, traten die Nürnberger Rassengesetze in Kraft. Juden waren von diesem Moment an offiziell Bürger zweiter Klasse. Richter und Staatsanwälte waren schon längst von der NS-Ideologie durchdrungen. Isay Rottenberg verstand sich zweifellos als Jude, aber in Deutschland fühlte er sich wohl in erster Linie als Ausländer mit niederländischer Staatsangehörigkeit mit einem Reisepass in der Tasche, der ihm Schutz bot.

Aus einem Gespräch, das Steenbergen im Mai 1936 mit Dr. Illgen führte, können wir uns ein Bild davon machen, wie ein deutscher Staatsanwalt Isay Rottenberg sah. Illgen war etwa 60 Jahre alt und trug eine NSDAP-Anstecknadel. An seinem Schreibtisch war er umgeben von Akten über den Insolvenzbetrug bei den Deutschen Zigarren-Werken, und er fand, es sei ein komplizierter Fall. Illgen wollte gerne von Steenbergen hören, was er von Rottenberg halte. War dieser Rottenberg nicht ein Pole, der vor nicht allzu langer Zeit die niederländische Staatsbürgerschaft angenommen hatte? Die Tatsache, dass die Niederlande ihn eingebürgert hätten, hielt der Konsul Dr. Illgen vor, bedeute, dass an ihm nichts auszusetzen sei. Illgen wendete ein, dass dies nichts zu bedeuten habe, schließlich habe es auch in Deutschland Zeiten gegeben, in denen man mit ein bisschen Bestechungsgeld leicht an die Staatsbürgerschaft gekommen sei.

Tini schildert auf dem Spielberg-Video, wie ihr Vater nach seiner Freilassung weiterhin in Deutschland Prozesse führte, und wenn er in Amsterdam war, eher ein Besucher als ein Bewohner war. Dann kamen seine Schwägerinnen, die verrückt nach ihm waren, und die Familie scharte sich um ihn, wenn er von seinen Gerichtsverfahren erzählte. »Das war sooo langweilig für uns Kinder«, sagt Tini. Wenn er da war, war das Wohnzimmer voller Zigarettenrauch und es wurde Bridge gespielt, denn er hatte in den Niederlanden nichts zu tun, er arbeitete ja nicht. Die Kinder konnten diesen verqualmten Raum mit den Bridge spielenden Familienmitgliedern nicht ausstehen. Diese Abscheu gegen das Rauchen und das Bridgespiel behielten alle drei für den Rest ihres Lebens bei. Tini zitiert, was ihr Vater zu sagen pflegte, wenn er von seinen Abenteuern in Deutschland erzählte: »Der Jude Rottenberg.« Und dann lachte er. Sie fand es fürchterlich, beklemmend.

Weiterverkauft

Das Straf- und das Zielverfahren waren noch anhängig, als die Deutsche Bank im Januar 1937 die Döbelner Zigarrenfabrik an August Blase aus Lübbecke verkaufte. Der Verkaufspreis betrug 400.000 Reichsmark, das Vierfache des Betrages, den Rottenberg 1932 hingeblättert hatte. Für Blase waren die Deutschen Zigarren-Werke eine äußerst attraktive Anschaffung. Er hatte eine Fabrik in Westfalen und mehr als 50 Filialbetriebe mit Heimatarbeitern. Im Jahr 1932 beschäftigte Blase fast 4.000 Mitarbeiter. Selbst vom Maschinenverbot betroffen, musste Blase die von ihm verwendeten Maschinen aus dem Verkehr ziehen und sein Personal aufstocken. Im Jahr 1934 beschäftigte das Unternehmen notabene 5.500 Mitarbeiter, womit Blase die größte Zigarrenfabrik Deutschlands besaß. Alle in der Branche wussten, dass die Deutschen Zigarren-Werke in Döbeln als einzige in Deutschland das Maschinenverbot überlebt hatten und dass die amerikanischen Maschinen die Zigarren vollautomatisch in einer noch nie gekannten Geschwindigkeit produzierten. Wer würde eine solche Fabrik, die modernste in Deutschland, nicht erwerben wollen?

Von wem die Initiative zum Verkauf der Deutschen Zigarren-Werke ausging, ist nicht zu ermitteln. In der Regel trat eine deutsche Firma, die sich für ein bestimmtes jüdisches Unternehmen interessierte, an die Bank heran, schreibt Harold James, Autor des Standardwerks *Die Deutsche Bank im Dritten Reich*. Dieses Unternehmen befand sich zu diesem Zeitpunkt bereits in Schwierigkeiten, da es keine Kredite erhielt oder von den Behörden schikaniert wurde. Wenn die Eigentümer sich nicht schnell zum Verkauf entschlossen oder mit einem niedrigen Preis nicht zufrieden waren, wurden neue Vorwürfe erfunden. Die deutschen Banken kämpften untereinander um die Leckerbissen. Oft behielt die Bank die Aktien für eine Weile und erhoffte sich erhebliche Gewinne, da der Wert der Aktien oft stieg, wenn das Unternehmen nach dem Verschwinden des jüdischen Eigentümers wieder auf die Beine kam.

Im Kaufvertrag der Deutschen Zigarren-Werke gab es eine Einschränkung: Die Deutsche Bank war nicht verpflichtet, die Aktien sofort an Blase zu liefern. Dies war erst erforderlich, wenn das Gericht über das Eigentumsrecht an den Aktien entschieden hatte. Beide Parteien konnten den Vertrag annullieren, sollte das Gericht der Deutschen Bank unerwartet einen Strich durch die Rechnung machen. Es gab also einen Rechtsstreit um den Aktienbesitz, können wir hieraus folgern, aber die Deutsche Bank und Blase waren am Ende ihrer Geduld und gingen davon aus, dass das Gericht die Arisierung legitimieren würde. Eine zuversichtliche Annahme, die unter den gegebenen Umständen durchaus gerechtfertigt war.

Die Vereinbarungen wurden streng geheim gehalten, mit der Ausführung wurde bereits begonnen. Die Deutsche Bank verdrängte den Hausbankier der Deutschen Zigarren-Werke, die Gebrüder Arnhold in Berlin, und die Dresdner Bank, die den Hauptsitz von Arnhold übernommen hatte, und wurde zum alleinigen Kreditgeber der Zigarrenfabrik. Blase musste versprechen, seine Bankgeschäfte bei keiner anderen Bank abzuwickeln, legte die Deutsche Bank in einem geheimen Paragrafen fest. Lediglich für kleine Überbrückungskredite durften die Deutschen Zigarren-Werke die Döbelner Stadtbank in Anspruch nehmen, aber auch das nur mit Zustimmung der Deutschen Bank.

Wenige Wochen nach der Vertragsunterzeichnung setzte August Blase einen eigenen Vertrauensmann in die Geschäftsleitung der Fabrik ein, die fortan als Zweigwerk von Blase geführt wurde. Der neue Direktor hieß Emil Leschinsky und war in Westfalen für die Aufsicht der Heimwerkerfilialen zuständig. Die Zigarrenmacher dort fürchteten ihn wegen seiner Genauigkeit und Strenge. Es wird erzählt, dass die Zigarrenmacher davonliefen, wenn sie hörten, dass er kam, und erst wieder zur Arbeit zurückkehrten, wenn er auf dem Weg ins nächste Dorf war.

Blase hatte für die Übernahme bezahlt und wollte nun im Hinblick auf die Jahreshauptversammlung der Aktionäre im Juni schnell an die Aktien kommen. Die Deutsche Bank musste etwas tun, um Blase zufriedenzustellen, und legte ein Paket von 40 Prozent der Aktien in ein separates Bankschließfach. Mehr konnte Veith zu diesem Zeitpunkt nicht tun, wie aus einem Brief hervorgeht, den er an August Blase geschickt hatte. Dann folgte ein Satz, in dem Veith noch einmal auf die Einschränkung im Vertrag wegen des laufenden Gerichtsverfahrens hinwies. Aber die Einschränkung wurde nun realer: Das Gericht in Dresden gab am 5. Februar 1937 der Deutschen Bank Unrecht! Erst wenn dieses Urteil aufgehoben wird, schrieb Veith, können wir die Aktien übergeben.

Isay Rottenberg hatte offenbar eine Schlacht gewonnen. Kämpferisch, stur auf seinem Recht beharrend, weigerte er sich, sich dem Unvermeidlichen zu beugen und hatte als Jude im nationalsozialistischen Deutschland der Deutschen Bank einen Knüppel zwischen die Beine geworfen. Aus unserer Sicht war sein Verhalten tollkühn und wahnsinnig. Er war inhaftiert, sein Strafverfahren wegen Betrugs war noch anhängig, das Devisenverfahren war wieder aufgenommen worden, er konnte jederzeit wieder eingesperrt werden. Dennoch reiste er weiter nach Deutschland, hielt sich dort sogar häufiger auf als im sicheren Amsterdam und begann nun selbst, einen Prozess gegen einen mächtigen Gegner zu führen.

Aber für ihn muss es anders ausgesehen haben. Als er in Döbeln anfing, ignorierte er die antisemitischen Verleumdungen seiner Konkurrenten, er trotzte dem Maschinenverbot, das faktisch wegen seiner Fabrik von Hitler verhängt wurde und die Deutschen Zigarren-Werke zur Schließung zwingen sollte; eine Anzeige gegen ihn bei der Gestapo verlief im Sande, er widersetzte sich einer Kampagne der gesamten Zigarrenindustrie, er wurde aufgrund einer falschen Anschuldigung verhaftet, aber wieder freigelassen.

Er wehrte all diese Angriffe erfolgreich ab. Er fühlte sich nicht wie ein verletzbarer Jude, er war allem gewachsen mit seiner Haltung: »Kommt nur her, ich wehre mich!« Und siehe da, auch die Deutsche Bank war nicht unbesiegbar.

Wir wissen nicht, welches Urteil der Richter am 5. Februar 1937 gefällt hatte. Von den Prozessen sind nur indirekte Spuren erhalten geblieben. Fest steht, dass das Urteil die Deutsche Bank dazu zwang, einen Vergleich mit Rottenberg auszuhandeln. Dies geht aus der Korrespondenz zwischen der Bank und dem Käufer der Deutschen Zigarren-Werke, der westfälischen Zigarrenfirma Blase, hervor.

Sicher ist auch, dass diese Verhandlungen zu keinem Ergebnis führen würden. Vielleicht witterte Isay Rottenberg eine Niederlage und nahm das Angebot nicht an. Vielleicht wusste er bereits, oder er spekulierte darauf, dass die Strafverfahren gegen ihn eingestellt würden. Ende November 1937 wurde das Verfahren wegen Devisenbetrug tatsächlich aus Mangel an Beweisen eingestellt. Ob das Verfahren wegen Insolvenzbetrugs gleichzeitig oder erst später eingestellt wurde, kann nicht festgestellt werden. Auf alle Fälle hatte die Deutsche Bank im Strafverfahren klein beigegeben.

Danach, so schrieb Konsul Steenbergen im Mai 1938, habe Rottenberg seinen Zivilprozess gegen die Bank fortgesetzt. Nach Abschluss des Strafverfahrens hatte er nun freie Hand, gegen die Deutsche Bank vorzugehen.

Aus dem Brief von Steenbergen erfahren wir, dass er sogar mehrere Prozesse führte. Die sächsische Regierung hatte jedoch genug oder wurde von der Deutschen Bank unter Druck gesetzt, und ordnete am 17. Mai 1938 die Ausweisung Isay Rottenbergs an.

Unser Großvater, wie wir ihn inzwischen kennen, fand sich damit nicht ab. Er legte Einspruch beim Polizeipräsidenten in Dresden ein. Sachsen habe nicht das Recht, ihn, einen niederländischen Staatsbürger, auszuweisen. Das habe nur das Deutsche Reich, behauptete er. Er musste ständig in Dresden sein, um seine Prozesse führen zu können. Und da stand es endlich schwarz auf weiß: Er führte einen Prozess gegen die Deutsche Bank und einen zweiten gegen die Deutschen Zigarren-Werke.

Es gebe keinen rechtlichen Grund, ihm den Aufenthalt in Dresden zu verbieten, fand er. »Ich gehe in Ruhe unter Beachtung der deutschen Gesetze meinen Geschäften hier nach und habe, soviel ich mir bewusst bin, niemals Anlass gegeben, dass ich etwa als lästiger Ausländer betrachtet werden könnte.« Konsul Steenbergen schickte einen weiteren geharnischten Brief, um den Einspruch gegen die Ausweisung zu unterstützen. Sachsen hielt an seiner Position fest. Auf Intervention der niederländischen Botschaft in Berlin erteilte ihm das deutsche Außenministerium jedoch die Erlaubnis, dass er sich für seine Prozesse in Dresden aufhalten durfte. Er musste jedes Mal einen Antrag stellen und bekam dann eine Aufenthaltsgenehmigung für ein paar Tage.

Der niederländische Gesandte in Berlin, Van Haersma de With, empfand es als ungerecht, dass Rottenberg, der »nichts verbrochen hatte«, nur aus Gefälligkeit vorübergehend in Dresden bleiben durfte. Er wollte sich der Sache annehmen, wollte aber vorher wissen, »ob Herr Rottenberg unter den gegenwärtigen Umständen noch Wert darauf legt, sich dauerhaft in Deutschland niederzulassen«. Sein Brief ist auf den 26. Januar 1939 datiert. Es ist das letzte Dokument in der Akte über Isay Rottenberg beim Auswärtigen Amt. Vorangestellt ist ein Vermerk des Auswärtigen Amtes, dass Rottenberg für die Zeit vom 6. bis 11. November 1938 eine Aufenthaltsgenehmigung für Dresden erhalten habe.

Wir lesen das noch einmal, es steht wirklich da. Vom 6. bis 11. November 1938. Dann war er anscheinend am 9. November 1938 in Dresden? Dann war er während der Novemberpogrome dort.

14

Und dann kam der Krieg

In Döbeln waren die Novemberpogrome zur Vertreibung der Juden im Grunde nicht mehr nötig. Am 10. Oktober 1938 meldete der *Döbelner Anzeiger* unter der Überschrift »Döbeln frei von jüdischem Geschäftsgeist«, dass das zweite und letzte jüdische Kaufhaus der Stadt in arische Hände übergegangen sei. Es handelte sich um das beliebte Kaufhaus Wohlwert von Georg Kariel. Die Übernahme wurde mit dem Personal, den Nazibonzen und Bürgermeister Walter Gottschalk, dem Nachfolger Deneckes, gefeiert. Der NSDAP-Führer Behr erinnerte sich mit Genugtuung daran, dass er Anfang des Jahres, an Hitlers Geburtstag, dem 20. April, dazu aufgerufen hatte, Döbeln innerhalb eines halben Jahres judenrein zu machen. Nun solle aus dem »jüdischen Ramschladen«, so Behr, ein Geschäft werden, in dem »guter deutscher Kaufmannsgeist« herrsche.

In seinen Memoiren widmet Helfrid Piper einige Passagen der Frage, wie in Döbeln auf die Novemberpogrome reagiert wurde. Am Morgen des 10. November, so schreibt er, kam ein Lastwagen aus Leipzig, um das Geschäft seiner Eltern mit Waren zu beliefern. Der Fahrer war sehr aufgeregt und rief: »Bei uns in Leipzig hat man mehrere Kaufhäuser und die Synagoge angezündet. Sind die Affen denn wahnsinnig geworden??« Kurz darauf kam ein Lastwagen aus Halle, dessen Fahrer berichtete, dass in seiner Stadt Schaufenster eingeschlagen und geplündert worden seien. Laut Piper waren alle, die das hörten, entsetzt. »Alle Menschen waren entsetzt. Nicht einer hielt dies für gut, selbst unser Ortsgruppenleiter wollte dies nicht glauben.« Piper nennt die Novemberpogrome »einfach eine Schande«. Wonach er trocken berichtet, dass man in Döbeln »nur bei zwei Geschäften die Glasscheiben von der Ladentür eingedrückt« hatte. Kaum der Mühe wert, unterstellte er, ohne zu erwähnen, dass fast alle jüdischen Geschäfte in Döbeln bereits nicht mehr existierten.

Mit Sophie Spitzner und Stephan Conrad von der Arbeitsgruppe NS-Geschichte gehen wir vorbei am Geschäft für Kurz- und Wollwaren der Familie Heynemann, die nach den Novemberpogromen in Döbeln ihre Existenz verlor und nach Berlin zog, von wo aus später ihre Deportation erfolgte; am Haus der Rosenthals in der Ritterstraße, dem Kaufhaus der Familie Lachmann und dem Haus der Familie Jacobi in der Breite Straße.

Bei den kleinen Stolpersteinen, die sie ins Pflaster vor den Häusern eingelassen haben, erzählen Conny und Sophie von den Bewohnern. Deutsche, die an ihren Führungen teilnehmen, sind am meisten erstaunt darüber, dass in Döbeln früher Juden gelebt haben. Die Döbelner, die die 1930er-Jahre erlebt haben, erinnern sich noch an ihre jüdischen Mitbürger in der Schule, bei der Arbeit, als Ärzte oder Ladenbesitzer, aber für ihre Nachkommen ist es ein Stück unbekannte Geschichte.

Viele Döbelner Gymnasiastinnen und Gymnasiasten hingegen wissen darüber Bescheid. Als Judith Schilling, die auch in der Arbeitsgruppe NS-Geschichte aktiv ist, das Gymnasium besuchte, bot der Schulleiter Michael Höhme für Interessierte einen Kurs über jüdische Geschichte und Kultur an. Das macht er jedes Jahr. Gemeinsam mit seinem Sohn hat er das Schicksal der Familie Glasberg, die drei Kinder am Gymnasium hatte, untersucht und eine Ausstellung über sie zusammengestellt, die eigens für unseren Besuch in Döbeln im Stadtmuseum wieder aufgehängt wurde.

Abb. 36 Max, Ruth und Karl Glasberg mit ihrer Tante in Döbeln

Die Geschichte der Glasbergs zeigt, wie es Juden unmöglich gemacht wurde, in Döbeln zu leben, und wie fanatische Nazis schon früh mit der Verfolgung begannen.

Max, Karl und Ruth Glasberg wurden in jungen Jahren zu Waisen und von Verwandten aufgenommen, die ebenfalls in Döbeln lebten. Ihre Pflegeeltern, David und Helene Gutherz, entschlossen sich 1936, nach Berlin zu ziehen, weil es für Helene immer schwieriger wurde, als Frauen- und Kinderärztin zu praktizieren; ihre Patienten wurden verleumdet und bedroht, wenn sie ihr die Treue hielten. Max Glasberg, der älteste Sohn, zog mit ihnen um, aber Karl und Ruth blieben in Döbeln bei einer Tante. Sie besuchten das Gymnasium, und die Familie hoffte, dass sie die Schule abschließen könnten. 1938 trat ein neuer Rektor an, ein Obersturmbannführer der SA, der in brauner Uniform zur Schule kam. Er ordnete an, dass

Karl und Ruth von nun an separat vorne in der Klasse sitzen mussten, um die deutschen Kinder vor Ansteckung zu schützen. Im Mai 1938 verwies er die jüdischen Schüler der Schule, ein halbes Jahr, bevor die Nazis diese Maßnahme im ganzen Dritten Reich verhängten. Dann zogen auch Karl und Ruth um nach Berlin.

Noch ein letztes Mal besuchten die Kinder ihre Tante in Döbeln. Das wurde Max zum Verhängnis. Ein Polizist erkannte ihn und ließ ihn in eine Polizeizelle einsperren. Nach einer Woche wurde er nach Leipzig und von dort ins KZ Sachsenhausen überstellt. Ein paar Monate später, im März 1940, erhielt die Familie die Todesnachricht. Karl wurde nach seiner Rückkehr in Berlin verhaftet und später in Auschwitz ermordet. Die Pflegeeltern David und Helene Gutherz wurden festgenommen und getrennt. Helene wartete das Ende nicht ab und nahm eine Giftpille. David wurde in Auschwitz ermordet. Nur das jüngste Kind, Ruth, überlebte den Nationalsozialismus. Ihre Pflegeeltern schickten sie 1940 mit einem »Kindertransport« nach Schweden.

Ruth kehrte 1950 nach Döbeln zurück. Es machte sie betroffen, wie viele Menschen wegschauten und schwiegen, obwohl sie sie erkannten. Zum Glück gab es Ausnahmen wie die Bekannten, die ihr die Fotoalben der Familie zurückgaben. Längst nicht alle machten bei der Nazihetze gegen die Juden mit, erinnerte sich Ruth Glasberg, als sie 1999 noch einmal Döbeln besuchte. »Die große Mehrheit«, erinnert sie sich, »war gleichgültig oder hatte Angst. Das ist menschlich, das verstehe ich auch heute. Der Mensch denkt ja, trotz dass man immer von Solidarität spricht, erstmal an sich.«

Dank der Chronik der Stadt Döbeln, die der Heimatfreund Jürgen Dettmer auf der Grundlage vollständig erhaltener Zeitungen zusammengestellt hat, können wir verfolgen, wie Döbeln aufgewiegelt wurde und sich auf den Krieg vorbereitete.

Nach den Novemberpogromen wurden beim *Döbelner Anzeiger* alle Hemmungen über Bord geworfen. Die Schlagzeilen sprechen die Sprache

Einzelnummer 10 Pfg.

Döbelner Anzeiger

und Tageblatt

(Früher: Anzeiger und Wochenblatt für Döbeln, Lommatzsch, Roßwein und Umgegend.)

Der Döbelner Anzeiger ist das zur Veröffentlichung der amtlichen Bekanntmachungen der Amtshauptmannschaft, des Oberbürgermeisters der Stadt Döbeln behördlicherseits bestimmte Blatt und enthält die Bekanntmachungen des Amtsgerichts und des Finanzamts Döbeln

Ruf 3228 und 3229 — Begründet am 19. Juli 1838. — Ruf 3228 und 3229

№ 263 | Stadtbankkonto 2022, Adca Filiale Döbeln, Gewerbebank, Landw.-Bank, Postscheckkonto 26532 Leipzig | Donnerstag, 10. November nachm. | Anzeigen-Annahme nur bis 9 Uhr vorm. für die nächsterscheinende Nummer. / Sonntags geschlossen. | 1938

Juden sind Mörder!

Mit tiefer Erschütterung hat das deutsche Volk die Nachricht vom Ableben des jungen deutschen Diplomaten in Paris aufgenommen. Durch die hinterhältige und gemeine Tat …

Gesandtschaftsrat vom Rath †

Ein neues Opfer jüdischen Verbrechertums

Der deutsche Gesandtschaftsrat vom Rath ist Mittwoch nachmittag 16,30 Uhr (französischer Zeit) an den Folgen des gegen ihn verübten Attentats des Juden Grünspan gestorben.

Noch vor seinem Tode konnte dem Schwerverletzten, dem auch eine am Mittwoch vormittag vorgenommene dritte Blutübertragung keine Hilfe mehr bringen konnte, seine Ernennung zum Gesandtschaftsrat durch den Führer mitgeteilt werden. An seinem Sterbelager weilten seine Eltern.

…

Beileidstelegramm des Führers an die Eltern

Der Führer und Reichskanzler hat an die Eltern des Gesandtschaftsrats 1. Klasse vom Rath folgendes Beileidstelegramm gesandt:

„Herrn und Frau vom Rath, zur Zeit Paris.

Nehmen Sie zu dem schmerzlichen Verlust, der Sie durch den feigen Meuchelmord an Ihrem Sohn getroffen hat, meine aufrichtigste Teilnahme entgegen. Adolf Hitler."

…

Eine Erklärung der deutschen Aerzte

…

Frankreichs erste Persönlichkeiten sprechen ihre Anteilnahme aus

…

Abb. 37 *Döbelner Anzeiger*, 10. November 1938

der Gewalt. »Juden sind Mörder!« »Wenn das deutsche Volk schon schlägt, dann schlägt es gründlich.« »Läuse sind Läuse und Juden sind Juden.«

Als im März 1939 deutsche Truppen in die Tschechoslowakei einmarschierten, wurde der Obermarkt vor dem Rathaus, der schon seit sechs Jahren Hindenburgplatz hieß, zum Schauplatz organisierter Begeisterung. Woche für Woche fanden Kundgebungen und Aufmärsche statt. Aus den Lautsprechern dröhnte das Gebrüll von Hitler und Goebbels; die Naziführer aus Dresden und Berlin kamen persönlich nach Döbeln, um die Menge psychisch auf den Krieg einzustimmen.

Mit dem Überfall auf Polen brach am 1. September der Krieg aus. Soldaten des Döbelner Regiments nahmen am Feldzug teil. Drei Wochen später trafen die ersten polnischen Kriegsgefangenen in der Stadt ein, ein

Sonderzug brachte 1.000 Mann. Sie wurden auf die Dörfer der ganzen Umgebung verteilt und bei der Ernte eingesetzt.

Rudolf Behr überwachte streng die Reinheit der Bevölkerung. Als sich ein Mädchen mit einem kriegsgefangenen Polen fotografieren ließ, wurde es vom NSDAP-Kreisleiter in eisiger Kälte vor dem Rathaus mit kahlgeschorenem Kopf bloßgestellt.

Viele Jahre später, als der Krieg vorbei war und Behr – angeklagt wegen Verbrechen gegen die Menschlichkeit – in einem Internierungslager saß, machte die Mutter des Mädchens eine Zeugenaussage. Es war ein Racheakt von Behr, berichtete sie. Er kam mit ein paar Männern hungrig in ihre Gaststube und bat um »anständiges Essen«. Die Suppe mit Kartoffeln und Eiern, die sie ihm umsonst servieren wollte, lehnte er ab. Er wollte Schinken und Wurst, ohne dafür zu bezahlen. Sie weigerte sich, woraufhin er fluchend abzog. Wenige Wochen später ließ Behr sie und ihre Tochter festnehmen, ihre Köpfe kahl rasieren und sie bei minus 20 Grad vor einer Menschenmenge vor dem Rathaus zur Schau stellen. Die Menge verhöhnte sie und bewarf sie mit Schneebällen. Danach wurden Mutter und Tochter nach Leipzig gebracht, vom Richter freigesprochen, dann aber erneut von der Gestapo verhaftet. Die Tochter wurde ins Konzentrationslager Ravensbrück geschickt, wo sie vier Monate lang inhaftiert war. Die Mutter landete aufgrund der Misshandlungen der Gestapo im Krankenhaus.

Anfang 1940 wurden Hunderte von Volksdeutschen, die im Rahmen der Aktion »Heim ins Reich« aus Polen nach Deutschland gebracht worden waren, in Döbeln untergebracht. Die Wohnverhältnisse waren jedoch so primitiv, dass Dutzende von kleinen Kindern starben.

Am 1. Oktober 1940 feierte Döbeln die Rückkehr der Truppen, die mehr als ein Jahr lang weg gewesen waren, um Europa zu überrennen. Die Geschäfte schlossen an diesem Tag früh, um den Soldaten einen feierlichen Empfang zu bereiten.

Döbeln erhielt die Nachricht, dass Hermann Groine, der ehemalige NSDAP-Kreisleiter, wenige Wochen nach Beginn der Operation Barbarossa, bei dem Überfall auf die Sowjetunion im Juni 1941, gefallen war. Ihm hatte unser Großvater mit zu verdanken, dass die Deutschen Zigarren-Werke trotz des Maschinenverbots weiter produzieren konnten, denn bei Isay Rottenbergs erster Sitzung mit seinen Gegnern war Groines Meinung ausschlaggebend. Obwohl Groine bereits 1934 in eine Nachbarstadt versetzt worden war, war er für Döbeln so wichtig, dass man an ihn in einer öffentlichen Gedenkfeier erinnerte. Schließlich war er es, der die Machtübernahme der Nazis vollzog, indem er auf die Frage von Bürgermeister Kunzemann, »Herr Groine, hat Ihre Erklärung die Bedeutung, dass Sie mich mit Gewalt an der Fortführung meines Amtes hindern wollen?« mit einem kurzen »jawohl« antwortete. Groine wurde 44 Jahre alt.

Anfang 1942 wurde Groines Nachfolger in Döbeln, Rudolf Behr, zum Kriegsdienst eingezogen. Später im Jahr wurde er verwundet und beurlaubt, um sich in Döbeln zu erholen. Er sprach einem vollbesetzten Saal Mut zu angesichts der Erfolge an der Ostfront. »Auf die Haltung kommt es an!«

Am 29. Januar 1943 war Behr der Hauptredner bei den Feierlichkeiten zum zehnten Jahrestag der nationalsozialistischen Machtergreifung. Natürlich tat er so, als gäbe es sehr viel zu feiern. Die Bevölkerung, der Informationen vorenthalten wurden, hatte keine Ahnung, wie der Krieg wirklich verlief. Eine Woche nach Behrs Festrede schlossen die Kinos, das Theater, die Restaurants und Cafés. So blieb es tagelang, denn es gab nichts mehr zu feiern, nachdem die 6. Armee in der monatelangen, erbitterten Schlacht um Stalingrad eingekesselt worden war und kapitulieren musste. 110.000 deutsche Soldaten gerieten in russische Kriegsgefangenschaft und nur 6.000 von ihnen würden zurückkehren.

In der Schlacht um Stalingrad kämpften auch Soldaten aus Döbeln mit. Die Wehrmacht eröffnete einen Informationsschalter in der Bahnhofstraße 11a, bei dem Familienangehörige sich nach Gefallenen erkundigen konnten. Im Rathaus gedachte Bürgermeister Gottschalk »den Helden von Stalingrad«.

Von nun an hieß es: alle Mann an Deck! Männer zwischen 17 und 65 Jahren und Frauen zwischen 18 und 35 Jahren mussten sich beim Arbeitsamt in der Burgstraße melden, um in der Rüstungsindustrie eingesetzt zu werden. Betriebe, die nicht für den täglichen Bedarf oder die Aufrüstung benötigt wurden, verloren ihr Angestellten und mussten schließen. Die Stimmung in Döbeln verdüsterte sich zunehmend. Es wurde eine nächtliche Ausgangssperre verhängt, die Bewohner mussten ihre Dachfenster zur Tarnung verhängen, der Rathausturm diente als Signal bei Fliegeralarm: Wenn es sicher war, wurde die Uhr schwach beleuchtet, wenn das Licht ausging, musste man sich vor Luftangriffen in Sicherheit bringen. Gauleiter Mutschmann verbot das Spielen von amerikanischem Jazz »oder ähnlicher, dem deutschen Kulturempfinden widerstrebender ›Musik‹.«

Es gab Unternehmen, die in dieser Zeit florierten und sich als nationalsozialistische Vorzeigeunternehmen profilierten. Die Nazis verwandelten Sachsen, die industrielle »Werkstatt Deutschlands«, in eine Rüstungsfabrik. Döbeln war mit seinen vielen Metallbetrieben und der guten Verkehrsanbindung schon früh in die Rüstung eingebunden. Führende Nationalsozialisten inspizierten vor Ort die Betriebe, um zu sehen, wie sie ihren Beitrag leisten konnten. Die Firma Großfuß erhielt den Auftrag, das Maschinengewehr MG 34 zu verbessern. Die Firma machte sich eifrig an die Arbeit und das Ergebnis war die MG 42, erfunden von dem Döbelner Ingenieur Werner Gruner. Sie wurde das schnellste Maschinengewehr im Zweiten Weltkrieg und war in den Niederlanden als »Hitlersäge« bekannt. Wegen dieses Technikwunders wurde die Firma Großfuß als Vorzeigeunternehmen der Rüstungsindustrie ausgezeichnet, und Gruner erhielt von Mutschmann einen Preis.

Auch der erbitterte Konkurrent unseres Großvaters, der Zigarrenfabrikant Emil Stockmann, erhielt einen Naziorden. Er rächte sich auf seine Weise, indem er im Rahmen der Zwangsarisierung eine Zigarrenfabrik in Heidelberg von einem jüdischen Besitzer übernahm. Er hatte die Fabrik für seinen Sohn gekauft. Aber nicht dafür wurde er belohnt: Seine Fabrik in Döbeln wurde während des Krieges zu zwei Dritteln auf die Produktion von Armeeausrüstung umgestellt.

Anfang 1944 gab es in Döbeln nach offiziellen Angaben neben den 25.000 deutschen Einwohnern über 1.300 ausländische Zwangsarbeiter, von denen bis auf 54 alle Männer waren. Laut Conny und Sophie von der Arbeitsgruppe NS-Geschichte müssen es mehr gewesen sein. Ihre Recherchen ergaben, dass in Döbeln 2.000 Zwangsarbeiter in nicht weniger als 143 Betrieben eingesetzt worden waren. »Das sind fast zehn Prozent der Bevölkerung«, sagt Conny. Bei unserem Spaziergang durch die Stadt zeigen sie auf verschiedene Gebäude. »An jeder Ecke gab es Betriebe mit Zwangsarbeitern.«

Ab Ende August 1944 stand das ganze Leben im Zeichen des Krieges. Theateraufführungen und Konzerte wurden abgesagt, der Unterricht wurde eingeschränkt, die Arbeitszeit wurde auf 60 Stunden pro Woche erhöht. Das Lutherdenkmal auf dem Lutherplatz verschwand. Es soll für die Rüstungsindustrie eingeschmolzen worden sein.

Luftangriffe der Alliierten legten Dresden am 13. und 14. Februar 1945 in Schutt und Asche. Döbeln wurde nicht getroffen, aber es gab täglich Fliegeralarm. Am 17. März trafen zwei Bomben Häuser in Döbeln. Der Schaden hielt sich in Grenzen und es gab keine Toten.

Als die Alliierten im Anmarsch waren, räumten die Nazis die Konzentrationslager. »Todesmärsche« mit Häftlingen aus Colditz und Buchenwald durchquerten Döbeln auf ihrem Weg nach Freiberg und Theresienstadt in Böhmen. Sieben Häftlinge brachen in Döbeln vor Erschöpfung zusammen und wurden auf der Stelle erschossen.

Am 1. Mai wurden auf dem Martin-Mutschmann-Platz Flugblätter verteilt mit der folgenden Meldung: »Adolf Hitler für Deutschland gefallen«. Am Gebäude der NSDAP in der Bahnhofstraße wehte die Fahne auf halbmast, an der Kaserne nicht. Bürger hängten schwarze Bänder aus ihren Fenstern. Die Nazis begannen, Unterlagen zu verbrennen.

Am 6. Mai standen sowjetische und amerikanische Truppen nur wenige Kilometer voneinander entfernt auf beiden Seiten von Döbeln.

Die Amerikaner stoppten, die Rote Armee stand kurz davor, Döbeln einzunehmen. Bürgermeister Walter Gottschalk war verzweifelt: Er hatte weder eine Anweisung zur Verteidigung noch zur Kapitulation erhalten und wusste nicht, was er tun sollte. Er stieg in sein Auto und floh aus der

Stadt. Die Rote Armee konnte – ohne einen Schuss abzugeben – in Döbeln einmarschieren.

Um die Kapitulation zu klären, begab sich der russische Kommandant ins Rathaus. Dort traf er niemanden an, bis auf einen Stadtrat, der in Raum Nr. 7 wartete. Es war ein alter Bekannter, niemand anderes als der ehemalige stellvertretende Bürgermeister, der zusammen mit Bürgermeister Kunzemann die Krenter Werke nach Döbeln geholt hatte: Otto Röher. Er unterzeichnete die Kapitulation. Sein Motto lautete: Immer unentbehrlich sein – vor der Machtergreifung der Nationalsozialisten, während der Naziherrschaft und auch nach dem Zusammenbruch des Dritten Reiches. Röher übernahm Verantwortung und wurde dafür belohnt, denn obwohl er sich im März 1933 sofort den Nazis angeschlossen hatte, wurde er als Stadtrat für Finanzen in die »antifaschistische demokratische« Stadtverwaltung wieder aufgenommen. Als ob in den letzten zwölf Jahren nichts geschehen wäre.

Die Deutschen Zigarren-Werke unter dem neuen Eigentümer

Nach der Enteignung 1935 konnten die Deutschen Zigarren-Werke ihre Produktion problemlos fortsetzen. Der Konflikt um die Maschinenproduktion war vergeben und vergessen. Das lag nicht nur daran, dass der jüdische Eigentümer, der Ausländer, der Unruhestifter vertrieben worden war. Dies war auch eine Folge der Wiederaufrüstung Deutschlands, die die Arbeitslosigkeit verschwinden ließ, die Wirtschaft ankurbelte und die Konsumenten wieder in die Lage versetzte, sich Zigarren leisten zu können. Aufgrund der verbesserten Marktsituation mussten die kleinen Zigarrenfabrikanten weniger hart um ihre Existenz kämpfen.

Auch der Widerstand gegen die maschinelle Produktion war nicht mehr so groß. Zigarrenfabrikanten begannen, sich für die neuen Methoden zu interessieren. Im Mitteilungsblatt des Reichsverbandes der Deutschen

Zigarrenhersteller e. V. erschien Ende 1935 eine kleine Anzeige: Wer möchte, kann sich für eine Studienreise nach Amerika anmelden, um moderne Zigarrenfabriken zu besichtigen. Das Schiff legt in Hamburg ab, die Devisenbeschränkungen sind für diese Reise aufgehoben und die Kosten sind wegen des niedrigen Dollarkurses geringer. Das Interesse war so groß, dass bei Weitem nicht alle mitfahren konnten und der Verband gleich eine zweite Studienreise ankündigte. Sie war ein durchschlagender Erfolg. Einen Monat nach der zweiten Reise überquerte eine dritte Gruppe den Ozean.

Die neue Eigentümerin der Deutschen Zigarren-Werke, die Deutsche Bank, berief neben dem Ingenieur Georg Berns den Dresdner Fritz Dannemann in die Geschäftsführung. Der Name hat uns überrascht. Ist er mit dem Zigarrenmulti Dannemann verwandt, dem jetzt Gebäude und Grundstücke der ehemaligen Fabrik unseres Großvaters gehören, nachdem Dannemann die Firma Blase übernommen hat? Oder ist es rein zufällig derselbe Name?

Fritz Dannemann blieb übrigens nicht lange Direktor. Er wurde durch Emil Leschinsky ersetzt, den Mann, den August Blase 1937, unmittelbar, nachdem er die Anteile an der Fabrik von der Deutschen Bank gekauft hatte, als seine Vertrauensperson nach Döbeln schickte.

Nach dem Krieg wurde Direktor Leschinsky von einer Kommission der neuen kommunistischen Regierung zur Rechenschaft gezogen. Denn die Deutschen Zigarren-Werke hätten ohne weiteres einen Preis als nationalsozialistisches Vorzeigeunternehmen gewinnen können.

Leschinsky, der seit 1933 Mitglied der NSDAP war, hielt dem Bericht zufolge »Betriebsappelle« ab, Reden im nationalsozialistischen Geist. Der Personalraum wurde mit Flaggen und einem Porträt des Führers geschmückt. Prominente Nazis, darunter Kreisleiter Mutschmann, besuchten die Fabrik bei Betriebsfeiern. Die Fabrik hatte eine »Werkschar«: Arbeiter, die in Uniform herumliefen und ein Auge auf die politische Gesinnung der Belegschaft hatten. Auch eine nationalsozialistische Frauengruppe war aktiv. Und es wurden Sammlungen für nationalsozialistische Wohlfahrtsorganisationen durchgeführt.

Ein weiterer Name, der auftaucht, ist uns gut bekannt. Es ist der des Fabrikanten und überzeugten Nazis Fritz Saupe. Im Jahr 1939 wurde er zum Aufsichtsratsmitglied der Deutschen Zigarren-Werke ernannt. Als er sich Anfang 1940 freiwillig zur Wehrmacht meldete, gab er seine Aufgabe bei den Deutschen Zigarren-Werken auf. Er überlebte den Krieg, wurde von den Besatzungsmächten interniert und starb kurz darauf.

Als Folge von Krenters gescheiterten Plänen war die Stadt auch nach der Arisierung der Deutschen Zigarren-Werke noch Eigentümerin der Gebäude und des Geländes. Ende 1938 erwarb August Blase das Grundstück mitsamt den Bauten für 250.000 Reichsmark. Mit dem Erlös konnte die Stadt ungefähr die Hälfte der Schulden, für die sie gebürgt hatte, bei der Bank tilgen. Die Restschuld musste als Verlust abgeschrieben werden.

Das Isay Rottenberg gewährte Höchstkontingent von 62 Millionen produzierten Zigarren pro Jahr blieb bestehen. Kurz nach dem deutschen Überfall auf Polen 1939 bat Blase in Berlin um eine Erhöhung auf 90 Millionen. Nach dem Abzug – sprich: der Mobilmachung – der Arbeiter aus seinem Betrieb in Lübbecke wollte er die Produktion nach Döbeln verlagern. Der Antrag wurde abgelehnt. Eine Erhöhung der Quoten war gesetzlich nicht vorgesehen und würde andere Fabriken benachteiligen, die infolge der »gegenwärtigen besonderen Umstände« ebenfalls mit einem Arbeitskräftemangel zu kämpfen hatten.

Ansonsten hatten die Deutschen Zigarren-Werke unseres Erachtens durch den Krieg kaum Nachteile erlitten. Die Fabrik erhielt genügend Aufträge, hauptsächlich von der Wehrmacht. Ende 1943, als der Siegesrausch in verzweifelte Kämpfe umgeschlagen war, erschien im *Döbelner Anzeiger* eine optimistische Meldung: »Noch immer haben wir die einzige vollmaschinell arbeitende Zigarrenfabrik im Reich.«

Rückblickend schrieb die Zeitung:

Wir können uns ja noch recht wohl daran erinnern, welche Stürme es damals gegeben hat, als sie anfing zu arbeiten. Unsere Stadt hatte beinahe eine »Berühmtheit« dadurch erlangt, allerdings wie sich herausstellte, zunächst keine günstige, inzwischen ist aber wohl manches Vorurteil gegen die Maschinenzigarre schon gefallen und der Rest wird wohl auch noch verschwinden.

Eine Maschine produziere 13.000 Zigarren am Tag, während ein gelernter Handarbeiter höchstens 500 an einem Tag rolle, schrieb die Zeitung voller Erstaunen über die Genialität der modernen Fabrikation. Die Maschinen, so versicherte die Zeitung ihrer Leserschaft, seien deutscher Bauart, sie seien »schon längst nicht mehr amerikanisch«. Ob das der Wahrheit entsprach oder nur eine eingeflüsterte Propagandalüge war, lässt sich nicht nachprüfen. Die Maschinen waren 1930 brandneu und konnten durchaus 20 oder 25 Jahre halten. Ab dem Zeitpunkt, als Deutschland sich im Krieg mit den Vereinigten Staaten befand, also ab Ende 1941, werden keine Teile mehr geliefert worden sein, aber ob das bedeutete, dass alle Maschinen durch deutsche ersetzt wurden?

Während des Krieges arbeiteten zwei Kriegsgefangene und drei ukrainische Zwangsarbeiterinnen in den Deutschen Zigarren-Werken. Im Jahr 1944 wurde eine Halle für die Kriegsindustrie eingerichtet. Es wurden Flugzeugteile hergestellt. Die Zahl der Arbeiter und Betriebsangehörigen sank auf 360.

Nach dem Krieg erließ die sowjetische Militärverwaltung schnell den »Befehl Nr. 124«. Der Besitz von aktiven Nazis und NS-Organisationen wurde enteignet. Wer sein Eigentum behalten wollte, musste das Gegenteil beweisen. Direktor Leschinsky schwor, dass August Blase kein aktiver Nazi, kein Wirtschaftsführer des NS-Regimes, kein Kriegsverbrecher oder sonst wie schuldig sei. Er war seit 1937 Mitglied der NSDAP, aber nur als »nominelles Mitglied«. So wurde der ursprüngliche Beschluss, die Fabrik zu beschlagnahmen, schnell wieder rückgängig gemacht. Einstweilen durfte sie im Besitz von Blase bleiben, als Zweigniederlassung des Hauptsitzes in Lübbecke in der britischen Zone des von den Alliierten besetzten Deutschlands.

Anfang 1948 wurde das Eigentumsrecht genauer überprüft. Leschinsky, der immer noch Direktor war, schrieb auf, was er wusste. Die Aktien waren im Besitz von August Blase, der sie 1937 von der Deutschen Bank gekauft hatte. Das stimmt. »Soweit bekannt, befanden sich die Akten seit der Gründung der Gesellschaft im Jahre 1932 im Besitz der Bank.« Das stimmt jedoch nicht. Aber Leschinsky ging davon aus, dass die Wahrheit nicht ans Licht kommen würde oder sorgte selbst dafür, dass sie es nicht tat. Ihm zufolge wurden die Geschäftsunterlagen »wahrscheinlich 1935 dem Gericht in Dresden« übergeben,und, tja, bei den Bombardierungen verbrannt.

Die Stadtverwaltung witterte Lunte, konnte aber keine Beweise für die Arisierung vorlegen. »Es ist aber nicht einmal festzustellen, ob die im Vorstand oder der Geschäftsführung tätigen früheren jüdischen Leute überhaupt Aktienbesitzer waren.« So steht es zumindest vermerkt. Natürlich gab es in Döbeln Leute, die wussten, wie die Sache sich verhielt. Otto Röher hatte die ganze Geschichte hautnah miterlebt und wusste, dass die Deutsche Bank Isay Rottenberg die Firma 1935 nach einem Betrugsvorwurf weggenommen und zwei Jahre später für 400.000 Reichsmark an Blase verkauft hatte. Aus welchen Gründen auch immer, ließ die Stadtverwaltung die Sache auf sich beruhen. Kein Hahn krähte mehr danach.

Die Deutschen Zigarren-Werke blieben bestehen, auch der Name wurde nicht geändert. 1952 übernahm der ostdeutsche Staat die Fabrik. Ob dafür etwas an Blase im westdeutschen Lübbecke gezahlt wurde? Wahrscheinlich nicht. Die Fabrik wurde mit einem anderen verstaatlichten Zigarrenunternehmen im benachbarten Leisnig zusammengelegt. Im Jahr 1969 beschäftigten die beiden Betriebe zusammen noch über 1.700 Menschen. Im Jahr 1977 modernisierte das Unternehmen seinen Maschinenpark, wodurch es die Belegschaft halbieren und gleichzeitig die Produktion um 30 Prozent steigern konnte. Die Zigarrenmarke Jagdkammer aus Döbeln war in der gesamten DDR sehr bekannt.

Wenige Jahre nach den kostspieligen Investitionen, im Jahr 1981, zog die Döbelner Süßwarenfabrik in die Gebäude ein. Die Zigarrenherstellung war passé. Statt nach Tabak roch es in den Hallen nun nach Schokolade und Süßigkeiten.

Fast unmittelbar nach der Wende im Jahr 1989 meldete sich die Firma Dannemann aus Lübbecke und erhob Anspruch auf die Vermögenswerte, die Gebäude und das Grundstück der ehemaligen Deutschen Zigarren-Werke. Die Prüfung und die Entscheidungsfindung dauerten nicht lange. Die Stadt gab die Deutschen Zigarren-Werke an Dannemann zurück. Wie Dannemann das Gelände vorgefunden hat, ist auf den Fotos zu sehen, die uns die Firma freundlicherweise auf unsere Anfrage hin zur Verfügung gestellt hat. Seitdem wurden neue Zäune errichtet und Scheinwerfer beleuchteten die Gebäude bei Nacht. Ansonsten scheint nichts verändert worden zu sein. Alte Maschinen stehen zusammengeschoben in den Hallen und verstauben. Vielleicht träumte Dannemann davon, die Gebäude wieder in Betrieb zu nehmen, aber Gesetze und praktische Einwände standen dem im Weg. »Was sollen wir mit diesen Gebäuden machen, wenn wir sie zurückbekommen?«, scherzen wir, als wir vor der verlassenen Fabrik stehen.

Isay Rottenberg

Nach den Novemberpogromen gab es Isay Rottenberg schließlich auf, nach Deutschland zu reisen und Prozesse zu führen. Wir hören uns an, was Tante Tini auf dem Spielberg-Video erzählt. Sie sagt, ihr Vater habe Gerichtsverfahren gewonnen und Geld für die Fabrik erhalten, die ihm weggenommen worden war. Das Geld durfte Deutschland jedoch nicht verlassen. Deshalb, so sagt sie, sei die Familie ihr zufolge nach Deutschland gefahren, um Kleidung und andere Dinge zu kaufen. Sie sagt sogar, dass sie in Deutschland Urlaub gemacht hätten, im nationalsozialistischen Deutschland wohlgemerkt.

Wann das war, sagt sie nicht, aber sie erinnert sich daran, wie die Hitlerjugend marschierte. Uns bleibt der Mund vor Staunen offen stehen. Weder Hellas noch Sandras Vater haben je ein Wort darüber verloren. Waren Alfred und Edwin nicht dabei? Oder schämten sie sich? Sie erzählten uns

Abb. 38 Isay Rottenberg mit seinen Kindern im Urlaub, etwa 1936. In Deutschland? Stehend v. l. n. r.: Edwin, Alfred, unbekannter Mann. Sitzend: unbekannter Mann, Isay, unbekannte Frau, Tini

nur von einer einzigen Erinnerung aus dieser Zeit. Sie machten mit ihrem Vater eine Wanderung über das Tatra-Gebirge in die Tschechoslowakei und fanden das Erlebnis toll. In Hellas Haus befand sich als geschätztes Souvenir Alfreds Wanderstock, der mit Eisenplatten beschlagen war, die von den Hütten stammten, in denen sie unterwegs geschlafen hatten. Das Jahr war 1936, weiß Sandra.

In einem Album von Tini finden wir ein Foto, das wir beide noch nie zuvor gesehen haben. Ein Urlaubsfoto vor einem Wasserfall. Opa sitzt mit schelmischem Blick auf einem Felsen und hält einen Wanderstock fest. Nach dem Alter von Alfred, Edwin und Tini zu urteilen, muss es um 1936 gewesen sein. In der Gruppe auf dem Foto sind auch noch ein Mann, eine Frau und ein Junge zu sehen, die wir nicht kennen. War das einer dieser Urlaube im nationalsozialistischen Deutschland?

Wer weiß, vielleicht wurde das Bild auch in der Tschechoslowakei, in Österreich oder in der Schweiz aufgenommen. Möglich wäre es. Aber wenn wir Tini Glauben schenken können, hatte die Familie kein Geld, um es außerhalb Deutschlands auszugeben, und daher ist es viel wahrscheinlicher, dass wir auf dem Foto einen waschechten deutschen Wasserfall sehen. Und dass sich die Rottenbergs im Nachhinein so sehr für ihre Ausflüge ins nationalsozialistische Deutschland schämten, dass sie nie wieder darüber sprachen.

Eine Bemerkung von Tante Tini wirft ein neues Licht auf die Frage, die uns seit Monaten beschäftigt. Warum hatte unser Großvater weiter in Deutschland gearbeitet, nachdem Hitler an die Macht gekommen war? Wir ließen alle möglichen Annahmen Revue passieren. Vielleicht hatte er sich für den Kauf der Fabrik verschuldet. Nachdem das Maschinenverbot verhängt worden war, konnte er die Fabrik nicht mehr verkaufen, weil sie an Wert verloren hatte. Zuerst musste er die Fabrik retten. Oder, noch eine andere Möglichkeit, die sein Verhalten erklären könnte: Er war einfach zu dickköpfig, um aufzugeben. Sein Kampfgeist war geweckt, und er ließ sich nicht vertreiben.

Tante Tini sagt: »Im Jahr 1929 hat Vater enorm viel verloren. Er hatte Häuser in Berlin, in Charlottenburg. Unser ganzes Geld war in Deutschland.« Diese Äußerung, zusammen mit ein paar Sätzen von Konsul Steenbergen, die wir zuvor übersehen hatten, liefert eine bessere Erklärung. In einem Einspruch gegen die Ausweisung Isay Rottenbergs aus Sachsen im Mai 1938 schrieb Steenbergen an den Dresdner Polizeipräsidenten, die Abschiebung »bedeutete für Herrn Rottenberg auch eine besondere Härte, da er, wie er bereit ist, nachzuweisen, im Jahre 1929 sein ganzes Vermögen zum damaligen nominalen Devisenkurs nach Deutschland brachte und es seitdem hier gelassen hat.« Steenbergen erklärte, die Niederlande könnten es nicht »gutheißen«, dass Rottenberg im Falle einer Ausweisung dem niederländischen Staat zur Last falle, obwohl er in Deutschland Vermögen besitze. Deutschland erlaubte es ihm jedenfalls nicht, seine Kapitalanlagen zu verkaufen und den Erlös in die Niederlande zu transferieren.

Unser Großvater verlor, unseren Erkenntnissen nach, 1929 einen großen Teil seines Kapitals. Einen Teil davon hatte er in ein oder mehrere Häuser investiert; wir konnten eine Adresse in Berlin-Charlottenburg ausfindig machen. Er war offensichtlich schon damals nach Deutschland orientiert. Das macht seinen Schritt, die Zigarrenfabrik 1932 zu übernehmen, in gewisser Weise logischer. Und es macht seine Weigerung, den Verlust hinzunehmen, als er einen Rückschlag nach dem anderen verkraften musste – Hitler, Maschinenverbot, Enteignung –, verständlicher. Selbst wenn er seine Fabrik und andere Besitztümer verkauft hätte, hätte er den Erlös wegen der Devisenbeschränkungen nicht aus Deutschland hinausschaffen können. Er saß in der Klemme.

In den Niederlanden hatte er keine Ersparnisse, kein Einkommen und keine Arbeit. Seit seiner Verhaftung wurde seine Familie in Amsterdam von seinen Schwiegereltern ernährt. Seine Reisen und seinen Aufenthalt in Deutschland finanzierte er aus den Mieteinnahmen des Hauses in Charlottenburg, vermutete der niederländische Konsul. Ohne seine Fabrik war Isay Rottenberg vollständig pleite.

Hervorragend informiert

Es gibt noch ein weiteres Zeugnis über die Familie Rottenberg in den 1930er-Jahren. Genau wie Tini hat auch Edwin seine Erinnerungen einem Interviewer des Spielberg-Projekts erzählt. Aus seinen Ausführungen geht hervor, dass bei den Rottenbergs keine Unwissenheit oder Naivität gegenüber dem Nationalsozialismus herrschte. Laut Edwin war die Familie in Amsterdam hervorragend über die Geschehnisse in Deutschland informiert, und das nicht nur, weil die Zeitung akribisch gelesen wurde. Jüdische Flüchtlinge aus Deutschland gingen bei ihnen ein und aus. Ob dies bald nach der Machtübernahme oder erst nach den Novemberpogromen war, erwähnt Edwin nicht. »Das waren oft fantastische Menschen mit einem großartigen analytischen Vermögen, hochbegabt und sehr gut gebildet, die ihren Beruf nicht mehr ausüben konnten. Anwälte und Ärzte, Schauspieler und Schriftsteller. Diese Menschen gehörten zum Kreis meiner Eltern. Ich kann es nicht anders sagen: Es war eine enorme Bereicherung, mit solchen Menschen zu sprechen. [...] Meine Eltern waren sehr gastfreundlich. Und die Leute, die kamen, waren sehr interessant.«

Auf die Frage des Interviewers, wie verletzlich und ängstlich sich die Familie fühlte, als die Deutschen die Niederlande besetzten, antwortet Edwin: »Ja, nein, es wurde viel verdrängt.« Apropos Verdrängung! In der zweistündigen Videoaufzeichnung verliert Edwin kein Wort über seinen Vater, der ab 1932 in Deutschland lebte und arbeitete, der inhaftiert wurde und danach noch jahrelang den Nationalsozialismus hautnah miterlebte.

Also zurück zu Tante Tini, die als einzige in der Familie von Isays deutschen Abenteuern erzählt hat. Auf der Videoaufnahme spricht sie über die Zeit nach den Novemberpogromen und erzählt voller Bewunderung, was ihr Vater getan hat: »Mein Vater war ein großartiger Mann. Ein Kämpfer. Er hatte natürlich sehr viele jüdische Freunde. In Deutschland, auch in Prag. Er hat all diese Menschen in die Niederlande geschmuggelt, mit dem Zug oder auf andere Weise. ›Ich habe sie‹, sagte er dann.« Er fuhr mit ihnen aus Deutschland oder der Tschechoslowakei und sorgte dafür, dass sie über die Grenze kamen. Tini erwähnt ein Ehepaar, das er im Zug von Prag in die Niederlande mitgenommen hatte. An der Grenze, als der Zug mit ihnen plötzlich nach Deutschland zurückfuhr, sprang er heraus, drückte einem niederländischen Bahnhofsvorsteher 100 Gulden in die Hand und sagte: »Ich muss diese Menschen da rausbekommen.« Sie erklärt: »Vater fühlte sich allmächtig mit seinem niederländischen Pass!«

Nach den Novemberpogromen versuchte unser Großvater, wieder eine Existenz in Amsterdam aufzubauen. Noch bevor die Deutschen in die Niederlande einmarschierten, war er bereits wieder in ein neues Unternehmen eingestiegen. Der Name seines Geschäftspartners wurde in unserer Kindheit regelmäßig und mit einer gewissen Ehrfurcht genannt. Es war ein exotischer Name – Yohaï, und darauf folgte immer »ein ägyptischer Jude«. Sie machten irgendetwas mit Zigaretten und Mundstücken.

Die Besatzung

Als Kind fragte ich, Hella, mich immer, warum Opa nicht rechtzeitig mit seiner Familie nach Amerika geflohen war. Er hatte doch im nationalsozialistischen Deutschland im Gefängnis gesessen, er wusste doch, was die Nazis mit den Juden machten? Ich traute mich nicht, ihn zu fragen. Wenn ich meinen Vater fragte, klang in meinem Tonfall Unverständnis mit. Wie konnte er, wie konntet ihr so dumm sein, so zögerlich? Ich bekam nie eine Antwort.

Unsere Mütter, die Schwiegertöchter, sprachen dagegen voller Bewunderung von den Rottenbergs. Sandras Mutter wiederholte immer wieder: »Die Rottenbergs haben nie einen Stern getragen.« Und Hellas Mutter betonte, dass die Rottenbergs eine sehr, sehr große Ausnahme waren: eine jüdische Familie in Amsterdam, die nach dem Krieg lebend und wohlbehalten wiedervereint war.

Bei den ersten Razzien in Amsterdam im Februar 1941 wurde ein Freund der Rottenbergs festgenommen. Einige Monate später wurde Edwin für eine Weile nach Brabant geschickt, nachdem in der Nachbarschaft jüdische Jugendliche von der Straße geholt worden waren. Im Dezember 1941 beschlossen zwei Cousins von Alfred und Edwin, Karel Citroen und Bob Franken, zu flüchten. »Mein Vater war damit einverstanden«, berichtet Edwin auf der Spielberg-Aufnahme. Da der Winter sehr kalt war, wartete Edwin mit seiner Flucht bis zum März des folgenden Jahres.

Sein Vater brachte ihn zum Zug. Edwin erinnert sich, dass der Abschied »nicht allzu dramatisch« war. In der Videoaufnahme erzählt er, dass die Gefühle in Anbetracht der Abreise bewusst verdrängt wurden. »Das wollte ich nicht, nicht damals, weil es die Entschlossenheit beeinträchtigt. Emotionen sind kräftezehrend und hindern einen daran, das Ziel zu erreichen.« Er erhielt Adressen von vertrauenswürdigen Geschäftspartnern von Isay und einem Schulfreund, bei denen er unterwegs als Gast Station machen konnte. Von Brüssel aus reiste er über Lille nach Paris und von dort aus in den Süden. Auf einer Schmuggelroute überquerte er die Pyrenäen. In der Nähe von Barcelona wurde er von der spanischen Guardia Civil verhaftet und im Kriegsgefangenenlager Miranda de Ebro interniert, in dem Angehörige der Internationalen Brigaden, die gegen Franco gekämpft hatten, inhaftiert waren. Im Sommer 1943 wurde er freigelassen und ergatterte einen Platz in einem kleinen Flugzeug, mit dem er vom Strand bei Lissabon nach England flog.

Anfang Juni 1942 schloss der damals 24-jährige Alfred die Tür der Wohnung in der Noorder Amstellaan hinter sich. Auf Wunsch seines Vaters führte er ein Tagebuch, das mit den Worten beginnt: »Der Tag, an dem ich zum ersten Mal in meinem Leben das elterliche Nest verließ«. Er hatte weder seine Mutter noch seine Schwester Tini darüber informiert, dass er Edwin folgen würde. In der Fabrik seines Vaters, der ihm beim Packen seiner Tasche half, verabschiedete er sich. »Es hat mir schon einen Stich versetzt«, schreibt Alfred, »als ich ihn dort stehen und zum letzten Mal winken sah.«

Im Juli 1942 ergriffen zwei weitere Cousins, Hans und Theo Franken, die Flucht, und versuchten, die Schweiz zu erreichen.

Abb. 39 Die Cousins Karel Citroen, Alfred Rottenberg und Bob Franken auf ihrer Flucht, Perpignan 1942

Alfred reiste über Brüssel nach Frankreich. Dort wurde er von den Franzosen verhaftet und inhaftiert. Ihm gelang jedoch die Flucht, und er erreichte ein Auffanglager für niederländische Englandfahrer in den Pyrenäen. Er musste drei Monate warten, bis er zu Fuß über die Berge nach Spanien gelangen konnte. In Madrid angekommen, versuchte er vergeblich, seinen Bruder Edwin aus dem spanischen Lager zu befreien. Schließlich reiste Alfred über Curaçao und Kanada nach London, wo er im April 1943, fast ein Jahr nach seiner Flucht, ankam. Nach einem ausführlichen Verhör durch den britischen Geheimdienst, der seine politische Zuverlässigkeit überprüfte, wurde er der Marine zugeteilt. Er wurde Decoder und Dolmetscher an Bord eines Torpedobootzerstörers.

Edwin erreichte London im September 1943 und meldete sich bei der niederländischen Marine. Genau wie Alfred wurde er als Decoder auf englischen Schiffen eingesetzt. Aufgrund ihrer Sprachkenntnisse – sie verstanden das Deutsch der U-Boote in der Nähe ihres Schiffes – konnten die Engländer sie gut gebrauchen. Neben Alfred und Edwin waren auch ihre Cousins Karel und Bob nach einem kurzen Aufenthalt in der Schweiz sicher in England gelandet, und auch sie wurden in der britischen Marine eingesetzt. Hans schloss sich den italienischen Partisanen an. Nur Theo, der Jüngste, blieb in der Schweiz. Gelegentlich war Edwin zusammen mit Karel und Bob *on duty*. Wenn sie Urlaub hatten, trafen sich die Brüder und Cousins manchmal in London.

Abb. 40 Edwin und Alfred Rottenberg als Offiziere der britischen Marine, London 1944

Den Brüdern Hans, Bob und Theo Franken gelang die Flucht, doch ihre Eltern konnten ihnen nicht mehr nachreisen. Theo erzählt von diesem Drama: »Bob schickte meinen Eltern am 3. oder 4. August 1942 einen Brief aus der Schweiz, wir hatten eine Art Geheimsprache, dass wir in Sicherheit waren. Dann wurde vereinbart, dass sie am 10. August dieselbe Route nehmen würden. Aber am 9. August wurden alle Juden in ihrer Straße abgeholt. Sie sind also dort nie angekommen.«

Auch Isay floh schließlich

Durch Tinis Spielberg-Videoaufnahme und die Gespräche mit Theo bekommt die Fluchtgeschichte von Isay, Lena und Tini für uns zum ersten Mal Hand und Fuß. Die Kinder und Enkelkinder von Opa und Oma Ptasznik müssen über einen Aufbruch und Reiserouten diskutiert haben und alle zu eigenen Schlüssen gekommen sein. Wir waren immer davon überzeugt, dass auch Isay vorhatte, die Niederlande bald nach Edwins und Alfreds

Abreise zu verlassen. Aber jetzt, wo wir die Ereignisse endlich einordnen können, sind wir uns nicht mehr so sicher. Wir wissen jetzt, dass er ohne gründliche Vorbereitung und in Panik geflohen ist.

Irgendwann im Juli 1942 beschloss Isay Hals über Kopf, dass sie schnell verschwinden sollten. Tini war verhaftet worden, aber nach ein paar Tagen plötzlich wieder freigelassen. Als sie entsetzt nach Hause kam, hielten es Isay und Lena für zu gefährlich, noch länger in der Noorder Amstellaan zu bleiben. Sie zogen in die Fabrik am Oudezijds Achterburgwal, und von dort aus organisierte Isay ihre Flucht. Die Familie wurde zwischen Gütern in einem Lastwagen nach Brabant gebracht. Unterwegs wurden sie zwar angehalten, aber bei der oberflächlichen Durchsuchung nicht entdeckt. Sie verbrachten ein oder zwei Tage bei einer Bauernfamilie, Bekannten von Lena, die dort jedes Jahr Pilze sammeln ging, und organisierten von dort die nächste Etappe der Reise. Unter der Plane eines Pritschenwagens liegend, wurden sie zur Grenze gefahren. Isay hatte geglaubt, er habe sich mit vertrauenswürdigen Schleppern arrangiert, war aber in die Hände von Profiteuren geraten. Er musste den Schmugglern das Doppelte zahlen, und als sie durch die Getreidefelder liefen, tauchte ein niederländischer Grenzwächter auf und hielt sie an. Auf seine Frage »Was machen Sie hier?« brachte Isay kein Wort heraus. Dank Tini, die ihren ganzen Charme einsetzte, ließ der Mann sie gehen. Auf Fahrrädern und über Zwischenstationen erreichten sie Antwerpen.

Tini berichtete, dass ihr Vater, den sie als immer stark und entschlossen kannte, in Tränen aufgelöst und der Verzweiflung nahe war. Lena nahm das Heft in die Hand und redete ihm gut zu: »Szaja, sei tapfer!«

In Brüssel warteten sie einige Wochen auf gefälschte Papiere. Sie mussten sich einer Gruppe mit anderen Flüchtlingen anschließen. Isay traute der Sache nicht, aber schließlich fuhren sie doch los: mit dem Zug über Nancy nach Belfort und dann mit dem Bus ins Grenzgebiet zur Schweiz. Hier mussten sie heimlich die Grenze überqueren, eine Reise, auf der sie sich verirrten und drei Tage lang schreckliche Ängste ausstanden. Doch sie schafften es.

Abb. 41 Lena und Isay in Vevey (Schweiz) 1943. Fotos von Abraham und Teofile Ptasznik auf dem Kaminsims

In der Schweiz wurde Isay sofort ins Gefängnis gesteckt. Dank eines angeheirateten Familienmitglieds in New York erhielten die Schweizer die geforderte finanzielle Garantie, und die Flüchtlinge durften bleiben. In der ersten Zeit wohnten sie in einem Flüchtlingslager. Später lebten sie in einer eigenen Wohnung in der Nähe von Vevey am Genfer See. Von ihrem Aufenthalt in der Schweiz während des Krieges sind einige Fotos erhalten. Auf einem davon sieht man unsere Großeltern am Tisch sitzen, hinter ihnen hängt eine große Landkarte von Europa und Nordafrika. Auf der Karte sind Stecknadeln befestigt, mit denen sie den Kriegsverlauf verfolgen. Ein anderes Foto zeigt Isay, wie er Tini und Lena den Rücken zuwendet, während er seine volle Aufmerksamkeit auf das Radio richtet.

Passives Warten war nichts für unseren Großvater. Er machte sich bei der Aufnahme jüdischer Flüchtlinge nützlich und schmiedete in Gedanken schon Pläne für die Zeit nach dem Krieg. Im Nachlass unserer Eltern fanden wir Briefe von ihm aus der Schweiz, die wir vorher noch nie gesehen hatten. Aus der Ferne behielt er im Blick, was mit der in Amsterdam zurückgelassenen Firma Yohaï & Co. geschah. Er wollte verhindern, dass die Firma gestohlen oder liquidiert wurde. Durch das Einschalten eines Bekannten hoffte er, eine »Quasi-Arisierung« durchführen zu können. In dem Brief an Edwin, in dem er seine Überlegungen dazu darlegt, verweist er in einem Nebensatz auf seine Erfahrungen mit den Deutschen Zigarren-Werken. »Ich habe absichtlich keine Vollmacht hinterlassen, denn mit so etwas – das weißt du von den DZW – wird Druck ausgeübt für einen rechtmäßigen, sogenannten »legalen« Raub. Auch jetzt will ich unter keinen Umständen meine Unterschrift geben.«

Isay ging davon aus, dass seine Söhne nach dem Krieg in das Geschäft einsteigen würden, um die Tabakfirma oder – falls es sie nicht mehr gab – ein neues Unternehmen zum Blühen zu bringen. In einem Brief vom 23. Februar 1943 ermutigte er Edwin, seine Zeit im Lager zu nutzen, um Spanisch zu lernen.

Aus deinem letzten Brief kann ich entnehmen, dass sich dein Französisch stark verbessert hat; ich würde mich sehr freuen, wenn du dein Spanisch ebenfalls perfektionieren würdest, denn ich möchte dich später mit deinen Sprachen »wirtschaftlich nutzen« für den Export unserer Produkte, die ein großes Absatzgebiet in den Überseeländern finden werden. Es ist meine feste Absicht, dies zu tun, und ich bin überzeugt, dass wir mit großem Erfolg arbeiten werden.

Im gleichen Brief gibt er seine Sicht auf die Nachkriegswirtschaft wieder. Für die radikalen Ideen einer völlig anderen Herangehensweise, die Edwin, inspiriert durch seinen Umgang mit den Internationalen Brigadisten, seinem Vater vielleicht vorgeschlagen hatte, machte Isay ihn zur Schnecke. »Dummes Geschwätz«, fand Isay.

Planwirtschaft, Großraumwirtschaft, freie Wirtschaft usw. usw. Das sind Worte, nichts als Worte. […] Die Vorstellung, dass wir eine gewaltsame Revolution in der gesamten Gesellschaft erleben werden, ist meiner Meinung nach utopisch. Das Individuum als Garant unseres Fortschritts wird es immer geben; eine Abkehr vom Individualismus wird weiterhin zu Auswüchsen führen, wie wir sie leider im letzten Jahrzehnt miterlebt haben und die letztlich für die gesamte Menschheit fatal waren. Man kann mit Theorien immer das Gegenteil behaupten, aber die Realität zwingt zu nüchternen Auffassungen. Deshalb, mein lieber Junge, lerne weiterhin gut deine Sprachen, und wir alle werden versuchen, uns den neuen Umständen so gut wie möglich anzupassen.

An Alfred schrieb Isay Anfang 1943, dass »jede Nachricht« aus Amsterdam, und sei sie noch so unbedeutend, »eine Tragödie enthält«. Freunde berichteten ihm, dass man auch bei den Rottenbergs vorbeigekommen sei, um sie »für eine längere Autofahrt abzuholen«, wie Isay es verschleiernd ausdrückte. Anfang März erhielten Isay, Lena und Tini die Nachricht, dass Opa und Oma Ptasznik aus dem niederländischen Durchgangslager Westerbork deportiert worden waren. Zwei Wochen später, am 14. März 1943, schrieb Isay an Alfred:

> *Ich habe dir wenig zu berichten. Genauer gesagt, mein Kopf steht mir nicht danach und ich habe keine Geduld, was du sicher verstehen wirst. Die Deportation von Opa und Oma ist ein schwerer Schlag für uns. Mutter ist am schlimmsten dran. Sie kann es nicht verkraften, ihre Augen sind rot von den Tränen und sie kann nicht schlafen. [...] Auch ich bin ein wenig ungeduldiger und betrübt. Abgesehen von den Verwandten aus Holland sind meine Mutter, meine Schwestern und Brüder mit ihren Familien – insgesamt 23 Personen –, die in den verschiedenen Ghettos eingesperrt waren, seit Monaten spurlos verschwunden.*

Unter Isays getippten Brief schrieb Lena ein paar Sätze: »Mein lieber Junge, wie weit sind wir doch im Moment voneinander entfernt. Ich sehne mich so sehr danach, deine Handschrift zu sehen und alles über dein Tun und Treiben zu hören. Ich hoffe, es geht dir in jeder Hinsicht gut. Du würdest uns mit einem Foto eine große Freude machen.«

Neben Lenas betagten Eltern wurden auch zwei ihrer drei Schwestern mit ihren Ehemännern und einer Tochter aus Amsterdam deportiert. Die dritte Schwester überlebte, weil sie bei Kriegsausbruch im Ausland war und dort blieb. Von Opas zehn Geschwistern lebten nach dem Krieg noch zwei: Hermann, den es nach Schweden verschlagen hatte, und Maryla, die vor dem Krieg nach Palästina ausgewandert war. Die anderen wurden zusammen mit ihren Ehepartnern und Kindern aus den Gettos von Warschau und anderen polnischen Städten in die Vernichtungslager abtransportiert. Isays ältester Bruder Zacharias wurde wahrscheinlich von Frankreich nach Auschwitz deportiert.

Kurz nach der Befreiung kehrten Isay, Lena, Tini, Alfred und Edwin nach Amsterdam zurück. Fast während des gesamten Krieges waren sie durch Briefe miteinander in Kontakt geblieben. Als unsere Großeltern wieder ein Zuhause hatten, übernahmen sie die Rolle von Opa und Oma Ptasznik.

Abb. 42 Betriebsausflug der Firma J. Rottenberg & Söhne, etwa 1950. V. l. n. r. Alfred, Isay, Edwin

Abb. 43 Isay in der Trinkhalmfabrik, 1959

Am Freitagabend trafen sich alle, die den Krieg überlebt hatten, in der Milletstraat zum Essen und Beisammensein. Isay half noch jahrelang Familienangehörigen, ihre Rechte wieder geltend zu machen und die bürokratischen Hürden zu überwinden, um ihr Eigentum zurückzubekommen.

Er war ungebrochen und hatte mit 56 Jahren noch genug Energie, um wieder eine neue Fabrik zu gründen. Eine moderne Fabrik mit modernen Produkten, für die er amerikanische Maschinen importieren wollte. Sobald es möglich war, beantragte er in Den Haag die Erlaubnis, diese Maschinen mit Devisen zu kaufen.

Zurück zum Anfang unserer Suche. Als wir die Anzeige der Conference on Jewish Material Claims Against Germany über »geraubtes Eigentum von Juden im ehemaligen Ostdeutschland« sahen, dachten wir, dass wir selbst nachweisen müssten, dass unser Großvater enteignet wurde und wir seine rechtmäßigen Erben sind. Aber das schien gar nicht nötig zu sein. Wir hätten es übrigens auch nie innerhalb eines Monats, der letzten Frist für die Einreichung einer Forderung, geschafft. Vorerst mussten wir uns nur rechtzeitig bei der Claims Conference als Enkelkinder von Isay Rottenberg melden.

Später durften wir in einem Büro des Bundesamtes für zentrale Dienste und offene Vermögensfragen in Berlin die Akte der Deutschen Zigarren-Werke einsehen. Die Claims Conference hatte schon vor Jahren Beweise dafür gesammelt, dass Isay Rottenberg Eigentümer der Deutschen Zigarren-Werke war. Bereits Ende 1992 hatte sie die Fabrik bei der sächsischen Regierung angemeldet und Isay Rottenberg als früheren Eigentümer angegeben. Danach entstand Verwirrung darüber, wer nun wirklich der Eigentümer war. Die Zigarrenfirma Dannemann – die Rechtsnachfolgerin der Firma, die die Deutschen Zigarren-Werke arisiert hatte –, hatte Einspruch erhoben und selbst Schadenersatz gefordert, und es kam sogar zu einem Rechtsstreit zwischen Dannemann und der Claims Conference. Schließlich zahlte die deutsche Regierung 2009 eine beträchtliche Entschädigung für die Anteile von Isay Rottenberg plus Zinsen an die Claims Conference.

All die Zeit über lebten wir, die Enkelkinder, in Unwissenheit. Die Claims Conference hatte sich nicht bemüht, uns ausfindig zu machen. Man wusste, dass Isay Rottenberg aus Amsterdam stammte, und ein Blick ins Amsterdamer Telefonbuch hätte genügt, um mit einem von uns Kontakt aufzunehmen. Hätten wir die Anzeige in dem *Nieuw Israëlietisch Weekblad* verpasst, hätten wir die Fabrik nie entdeckt. Es dauerte ein Jahr, bis wir die Unterlagen vorlegen konnten, die die Claims Conference davon überzeugten, dass wir die einzigen rechtmäßigen Erben von Isay Rottenberg waren. Ein paar Monate später zahlten sie uns Schadenersatz. Das war ein Teil des

Abb. 44 Isay feiert seinen Geburtstag mit seinen Enkelkindern, 1959

Betrags, den die deutsche Regierung als Entschädigung für die Deutschen Zigarren-Werke gezahlt hatte. Den Rest behielt die Claims Conference für sich. Eine merkwürdige Vorgehensweise, gegen die jedoch keine Berufung eingelegt werden konnte. Bei der Einreichung der Forderung mussten wir unterschreiben, dass

Abb. 45 Isay an seinem 80. Geburtstag mit seinen Enkelkindern, 1969. Oben v. l. n. r.: Hella und Sandra, darunter Fedia, Sacha, Felix, Menno, ganz unten: Michael

wir mit den Spielregeln einverstanden sind, die übrigens sehr intransparent kommuniziert wurden. Wir mussten erst einmal schlucken, aber wir trösteten uns mit dem Wissen, dass wir dank der Claims Conference der Fabrik auf die Spur gekommen waren.

Der Schatz an Material, der darauf wartete, von uns ausgegraben zu werden, lieferte eine verblüffend vollständige Geschichte der Fabrik unseres Großvaters im nationalsozialistischen Deutschland. Wir sahen, wie sich der nationalsozialistische Umsturz in einer durchschnittlichen Kleinstadt vollzog, wie die Behörden in den ersten Jahren des NS-Regimes agierten und wie sie mit einem jüdischen Unternehmer umgingen. Wir haben eine Menge neuer Fakten über unseren Großvater erfahren, und unser Bild von ihm hat eine neue Dimension bekommen.

Vor dem Krieg muss er sich viel stärker als Deutscher denn als Niederländer gefühlt haben, viel mehr, als uns je bewusst war. Obwohl er bereits mehr als zehn Jahre in Amsterdam gelebt hatte, zog er zurück nach Deutschland und sah dort seine Zukunft. Er brachte sein Vermögen nach Deutschland, kaufte eine Fabrik, ließ sich dort nieder, lebte und arbeitete dort, während seine Familie in den Niederlanden zurückblieb. Am liebsten hätte er seine Frau und Kinder nach Dresden geholt, wobei er die Augen vor den politischen Wirren verschloss.

Er verblüffte uns durch seine Bereitschaft, im nationalsozialistischen Deutschland weiterzuarbeiten und Geld zu verdienen, aber auch durch seine Unerschrockenheit, durch seine Überzeugung, dass ihm nichts passieren könne, und durch seine Weigerung, sich geschlagen zu geben. Er konnte zwar nicht wissen, wozu die Nazis fähig waren, aber er hatte genug gehört und gesehen, um ihren Antisemitismus ernst zu nehmen.

Als er in Schwierigkeiten geriet, bot ihm der niederländische Pass Sicherheit. Nach seiner endgültigen Rückkehr nach Amsterdam vertraute er vermutlich darauf, dass sich die Niederlande wie schon im Ersten Weltkrieg aus den Kampfhandlungen heraushalten würden. Deshalb floh er nicht und wurde wie alle anderen von der deutschen Besatzung überrascht.

Ob die Vorstellung, mit der wir aufgewachsen sind – dass unser Großvater aufgrund seiner Erfahrungen mit den Nazis rechtzeitig erkannte, dass die Familie fliehen musste, und das Heft in die Hand nahm – vollständig zutrifft, ist fraglich. Ja, er sorgte dafür, dass seine Söhne nicht in die Fänge der Besatzer gerieten. Möglicherweise hatte er geplant, mit seiner Frau und seiner Tochter zu fliehen, aber schließlich brachen sie unvorbereitet und in Panik auf. Auf der Flucht hatte er kurzzeitig seine Entschlossenheit und Furchtlosigkeit verloren, sodass unsere Großmutter die Geschicke in ihre Hände nahm. In der Schweiz fand er zu seinem alten Selbst zurück. Seine Belastbarkeit wurde erneut auf eine harte Probe gestellt, aber er behielt seine Resilienz und seinen Optimismus, und mit diesen Eigenschaften wurde er nach dem Krieg zu einer Stütze für seine Umgebung.

Warum er über die Deutschen Zigarren-Werke immer geschwiegen hat, darüber können wir heute nur mutmaßen. Vielleicht erkannte er im Nachhinein, dass er mit dem Kauf einer Fabrik in Deutschland im Jahr 1932 einen gravierenden Fehler begangen hatte, an den er nicht erinnert werden wollte. Außerdem sprach er ohnehin nie über seine Vergangenheit, weder über seine Familie und seine Jugend in Łódź noch über seine Jahre in Berlin. Die Vergangenheit, überschattet von der Ermordung seiner Verwandten, war zu schmerzhaft für ihn; seine Emotionen behielt er für sich. Statt zurückzublicken, schaute er lieber nach vorne. Vorwärts und vieles vergessen.

Familienstammbaum

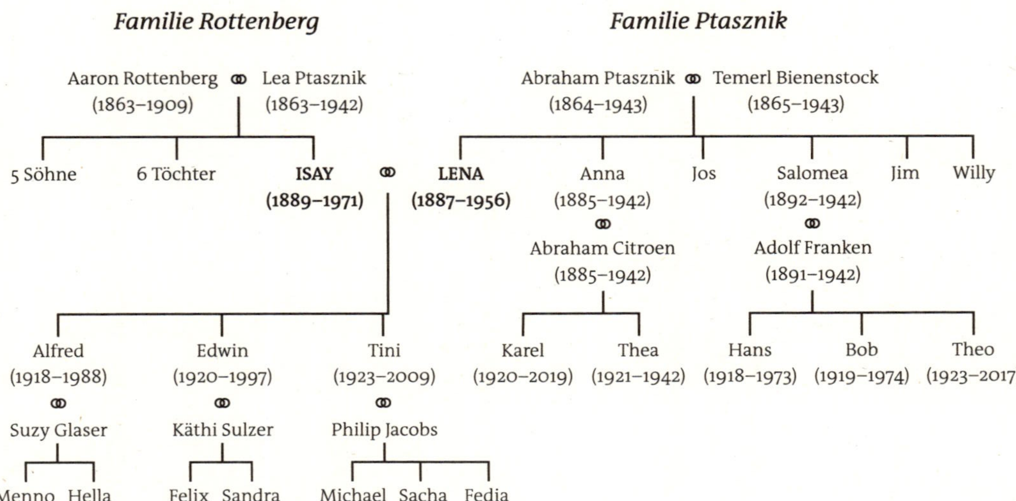

Personenverzeichnis

Apitzsch Vorstandsmitglied der Industrie- und Handelskammer Chemnitz.

Arnhold, Adolf, Heinrich, Kurt und Hans Deutsch-jüdische Bankiersfamilie in Dresden. Das Bankhaus Gebr. Arnhold war die Geschäftsbank von Salomon Krenter und Isay Rottenberg. Unter dem Druck ungerechtfertigter Betrugsvorwürfe und Androhung von Strafverfolgung verkauften sie 1935 den Stammsitz ihrer Bank. Kurt Arnhold floh 1938 in die Niederlande. Seine Brüder waren schon früher ausgewandert.

Behr, Rudolf NSDAP-Kreisleiter in Döbeln seit Mai 1934, Nachfolger von Hermann Groine. Er wurde 1942 zum Militärdienst eingezogen und überlebte den Krieg. 1947 wurde er wegen Verbrechen gegen die Menschlichkeit angeklagt.

Birkner, Kurt Kommunist, gehörte zur Gruppe der 17 Döbelner, die 1933 wegen Verdachts auf Hochverrat verhaftet und im Dezember 1934 verurteilt wurden.

Blase, August Besitzer einer großen Zigarrenfabrik in Lübbecke. Kaufte 1937 die DZW von der Deutschen Bank. 1952 nahm der ostdeutsche Staat die DZW in Besitz und enteignete Blase. Blases Rechtsnachfolger, Dannemann, erhielt 1990 die Gebäude und das Grundstück der Zigarrenfabrik in Döbeln zurück.

Bökelmann, Erich Kommunist, gehörte zur Gruppe der 17 Döbelner, die 1933 wegen Verdachts auf Hochverrat verhaftet und im Dezember 1934 verurteilt wurden.

Brüning, Heinrich Reichskanzler zwischen 1930 und 1932, Mitglied der römisch-katholischen Deutschen Zentrumspartei.

Bussche-Haddenhausen, Georg Freiherr von dem Offizier des Infanterieregiments 139 in Döbeln. Er war dort zwischen 1892 und 1908 stationiert. Urgroßvater von König Willem-Alexander.

Bussche-Haddenhausen, Gösta von dem Mutter von Prinz Claus von Amsberg, Großmutter von König Willem-Alexander. 1902 in Döbeln geboren.

Conrad, Stephan Zusammen mit Sophie Spitzner und Judith Schilling für das Treibhaus, das Jugendzentrum in Döbeln, tätig. Sie sind die treibenden Kräfte der Arbeitsgruppe NS-Geschichte.

Damm, Karl Wurde 1934 Eigentümer des Bekleidungsgeschäfts des jüdischen Geschäftsinhabers Hugo Totschek in Döbeln nach dessen Tod in NS-Haft.

Dannemann, Fritz Zigarrenfabrikant, der nach der Entlassung und Enteignung von Isay Rottenberg im September 1935 von der Deutschen Bank zum Direktor der DZW ernannt wurde.

Denecke, Herbert Bürgermeister der Stadt Döbeln von 1933 bis 1935. Nach einem Konflikt mit der NSDAP abgesetzt, kehrte in seinen alten Beruf als Strafrichter zurück. 1940 Ernennung zum Präsidenten des Amtsgerichts Freiberg.

Deter, Ernst Zigarrenfabrikant aus Frankenberg, Mitglied der NSDAP und Leiter des Reichsverbandes Deutscher Zigarrenhersteller. Erstattete Anzeige gegen Isay Rottenberg bei der Gestapo. Wurde nach dem Krieg wegen Verbrechen gegen die Menschlichkeit strafrechtlich verfolgt.

Dettmer, Jürgen Mitglied der Döbelner Historikergruppe, der Heimatfreunde.

Drechsel, Franz Kommunist, gehörte zur Gruppe der 17 Döbelner, die 1933 wegen Verdachts auf Hochverrat verhaftet und im Dezember 1934 verurteilt wurden.

Ender, Herbert Sächsischer Fabrikdirektor, Reichstagsabgeordneter der NSDAP und Wirtschaftsberater des NSDAP-Gauleiters von Sachsen, Mutschmann. Unterstützte Ernst Deter in dessen Kampf gegen die Deutschen Zigarren-Werke.

Fischer Gewerkschaftsvertreter des Tabakarbeiterverbandes und Schöffe am Amtsgericht Frankenberg, 1933 in der Haft erschlagen.

Fritsch, Theodor Verleger und Publizist aus Leipzig, schrieb 1907 das *Handbuch der Judenfrage, eine Fortsetzung seines Antisemiten-Katechismus.*

Gasch Mitarbeiter der Deutschen Zigarren-Werke.

Glasberg, Max, Karl und Ruth Jüdische Schulkinder in Döbeln in den 1930er-Jahren. Auf Initiative von Michael Höhme, Schulleiter des Lessing-Gymnasiums in Döbeln, entstand eine Ausstellung über ihr Schicksal.

Gottschalk, Walter Ab 1935 Bürgermeister von Döbeln, Nachfolger von Denecke. Im Mai 1945, kurz vor der Einnahme Döbelns durch die Rote Armee, geflohen.

Groine, Hermann NSDAP-Kreisleiter in Döbeln von 1931 bis 1934, Reichstagsabgeordneter von 1933 bis 1941. Gefallen beim Angriff Nazi-Deutschlands auf die Sowjetunion im Sommer 1941.

Gruner, Werner Ingenieur bei der Metallfirma Großfuß in Döbeln, Konstrukteur des MG 42, des schnellsten Maschinengewehrs im Zweiten Weltkrieg.

Haensch, Walter Arbeitete 1935 für die Stadtverwaltung in Döbeln. Nach einem Konflikt mit NSDAP-Kreisleiter Rudolf Behr wurde er zum Sicherheitsdienst versetzt, wo er unter Reinhard Heydrich arbeitete. Nach dem Krieg stand er als Kommandeur von Sonderkommandos, die in der Ukraine Massenmorde begangen hatten, in Nürnberg vor Gericht.

Hertz, Paul Jüdischer sozialdemokratischer Reichstagsabgeordneter. Er ging 1933 nach Prag, um dort die SPD im Exil zu führen. 1934 wurde ihm von den Nazis die Staatsbürgerschaft entzogen.

Heydrich, Reinhard Rechte Hand des SS-Führers Heinrich Himmler, stellvertretender Reichsprotektor des Protektorats Böhmen und Mähren, berüchtigt für sein rücksichtsloses Vorgehen. Wurde 1945 bei einem Attentat getötet.

Illgen Staatsanwalt in Dresden, zuständig für das Strafverfahren gegen Isay Rottenberg wegen Insolvenzbetrugs im Jahr 1936.

Kariel, Georg Jüdischer Eigentümer des Kaufhauses Wohlwert in Döbeln. Das Kaufhaus wurde im Oktober 1938 als letztes jüdisches Geschäft der Stadt arisiert.

Killinger, Manfred von Ministerpräsident von Sachsen, unmittelbar nach Hitlers Machtübernahme in dieses Amt berufen. Verlor 1934 seinen Posten und wurde Diplomat für die Reichsregierung. Er war 1922 an der Ermordung des Außenministers Walther Rathenau 1922 beteiligt. Beging in Bukarest Selbstmord, als die Rote Armee die Stadt einnahm.

Kolbe Hoher Beamter im Reichsfinanzministerium in Berlin.

Krenter, Salomon Fabrikant, Eigentümer der Zigarettenfabrik Bulgaria und Gründer der Krenter Zigarren-Werke in Döbeln im Jahr 1930. Floh 1933 aus Deutschland und überlebte den Krieg in Palästina. Später ließ er sich in Italien nieder und blieb dort bis zu seinem Lebensende.

Kronstein, Isidor Unternehmensberater von Salomon Krenter. Klagte Isay Rottenberg 1935 wegen Insolvenzbetrugs an. Weiteres Schicksal unbekannt.

Kunzemann, Theodor Bürgermeister von Döbeln von 1927 bis 1933, Mitglied der SPD. Am 9. März 1933 wurde er abgesetzt. Er starb 1944 in Armut.

Lenk, Georg Wirtschaftsminister von Sachsen von 1933 bis 1943. Ab November 1944 kämpfte er in der Waffen-SS, wurde von sowjetischen Truppen gefangen genommen und nach Moskau überführt, wo er vor Gericht gestellt und hingerichtet wurde.

Leschinsky, Emil Direktor der DZW nach der Arisierung durch die Firma August Blase im Jahr 1937.

Lewin Eigentümer der Bergmann Zigarettenfabriken in Dresden, lieh Isay Rottenberg Geld, um die Krenter Zigarren-Werke kaufen zu können.

Ley, Robert Leiter der Deutschen Arbeitsfront. Nach dem Verbot der Gewerkschaften im Jahr 1933 vereinte diese NS-Gewerkschaft Arbeitgeber, Angestellte und Arbeiter. Ley wurde im Nürnberger Hauptkriegsverbrecherprozess angeklagt. Er beging Suizid in seiner Zelle.

Lubbe, Marinus van der Niederländischer Kommunist, 1934 wegen des Vorwurfs, am 27. Februar 1933 das Reichstagsgebäude in Berlin in Brand gesteckt zu haben, zum Tode verurteilt.

Mutschmann, Martin Textilfabrikant aus Plauen, Organisator der NSDAP in Sachsen, 1925 von Hitler zum NSDAP-Gauleiter und 1933 zum Reichsstatthalter von Sachsen ernannt. Nach dem Krieg in Moskau vor Gericht gestellt und hingerichtet.

Nitzsche, Walter Stellvertretender Bürgermeister von Döbeln ab 1933.

Nouri, Salim Tabakhändler aus Bulgarien, Geschäftspartner von Salomon Krenter, von dem Isay Rottenberg Geld für den Kauf der Krenter Zigarren-Werke lieh.

Nussbaum, Elisabeth Jüdisch-amerikanische Ehefrau von Johan Steenbergen, dem niederländischen Konsul in Dresden.

Oehmichen, Arndt Rechtsberater von Isay Rottenberg in Döbeln, Mitglied der NSDAP und der SA.

Papen, Franz von Reichskanzler von Deutschland im Jahr 1932. Vizekanzler unter Hitler 1933–1934.

Pfeifer, Helfrid Sohn mittelständischer Kaufleute mit einem Kolonialwarengeschäft in Döbeln. Schrieb über seine Jugend in Döbeln.

Rathenau, Walther Jüdischer Industrieller und Politiker, Minister der Weimarer Republik, 1922 ermordet.

Reuther, Curt Direktor der Stadtbank von Döbeln.

Richter, Franz Hersteller von Landwirtschaftsmaschine in Döbeln, verkaufte seine Gebäude an die Krenter Zigarren-Werke.

Röher, Otto Stellvertretender Bürgermeister von Döbeln für die SPD von 1927 bis 1933; blieb unter den Nationalsozialisten bis 1945 Stadtrat, trat 1934 der SA und 1937 der NSDAP bei. Übergab die Stadt im Mai 1945 der Roten Armee und wurde trotz seiner NSDAP-Vergangenheit in die neue Verwaltung aufgenommen. 1946 verhaftet und zwei Jahre interniert.

Rönneke Polizeichef von Döbeln, unmittelbar nach der Machtübernahme der Nationalsozialisten in dieses Amt berufen.

Saupe, Fritz Fabrikant, ehemaliger U-Boot-Kapitän, kommissarischer Bürgermeister von Döbeln im Jahr 1933 nach der Absetzung von Kunzemann. Anschließend Vorsitzender des Stadtrats und 1939 Aufsichtsratsmitglied der Deutschen Zigarren-Werke. Meldete sich freiwillig an die Front, überlebte den Krieg und starb kurz darauf in der Internierung.

Schacht, Hjalmar Präsident der Reichsbank von 1923 bis 1930 und erneut im Jahr 1933. Wirtschaftsminister von 1934 bis 1937, wichtigster Wirtschaftsberater von Hitler. Stand in Nürnberg vor Gericht und wurde freigesprochen.
Schilling, Judith Zusammen mit Stephan Conrad und Sophie Spitzner für das Treibhaus, das Jugendzentrum in Döbeln, tätig. Sie sind die treibenden Kräfte der Arbeitsgruppe NS-Geschichte.
Schlegel, Horst Ältestes Mitglied der Historikergruppe, der Heimatfreunde von Döbeln.
Schmitt, Kurt Wirtschaftsminister in Berlin, 1933–1935.
Schubert, Hans Notar in Dresden. Legalisierte die Übertragung der Anteile von Isay Rottenberg an die Deutsche Bank.
Silvan, Vincenz Rohtabakhändler, Geschäftspartner von Isay Rottenberg, zunächst Vorstandsmitglied der Deutschen Zigarren-Werke. Floh 1933 in die Niederlande.
Spitzer, Sophie Zusammen mit Stephan Conrad und Judith Schilling für das Treibhaus, das Jugendzentrum in Döbeln, tätig. Sie sind die treibenden Kräfte der Arbeitsgruppe NS-Geschichte.
Steenbergen, Johan Niederländischer Konsul in Dresden, Direktor der Ihagee Kamerawerk AG, Hersteller der Exakta-Kamera, setzte sich für die Freilassung von Isay Rottenberg ein.
Stockmann, Emil Zigarrenfabrikant aus Döbeln, erbitterter Gegner von Isay Rottenberg.
Streicher, Julius Herausgeber der antisemitischen Wochenzeitung *Der Stürmer* von 1925 bis 1945, und Gauleiter der NSDAP in Mittelfranken. In Nürnberg zum Tode verurteilt.
Taubert Jurist des Reichsverbandes Deutscher Zigarrenhersteller.
Thaler, Urs Schweizer Finanzjournalist, untersuchte die Arisierung jüdischer Zigarrenfabriken im nationalsozialistischen Deutschland.
Theermann, Arthur Isay Rottenbergs Buchhalter in Dresden.
Totschek, Hugo Jüdischer Eigentümer eines Herrenbekleidungsgeschäfts in Döbeln. Er wurde im Herbst 1933 verhaftet und starb wenig später in der Haft.

Tümmler, Erhardt Döbelner Metallfabrikant, größter Arbeitgeber der Stadt, Mitglied des Stadtrats und Vorstandsmitglied im Reichsverband der Deutschen Industrie und im Verband Sächsischer Industrieller.

Veith, Hans-Joachim Jurist der Deutschen Bank, leitete die Betrugsanzeige gegen Isay Rottenberg ein und ließ ihn verhaften.

Vlugt, Herr E. de Niederländischer Anwalt von Isay Rottenberg.

Wiesner, Ute Archivarin des Stadtarchivs Döbeln.

Wittke, Wilhelm Vorsitzender des Verbandes Sächsischer Industrieller.

Wölfel, Robert Kommunist, Hauptverdächtiger der Gruppe der 17 Döbelner, die 1933 wegen Hochverratsverdacht verhaftet und im Dezember 1934 dafür verurteilt wurden.

Yohai, Albert Geschäftspartner von Isay Rottenberg in Amsterdam.

Quellen und Literatur

Archive

Nationaal Archief Den Haag

Ministerium für Auswärtige Angelegenheiten A-Akten, 1815–1940, 2.05.03, Akte 197, Inv.-Nr. 1656, Inhaftierung von Rottenberg 1935–1939.

Ministerium für Auswärtige Angelegenheiten, Londoner Archiv 2.05.08, Inv. Nr. 2624, Bericht *Thoughts on the Past and the Future* von J. Steenbergen, ehemaliger Konsul in Dresden, über die wirtschaftliche Situation in Deutschland nach dem Ersten Weltkrieg, 1943.

Stadsarchief Amsterdam

Familienkarten

Ausländerregister

Noord-Hollands Archief Haarlem

Handelskammer Amsterdam 1922–1990

Stadtarchief Döbeln

Akten II. 22. 149. Bd. 1-11 Die Bemühungen der Stadtverwaltung neue Industrien in Döbeln anzusiedeln, 1929–1938. Beilagsakten II. 22. 149. Bd. 1 Die Förderung der Döbelner Industrie, 1930.

Akten II. 22. 28. Die Verwaltungsberichte. Bd. 5, 6, 8, 9, 1927–1936.

Akten I. 1. 19. Die nationale Erhebung im Jahre 1933.

Akten II. 20c. 51. Die Hitler-Volksspende, 1933.

Akten II. 20a. 36. Massnahmen zur Behebung der Arbeitslosigkeit. Bd. 2, 3, 1933–1935.

Akten II. 2. 20. Die Niederschriften über die Ratssitzungen. Bd. 88, 89, 1933–1934.

Akten II. 2. 32. Die Niederschriften über die Ratsherrensitzungen. Bd. 1, 1935–1938.

Akten III. 5. 20. Akten des Rates der Bezirksstadt Döbeln, 1934–1939.

Akten II. 4a. 305. Personalakten Theodor Kunzemann.

Endarchiv Personalakten, Nr. 544 Otto Röher.

Sächsisches Staatsarchiv Leipzig

Bestand 20026. Amtshauptmannschaft Döbeln, Nr. 2409 Jahresberichte 1929–1932; Nr. 2401 Sicherheitspolizei; Nr. 2508 Streiks 1925–1933.

Bestand 20925. Kammgarnspinnerei Stöhr & Co, Leipzig, Nr. 1058, 1059, 1060, 1061, Protokolle und Vorlagen des Verbandes Sächsischer Industrieller, Dresden.

Bestand 20208. Finanzamt Döbeln, Steuerunterlagen Firmen, Nr. 66, 67, DZW, Blase, Verkaufsvertrag Deutsche Bank-Blase.

Bestand 20206. Oberfinanzpräsident Leipzig, Devisenprüfungen, Strafverfahren, Nr. 1866/1 DZW.

Bestand 20119. Amtsgericht Döbeln, Nr. 74 Handelsregister DZW; Beschwerde Industrie- und Handelskammer Chemnitz; Nr. 948, Nr. 950, Nr. 573 Handelsregister Krenter-Werke.

Bestand 21116. NSDAP Kreisleitung Leipzig, Nr. 1 Stimmungsberichte 1934–1937.

Sächsisches Hauptstaatsarchiv Dresden

Bestand 13131. Deutsche Bank, Filiale Dresden, Nr. 264 Kreditkorrespondenz und Aktennotizen der Deutschen Zigarren-Werke A.G.; Nr. 200 E. Stockmann Arisierung Fa. Fliegenheimer & Co, Heidelberg.

Bestand 11168. Ministerium für Wirtschaft, Nr. 2955 Wochen- und Monatsberichte Gestapo Sachsen 1934–1936; Nr. 752, 753 Industrie- und Handelskammer Chemnitz.

Bestand 13471. NS-Archiv des Ministeriums für Staatssicherheit, ZM 1416 Akte 14 Ernst Deter; ZE 36684 Dr. Arndt Oehmichen.

Sächsisches Staatsarchiv Chemnitz

Bestand 4539. Amtsgericht Frankenberg, Vereinsregister, Nr. 29 Reichsverband Deutscher Zigarrenhersteller, Bezirksgruppe Sachsen.

Bestand 30093. Personalakten, Nr. 51 Dr. Denecke.

Bestand 39074. NS-Archiv des Ministeriums für Staatssicherheit, Nr. 14 ZD 54/3363 Rudolf Behr.

Bundesarchiv, Berlin-Lichterfelde

Reichsfinanzministerium

R 2/59117-59120. Einschränkung der Verwendung von Maschinen in der Zigarrenindustrie.

R 2/26733-267336. Verwertung von Zigarrenmaschinen. Durchführung des Gesetzes über die Einschränkung der Verwendung von Maschinen in der Zigarrenindustrie.

R 2/10394b, Bd. 7. Verbot der Verwendung von Maschinen in der Zigarrenindustrie, Denkschrift 1933.

R 2/10397-10397a. Betriebsumfang der Zigarrenherstellungsbetriebe.

R 2/10430. Kartellbildung in der Zigarettenindustrie. Errichtung des Zigarrenkartells.

Deutscher Tabakarbeiterverband
RY 37/2, 3, 19, 20. Berichte über die Lage der deutschen Tabakindustrie.

Leo Baeck Institute, New York

Arnhold Family Collection, Folder 8 AR 2920. Brief von Kurt Arnhold aus dem Parkhotel Amsterdam, Dezember 1938.

Deutsche Nationalbibliothek Leipzig

Anklage 15J 250/33, 21. März 1934, Anklage wegen Hochverrats gegen 17 Kommunisten aus Döbeln. In: *Datenbank Nationalsozialismus, Holocaust, Widerstand und Exil 1933–1945*. De Gruyter, 2015.

Urteil 2H9/34, 3. Dezember 1934, Urteil im Hochverratsverfahren gegen 17 Kommunisten aus Döbeln. In: *Datenbank Nationalsozialismus, Holocaust, Widerstand und Exil 1933–1945*. De Gruyter, 2015.

Zeitungen und Zeitschriften

Döbelner Anzeiger und Tageblatt, Volkszeitung für das Muldental, Der Freiheitskampf, Der Stürmer, Dresdner Neue Presse, Berliner Tageblatt, Berliner Zeitung, Vereinigte Tabak-Zeitungen, Mitteilungen des Reichsverbandes deutscher Zigarrenhersteller

Sonstige Quellen

Dettmer, Jürgen, *Döbeln und der Nationalsozialismus in der Zeit von 1923 bis 1945*. [Chronik der Ereignisse, aufgezeichnet aus dem Döbelner Anzeiger, unveröffentlicht.]

Handbuch der deutschen Aktiengesellschaften, Berlin 1932–1942.

Höhme, Michael, *Schwierigkeiten mit der Wahrheit. Zur Geschichte jüdischer Bürger der Stadt Döbeln in der Zeit des Nationalsozialismus*. www.judentum-projekt.de/geschichte/regionales/doebeln/

Piper, Helfrid, *Ich überlebte Workuta*, Hamburg 1993.

Döbeln im Nationalsozialismus. [Website Arbeitsgruppe Geschichte des Treibhaus Döbeln] www.doebeln-im-ns.de

Zum Beispiel die Glasbergs. Das Schicksal der jüdischen Familien Glasberg und Gutherz aus Döbeln. http://www.doebeln-entdecken.de/doebeln/juedischen-familien.html

Literatur

Barkai, Avraham, *From boycott to annihilation. The economic struggle of German Jews 1933–1943*, Hanover 1989.

Barkai, Avraham, *Das Wirtschaftssystem des Nationalsozialismus. Ideologie, Theorie, Politik, 1933–1945*, Frankfurt am Main 1988.

Bäte, Ludwig, *Zigarren aus Lübbecke*, Brochure August Blase A.G., Osnabrück 1938.

Blasius, Dirk, *Weimars Ende: Bürgerkrieg und Politik, 1930–1933*, Göttingen 2005.

Feller, F. M., Psychologisches Gutachten über die Indianerreklame der Krenter Zigarren-Werke in Dresden. In: Psychodynamik der Reklame, Bern 1932. S. 223-232.

Friedländer, Saul, *Nazi-Duitsland en de Joden, Deel I. De jaren van vervolging 1933–1939*, Amsterdam 2007.

Haase, Norbert, *Gedenkstätten und historische Orte*. In: Clemens Vollnhalns (Hg.), Sachsen in der NS-Zeit. Leipzig 2002. S. 239-251.

Haffner, Sebastian, *Het verhaal van een Duitser 1914–1933*, Amsterdam 2001.

Halbertsma, E. H., *Johan Steenbergen, de lachende diplomaat*, Den Haag 2000.

Held, Steffen, *Von der Entrechtung zur Deportation: Die Juden in Sachsen*. In: Clemens Vollnhalns (Hg.), Sachsen in der NS-Zeit, Leipzig 2002. S. 200-224.

Ilgen, Volker, *Bulgaria*. In: Trödler- und Sammler Journal, Nr. 5, Reichertshausen 2005. S. 168-175.

James, Harold, *The Deutsche Bank and the Nazi economic war against the Jews*, Princeton 2000.

Kurzweg, Christian, *Wirtschaftskrise – Strukturwandel – Kommunalpolitik. Auseinandersetzungen um die maschinelle Herstellung von Zigarren im sächsischen Döbeln 1929 bis 1934*. Magisterarbeit, Leipzig 1995.

Lapp, Benjamin, *Revolution from the Right. Politics, class, and the rise of Nazism in Saxony 1919–1933*, Boston 1997.

Lässig, Simone, *Nationalsozialistische »Judenpolitik« und jüdische Selbstbehauptung vor dem Novemberpogrom. Das Beispiel der Dresdner Bankiersfamilie Arnhold*. In: Reiner Pommerin (Hg.), Dresden unterm Hakenkreuz, Köln 1998. S. 129-193.

Morsch, Günter, *Arbeit und Brot: Studien zu Lage, Stimmung, Einstellung und Verhalten der deutschen Arbeiterschaft 1933–1936/7*, Frankfurt am Main 1993.

Pfeifer, Werner, *Döbeln, aus Geschichte und Gegenwart*, Döbeln 1981.

Pieper, Christine; Schmeitzner, Mike; Naser, Gerhard (Hg.), *Braune Karrieren*, Dresden 2012.

Reinmann, Wilhelm, Mensch *und Maschine in der deutschen Tabakindustrie*, Breslau 1935.

Schmeitzner, Mike; Weil, Francesca, *Sachsen 1933–1945, Der historische Reiseführer*, Berlin 2014.

Schumann, Silke, *Die soziale Lage der Bevölkerung und die NS-Sozialpolitik in Sachsen*. In: Clemens Vollnhalns (Hg.), Sachsen in der NS-Zeit. Leipzig 2002. S. 57-72.

Shirer, William, The *rise and fall of the Third Reich. A history of Nazi Germany*, New York 1960.
Smelser, Ronald, *Robert Ley: Hitler's Labor Front leader*. New York 1988.
Stockmann, Gottfried, *Die Stadt Döbeln als Standort der Industrie*, Borna/Leipzig 1928.
Thaler, Urs, *Unerledigte Geschäfte. Zur Geschichte der schweizerischen Zigarrenfabriken im Dritten Reich*, Zürich 1998.
Tooze, Adam, *The wages of destruction: The making and breaking of the Nazi economy*, London 2006.
Uhlmann, Hans, *Die Entwicklung von Unternehmung und Betrieb in der deutschen Zigarren-Industrie unter der besonderen Berücksichtigung der Tabakbesteuerung*, Halle 1934.
Vollnhals, Clemens, *Der gespaltene Freistaat: Der Aufstieg der NSDAP in Sachsen*. In: Clemens Vollnhalns (Hg.), Sachsen in der NS-Zeit. Leipzig 2002. S. 9-41.
Wagner, Andreas, *Partei und Staat. Das Verhältnis von NSDAP und innerer Verwaltung im Freistaat Sachsen 1933–1945*. In: Clemens Vollnhals (Hg.), Sachsen in der NS-Zeit. Leipzig 2002. S. 41-57.
Witteler, Hans, *Das deutsche Zigarrengewerbe. Entwicklung, Bedeutung und Tendenzen*, Stuttgart 1932.
Wünsch, Monika, *Die Geschichte Döbelns*, Döbeln 1990.

Bildnachweis

Stadtarchiv Döbeln
Abb. 9, 11 (S. 51, rechts), 12 (S. 56 u. 57), 18, 20

Döbelner Anzeiger
Abb. 11 (S. 51, links), 19, 23, 29, 37

Döbeln in alten Ansichten (https://doebeln.de; http://www.doebeln-entdecken.de)
Abb. 7, 30

SLUB Dresden, Deutsche Fotothek, Foto: Max Novak
Abb. 17

Sächsisches Staatsarchiv
Abb. 21, 25

Archiv Dietmar Bensch
Abb. 31

Foto-Flug & Video-Werbung R. Kruse & Th. Seidel GbR, Weinböhla
Abb. 32

Museum Pfalzgalerie Kaiserslautern, Foto: Gunter Balzer
Abb. 33

Stiftung Steenbergen
Abb. 34

Privatarchiv Monica Norström
Abb. 36

Alle übrigen Abb.: *Privatbesitz Familien Rottenberg und Jacobs*

Danksagung

Die Hilfsbereitschaft, die wir in Döbeln erfahren haben, hat dazu beigetragen, dass die Recherche zur Zigarrenfabrik unseres Großvaters in Gang gekommen ist. Die Stadtarchivarin Ute Wiesner hat uns von Anfang an mit Rat und Tat unterstützt und sich große Mühe gegeben, die Akten der Deutschen Zigarren-Werke zu finden. Über Ute Wiesner kamen wir in Kontakt mit Stephan Conrad, Sophie Spitzner und Judith Schilling vom Jugendzentrum in Döbeln. Sie waren fantastische Stadtführer, die das Döbeln von damals mit dem Döbeln von heute verbinden konnten. Die Leidenschaft, mit der sie die NS-Zeit ihrer Stadt erforschen und sichtbar machen, hat uns tief beeindruckt. Auf dem Dachboden von Ute Wiesner trafen wir uns mit den Döbelner Heimatfreunden: Horst Schlegel, der uns aus eigener Erinnerung über Döbeln in den 1930er-Jahren berichten konnte; Jürgen Dettmer, der uns seine Chronik über Döbeln in der Nazizeit zur Verfügung stellte; Karl Enzmann, der für uns Nachforschungen zur lokalen Zigarrenindustrie anstellte. Der Historiker Christian Kurzweg half uns mit seinem detailreichen Wissen über die sächsische und lokale Politik, die Zigarrenfabrik in den richtigen Kontext zu stellen.

Der Schriftsteller Geert Mak hat uns mit seiner Begeisterung für die Geschichte, mit der wir aus Döbeln zurückgekehrt sind, dazu angeregt, dieses Buch zu schreiben.

Die Autorinnen

Hella Rottenberg (1955) ist Journalistin und Autorin. Sie studierte Russisch und arbeitete als Korrespondentin für die renommierte niederländische Tageszeitung *de Volkskrant* in Prag und Moskau. Sie schrieb ein Buch über die Plünderung einer russischen Kunstsammlung (*Meesters, marodeurs = Meister, Marodeure*) und zusammen mit Jelle van der Meer ein Buch über das Strafrecht in der alltäglichen Praxis (*Opwaaiende Toga's = Wehende Talare*). Sie ist Mitbegründerin der digitalen Wissensplattform *Platformraam.nl* über Russland, die Ukraine und Belarus. Nach der Invasion Russlands in der Ukraine veröffentlichte sie das Buch *Z: hoe Poetin Rusland weer groot wilde maken* (*Z. Wie Putin Russland wieder groß machen wollte*).

Sandra Rottenberg (1960) arbeitet als freischaffende Programmgestalterin für kulturelle, politische und wissenschaftliche Organisationen, für Radio und Fernsehen. Sie war Produzentin und Chefredakteurin der *De Globaliseringslezing* (*Die Globalisierungsvorlesung*) und ist eine gefragte Rednerin und Diskussionsleiterin von Konferenzen und Veranstaltungen. Zusammen mit Ine Poppe schrieb sie das Buch *De Kraakgeneratie* (*Die Hausbesetzergeneration*).